CHWERWFELYS

Gan yr un awdur

Enillydd Categori Plant a Phobl Ifanc Llyfr y Flwyddyn ac Enillydd Gwobr Tir na n-Og

Chwerwfelys

Nofel gan

Rebecca Roberts

Dilyniant i *Mudferwi*

Argraffiad cyntaf: 2021

Rhif Llyfr Safonol Rhyngwladol:
978-1-84527-807-6

Cyhoeddwyd gyda chymorth Cyngor Llyfrau Cymru

Cynllun y clawr: Olwen Fowler

Cyhoeddwyd gan Wasg Carreg Gwalch,
12 Iard yr Orsaf, Llanrwst, Dyffryn Conwy, Cymru LL26 0EH.
Ffôn: 01492 642031
e-bost: llyfrau@carreg-gwalch.cymru
lle ar y we: www.carreg-gwalch.cymru

Cyflwynaf y nofel hon i fy ffrindiau: Sophie, Lucy, Cathy, Talitha ac Ows. Ac wrth gwrs, Andy, fy ngŵr a'r ffrind gorau oll.

Fy niolchiadau diffuant i Nia am olygu'r gyfrol, ac i Wasg Carreg Gwalch am gomisiynu dilyniant i *Mudferwi*. Unwaith eto, diolch i fy nheulu a'm ffrindiau am eu cefnogaeth.

RHAN 1

1

Ebrill 2019

Tyddyn llwm yng nghanol nunlle oedd cartref mam Duncan, tŷ bach yn agored i ergydion y pedwar gwynt, heb ardd nag addurn i'w harddu. Edrychai'r adeilad mor fyrdew, anodd oedd dychmygu y byddai'n ddigon mawr i wyth ohonom aros yno ar gyfer yr aduniad teuluol heb fod fel sardîns. Teimlais fy nghorff yn tynhau wrth i mi ddychmygu'r olygfa: pawb wedi'u gwasgu o amgylch y bwrdd bwyd a'r holl lygaid arna i, partner newydd Stuart.

'Barod?' gofynnodd Duncan, wrth lywio'r car i fuarth y bwthyn. Taflodd gipolwg ar fy wyneb gofidus a chwerthin. ''Sdim eisiau i ti boeni, Alys.'

'Ond be os nad ydyn nhw'n fy hoffi i?'

'Be sy'n gwneud i ti feddwl hynny?' Diffoddodd Duncan injan y car. 'Alys, mi fyddan nhw wedi mopio efo ti, trystia fi.' Gwenodd arna i yn ei ffordd hyderus ei hun, ac er fy mod i'n gwybod yn iawn ei fod o'n gor-ddweud (fel arfer), teimlais y tyndra'n llacio rhyw ychydig. Teulu Duncan oedden nhw wedi'r cwbl, ac os oedden nhw unrhyw beth tebyg i Duncan o ran anian, mi ddylwn i fod yn iawn.

Camodd Duncan allan o'r car ac ymestyn ei goesau hirion, a gwnes innau'r un fath, gan ein bod wedi teithio am saith awr i gyrraedd ucheldiroedd yr Alban. Dechreuais ddeall pam nad oedd Duncan yn ymweld â'i deulu'n amlach.

Agorodd drws y bwthyn a daeth Mrs Stuart allan i'n cyfarch ni – a'r peth cyntaf wnaeth Duncan oedd ei chwtsio'n hir ac yn dyner. Roedd ci bach yn dynn wrth ei sodlau, yn cyfarth ar Duncan yn filain.

'*Fàilte*, Alys, meddai, gan droi ata i. 'Mae'n braf dy gyfarfod di yn y cnawd, o'r diwedd.' O'r diwedd? Dim ond ers pum mis roedd Duncan a finnau'n canlyn. Plygais fy mhen i dderbyn cusan ganddi. Anodd oedd credu bod cawr fel Duncan yn perthyn i'r ddynes fechan hon, ond roedd ganddyn nhw'r un llygaid gleision, fel lliw platiau Wedgewood, a'r un wên chwareus. 'Dewch i'r tŷ, dewch allan o'r gwynt!' meddai, gan wthio'i gwallt gwyn oddi ar ei hwyneb.

Aeth Duncan i nôl ein cesys o gefn y car, gan geisio osgoi baglu dros y ci bach oedd yn rhedeg mewn cylchoedd o'i amgylch, yn cyfarth a brathu ei fferau. Dilynais innau fam Duncan drwodd i'r parlwr bach, lle'r oedd Gavin, brawd hŷn Duncan, ei wraig a'u tri mab yn disgwyl amdanon ni.

'Dyma Ewan, Connor a Logan,' meddai Katie, eu mam, gan geisio gorfodi'r tri bachgen i aros yn llonydd yn ddigon hir i mi eu cyfarch, ond ofer fu ei hymgais, bryd hynny ac ar bob achlysur arall gydol ein hymweliad. Dihangodd y bechgyn bach a'u heglu hi am yr ardd gefn. 'Ewan! Connor! Logan!' galwodd ar eu holau'n flin. 'Dewch yn ôl i ddweud helô wrth Yncl Dunc...' Ond caeodd y drws cefn yn glep ar eu holau.

'Cnafon bach, yn union fel ni yn eu hoed nhw,' chwarddodd Duncan, gan ollwng ein bagiau ar y llawr ac ysgwyd llaw Gavin, ei frawd hŷn oedd yr un ffunud â fo. Bron na allen nhw fod yn efeilliaid, heblaw bod llai o wallt gan Gavin. Trodd Gavin ata i.

'Wel, Dunc, ddwedaist ti ei bod hi'n bictiwr, ac am unwaith doeddet ti ddim yn gorliwio!' meddai.

'Yn bictiwr fel Katie...' atebodd Duncan yn fonheddig, gan droi at wraig ei frawd a'i chofleidio. 'Hyfryd dy weld di.'

'Dewch at y bwrdd. Mae swper yn barod!' galwodd Mrs

Stuart, gan ein hebrwng ni i'r stafell fwyta a'n hannog i eistedd o flaen gwledd o eog a chig eidion. Roedd ei dylanwad hi ar goginio Duncan yn amlwg ym mhob brathiad, yn llawer cryfach na dylanwad y coleg arlwyo. Petai gen i orchudd dros fy llygaid allwn i ddim gwahaniaethu rhwng tatws rhost y ddau. Efallai mai dyna pam roedd bwyty Duncan wastad dan ei sang – roedd o'n coginio o'r galon.

Dros swper, rhwng ebychiadau bywiog y bechgyn, trodd ein sgwrs at yr anochel: sut y bu i'r ddau ohonom gyfarfod.

'Alys oedd fy Chef de Partie,' eglurodd Duncan. 'Fuon ni'n gweithio ochr yn ochr â'n gilydd am flwyddyn a mwy. Roedden ni'n cystadlu ar raglen *The Best of British Banquet* efo'n gilydd...'

'Wrth gwrs – ti oedd yr un wnaeth o'i chusanu o flaen pawb!' meddai Gavin wrtha i, gan wincio ar ei wraig. 'Roeddech chi'n gwenu'n slei ar eich gilydd o hyd. Ddwedaist ti ar y pryd, yn do, Katie, y bydden nhw'n gwpl cyn hir.'

'Ia, wel, bryd hynny wnaeth ein perthynas ddechrau datblygu'n rhywbeth mwy...' meddai Duncan, fymryn yn amddiffynnol.

'Ond ddigwyddodd dim byd rhyngddon ni,' ychwanegais, yn fwy amddiffynnol eto, a gwrido dan edrychiad craff Mrs Stuart.

'Aeth Alys i weithio yn Llundain am flwyddyn,' eglurodd Duncan, 'a welais i mohoni nes iddi ddod adref i weld ei mam y Dolig diwetha... Ro'n i wrthi'n pacio fy stwff, yn barod i werthu'r bwyty a symud yn ôl yma i'r Alban, ac mi gerddodd hi heibio'r Fleur-de-Lis ac yn syth yn ôl i 'mywyd i. Rydyn ni wedi bod efo'n gilydd bob diwrnod ers hynny.'

'A chyn hynny, synnwn i daten,' meddai Gavin yn wawdlyd. 'Ond dwi'm yn dy feio di, Duncan. Gest ti dy drin yn uffernol gan Lydia...'

'Na,' atebodd Duncan yn gadarn. 'Mi gawson ni ddigon o gyfle i fynd tu ôl i gefn Lydia, ond wnaethon ni ddim.' Cododd ei frawd ei aeliau gan fynegi ei anghrediniaeth – ystum dwi wedi'i gweld sawl gwaith gan Duncan. Eglurodd Duncan: 'Ar fy llw. Mi wnaethon ni hyd yn oed rannu gwely gwpl o fisoedd ar ôl i ni gyfarfod am y tro cyntaf, ond ddigwyddodd dim byd.'

'... Ar ôl i'w gar dorri i lawr,' ychwanegais. 'A doedd o ddim yn gwybod mai merch o'n i, bryd hynny,' protestiais, gan deimlo'r gwrid yn gwaethygu.

'*Oh, aye,*' atebodd Gavin gyda glaswen, yn amlwg yn mwynhau pryfocio ei frawd o flaen ei fam. 'Dyna oedd dy amddiffyniad di, Dunc, pan ddaliodd Lydia chi'ch dau yn y gwely?'

Tynnu coes oedd Gavin erbyn hyn, ond atebodd Duncan yn ddifrifol, 'Llaw ar fy nghalon, Gav, ddigwyddodd dim byd. Dweud y gwir, ro'n i'n meddwl ei bod hi'n anneuaidd...' Rhewodd pawb gyda'u ffyrc yn yr awyr a throi i edrych arna i. Pam na allai Duncan gau ei geg?

Yn chwys i gyd, ceisiais egluro. 'Roedd gen i wallt byr iawn ar un adeg. Pan gymerodd pawb yn ganiataol mai bachgen o'n i, yn y cyfweliad am swydd yn y Fleur-de-Lis, ro'n i'n rhy swil i'w cywiro. Felly fues i'n gweithio yno am sbel go lew cyn i Duncan sylweddoli mai merch o'n i.'

'Alla i gredu hynny, o gofio pa mor swil oeddet ti'n ymddangos ar y rhaglen deledu,' meddai Katie yn glên. 'Ro'n i'n meddwl dy fod di'n hynod ddewr yn cymryd rhan, a tithau'n amlwg ddim eisiau bod yno.'

'Allwn i ddim gwrthod. Roedd Lydia am i mi fod ar y rhaglen, a doedd hi ddim yn fodlon cymryd 'na' yn ateb gen i!' Taflais gipolwg ar Duncan, gan ein bod ni wedi penderfynu o flaen llaw na fydden ni'n siarad gormod am gynllwynio ei gyn-wraig.

'Mae'n swnio fel dechrau cymhleth i berthynas,' oedd ymateb diplomyddol Mrs Stuart.

'Oedd,' cytunodd Duncan. 'Ond pan ddaeth Alys adre o Lundain roedd fy mhriodas drosodd, ac allwn i ddim gadael iddi gerdded allan o fy mywyd unwaith yn rhagor.' Estynnodd ei fraich allan a gafael yn fy llaw. 'Alys ydi'r peth gorau i ddigwydd i mi, erioed.'

'Mae hynny'n amlwg,' atebodd ei frawd. 'Ti'n edrych ddegawd yn iau heb Lydia yn swnian arnat ti o hyd.' Gwenodd

Duncan yn hunanfoddhaol. Roedd o'n sensitif ynglŷn â'i oed, a'r ffaith ei fod yn heneiddio. Aeth ei frawd ymlaen yn ddidostur. 'Ti ond yn edrych yn ddeugain nawr, yn hytrach na hanner cant. Sy'n golygu mai dim ond... faint, ugain mlynedd, sy rhyngddat ti ac Alys?'

'Un ar bymtheg, y coc oen,' atebodd Duncan, a thaflu pysen at ei frawd mawr fel petai'n fachgen bach direidus. Taflodd Gavin ddarn o foronen yn ôl ato.

'Nawr, fechgyn, dim ffraeo!' dwrdiodd eu mam, a sibrydodd Katie rywbeth o dan ei gwynt am 'fod yn esiampl i'r plant'. Ond daliodd y brodyr i dynnu coes a bychanu llwyddiannau'r naill a'r llall, heb fath o falais.

Sylweddolais fod acen Albanaidd Duncan yn cryfhau wrth iddo siarad â'i deulu, a dechreuodd ddefnyddio tafodiaith oedd bron yn annealladwy i mi ar brydiau. Mae'n rhaid mai dyma sut roedd o'n teimlo wrth wrando arna i yn siarad Cymraeg gyda Mam neu Catrin, ein prif weinyddes ac un o'm ffrindiau gorau, gan fethu dilyn hanner ein sgwrs.

Wnes i ddim cyfrannu fawr ddim i'r sgwrs, dim ond eistedd yn ôl a mwynhau miwsig eu hacen. Swniai mor wahanol i'r Gymraeg ond roedd yr un mor gartrefol ac apelgar.

Ar ôl swper, aeth Katie â'r plant i'w gwlâu. Eisteddodd Duncan a Gavin ar y soffa i fwynhau diod ac i barhau â rhyw ddadl, felly es innau i'r gegin i ddechrau helpu Mrs Stuart i olchi'r llestri. Hyd yn hyn, prin roedden ni wedi cael cyfle i dorri gair â'n gilydd, ond datblygodd sgwrs rhyngddon ni wrth i mi olchi'r llestri a hithau eu sychu a'u cadw. Dwi'n meddwl fod y ffaith ein bod ni'n gweithio ochr yn ochr yn hytrach nag yn eistedd gyferbyn â'n gilydd yn helpu – tydw i erioed wedi bod yn un dda am gadw cyswllt llygad, nac am fân siarad.

'Fel 'na oedden nhw pan oedden nhw'n blant,' meddai'n dawel, gan amneidio i gyfeiriad y dynion swnllyd, cwerylgar. 'Ffrindiau gorau ond yn gystadleuol dros bob manylyn.' Ochneidiodd yn dawel. 'Roedd Alasdair – eu tad – yn un drwg am chwarae ffefrynnau. Gavin oedd yn cael y clod i gyd, a'r sylw, gan ei dad bob amser...' Yn sydyn, ro'n i'n deall ysfa gystadleuol Duncan, a'i ansicrwydd a'i angen am glod a chydnabyddiaeth.

'Ond mae'n amlwg mai Duncan etifeddodd eich dawn chi i goginio,' dywedais. Roedd Duncan wir yn gogydd o fri, ac roedd mwy nag un beirniad wedi awgrymu bod seren Michelin o fewn ei gyrraedd.

'Ti'n garedig iawn,' atebodd gyda gwên swil, gan droi i gadw'r llestri ar y dresel. 'Wyddost ti, dwi'n teimlo fel 'mod i'n dy nabod di'n barod. Bob tro dwi'n siarad efo Duncan, ti a'r bwyty mae o'n drafod. Ro'n i'n gwybod ei fod o mewn cariad efo ti ymhell cyn iddo fo sylweddoli hynny ei hun.' Trodd i fy wynebu a gostwng ei llais i sibrwd. 'Tydi o ddim yn beth neis i obeithio y bydd dy fab yn ysgaru, ond ers iddo dy gyfarfod di dwi wedi bod yn gweddïo y bydd Lydia'n diflannu o'i fywyd o unwaith ac am byth. Roedd yn gas gen i weld sut roedd hi'n chwarae efo'i emosiynau o hyd, yn defnyddio'r posibilrwydd o gael plant fel abwyd i'w gadw... Rydyn ni ferched yn gweld triciau merched eraill, yn tydyn ni?' Ochneidiodd eto. 'Ta waeth, mae hi allan o'i fywyd rŵan, a dwi'n falch iawn drosoch chi'ch dau.'

Doedd Lydia ddim allan o'n bywydau ni, dim o bell ffordd, ond wnes i ddim meiddio dweud hynny wrth Mrs Stuart. Gafaelodd yn fy llaw a gwasgu fy mysedd yn ysgafn, gan wenu'n annwyl – arferiad arall yr oedd ei mab wedi ei etifeddu ganddi.

'Dwi'n gwybod na wnei di ei frifo'n fwriadol,' meddai hi. 'Mae o wedi dioddef cymaint yn barod.'

Y noson honno, cysgodd Gavin, Katie a'r bechgyn yn y parlwr ffrynt, a ninnau yn hen stafell wely Duncan a Gavin, yn y ddau wely sengl cul ac anghyfforddus oedd yn amlwg wedi bod yno ers i'r brodyr adael cartref rai degawdau'n ôl. Gyda'r tŷ'n orlawn teimlai fel petai bawb yn medru clywed pob sŵn a phob gair, felly wnaethon ni ddim meiddio mentro mwy na chusan swil a sibrwd 'nos da' cyn swatio yn ein gwlâu.

Wnes i ddim sôn wrth Duncan fy mod i wedi digwydd bod

yn dyst i sgwrs rhwng Gavin a Katie yn gynharach:

'Be ti'n feddwl ohoni?'

''Sganddi fawr i'w ddweud, nag oes? Mae'n amlwg ei fod o'n fwriadol wedi dewis rhywun hollol wahanol i Lydia – doedd honno ddim yn medru stopio siarad amdani'i hun, a dydi Alys byth yn agor ei cheg!'

'Dwi'm yn eu gweld nhw'n para, rywsut. Wyt ti?'

'Os dwi'n onest, na. Mae Dunc yn cael cymaint o sylw gan ferched, buan y bydd rhywun arall yn ei ddenu. Mi wneith o ddiflasu arni cyn bo hir.'

Ceisiais argyhoeddi fy hun nad oedd Gavin yn deall ein perthynas, ond cofiais fod Lydia wedi dweud union yr un peth amdana i. Do'n i ddim yn ddigon deallus na diddorol i ddal sylw rhywun carismatig a bywiog fel Duncan, meddai.

Gorweddais gyda fy llygaid ar gau, yn esgus fy mod i'n cysgu, gan geisio anwybyddu'r giglan o'r stafell nesaf a Katie yn sibrwd yn uchel ar ei meibion i'w siarsio i gysgu. Ond mae'n rhaid fy mod i'n actorcs ofnadwy o wael, achos ymhen munud clywais fy ffôn yn dirgrynu ar y bwrdd ger erchwyn y gwely. Neges gan Duncan: *Ti'n edrych yn drist. Be sy'n bod?*

Teipiais yn ôl yn drwsgl er gwaetha'r tywyllwch a fy nyslecsia: *Dm yn meddwl dod by frawb yn hofi fi. Bydi o ddim yn mebbwl mod in ddigon ba i ti.*

Mewn chwinciad daeth yr ateb: *Dydw i ddim yn ddigon da, nac yn deilwng ohonat ti. Paid â gwrando ar Gavin. Gwranda arna i: CARU TI. PAID BYTH Â NEWID, ALYS RYDER. XXXXXXX*

Yn ofalus, dringais allan o fy ngwely a sleifio at Duncan. Rhoddodd ei fraich am fy nghanol rhag i mi ddisgyn allan o'r gwely cul a rhoi cusan ar fy ysgwydd noeth, a syrthion ni i gysgu ym mreichiau'n gilydd gyda thraed y ddau ohonon ni'n hongian dros waelod y gwely.

Ddeuddydd wedyn, daeth yn amser i ni yrru adref i Gymru. Rhaid i mi gyfaddef fy mod i'n falch fod yr ymweliad drosodd. Dechreuais ddiflasu ar hiwmor Gavin yn gyflym iawn, a'r ffordd roedd o'n methu'n lân â chydnabod llwyddiannau ei frawd. Tydw i ddim yn arbennig o agos at Lee, fy mrawd fy hun, ond o leia rydyn ni'n ymfalchïo yn llwyddiannau'n gilydd a'u dathlu. Diflasais hefyd ar glywed Katie yn brwydro i gadw trefn ar ei meibion brochus, ond yn fwy na hynny, dechreuodd diffyg diddordeb Gavin yn ei blant ei hun, a'r ffaith ei fod yn hapus i'w fam a'i wraig wneud popeth drosto, fy ngwylltio. Deuthum yn hoff iawn o'i fam a Pebbles, ei chi bach swnllyd, ond heblaw am y sgwrs braf ges i gyda Mrs Stuart, wnes i ddim llwyddo i ymlacio na mwynhau fy hun o gwbl.

'Sut wyt ti'n meddwl aeth pethau?' gofynnais yn betrus.

'Dwi'n meddwl fod yr ymweliad yn llwyddiant ysgubol!' meddai Duncan, gan wenu'n braf.

'Wir?'

'Yn bendant. Un flwyddyn, lluchiodd Lydia wydraid o win dros Katie, a'r flwyddyn cyn hynny mi wnaeth un o'r bechgyn daro'r wrn sy'n dal llwch Dad i'r llawr... felly o'i gymharu â hynny, roedd yn benwythnos eitha llwyddiannus!' Oedodd Duncan, fel petai'n ansicr a ddylai barhau. 'A ges i sêl bendith Mam... gofynnodd hi pryd oedden ni am ddechrau teulu. Does gen i erioed gof iddi ofyn hynny pan o'n i efo Lydia, er i ni fod yn briod am flynyddoedd.' Wel, roedd hynny'n arwydd fy mod i wedi gwneud argraff dda arni, os oeddwn i'n cael fy ystyried yn deilwng i ddod â'r genhedlaeth nesaf o Stuarts i'r byd...

Chwe awr yn ddiweddarach, wedi llwyr ymlâdd, llywiodd Duncan y car oddi ar yr A55 ac ar hyd y lonydd gwledig sy'n arwain at bentref Santes-Fair-tanrallt. Parciodd y tu ôl i'w fwyty, y Fleur-de-Lis. Roedd y gwasanaeth cinio drosodd a'r gwasanaeth swper heb gychwyn eto, ac roedd Bobby a John, y cogyddion, yn eistedd ar y fainc tu allan, gyda phowlen o goulash bob un ar eu gliniau, a thalp o fara ffres.

'Dunc! Al! Rydech chi adre'n gynnar!' oedd cyfarchiad John. 'Mae sbesial heno'n ffrwtian ar y stof – mi a' i i nôl powlen yr un i chi.' Diflannodd John drwy'r drws cefn, a gwnaeth Bobby le i'r ddau ohonon ni eistedd ar y fainc wrth ei ochr. Ein Chef de Partie newydd oedd Bobby – boi clên a hawddgar ofnadwy. Roedd o bron yr un oed â John, sef canol ei bedwardegau, ond dim ond yn ddiweddar iawn roedd o wedi cychwyn ar ei yrfa yn gogydd. Bu John, dirprwy Duncan, yn hynod amyneddgar wrth ddysgu'r holl sgiliau coginio sylfaenol iddo – roedd hynny'n dipyn o wyrth o ystyried sut y cafodd rhagflaenwyr Bobby eu trin. Doedd John ddim yn nodedig am ei amynedd.

'Sut hwyl, Bobby?' gofynnodd Duncan, gan ollwng ein bagiau wrth ochr y fainc.

'Popeth yn iawn, Chef. Mae John 'di bod yn fy nysgu fi sut i baratoi cyw iâr *spatchcock*.' Gwnaeth siâp siswrn efo'i fysedd i dorri cyw iâr anweledig, ac yna gwasgu'r cyw iâr dychmygol yn fflat gyda chledr ei law.

'Da iawn,' meddai Duncan.

'A daeth rhyw foi i dy weld di...'

'O, ie?'

'Rhywbeth i wneud efo teiars... Ddwedodd o na fyddai o'n medru dod yn ôl tan y flwyddyn nesaf. Beth oedd ei enw? M... Mi... Mish?'

'Michelin?' gofynnais. Nodiodd Bobby ei ben, a gwelwodd wyneb Duncan.

'Fu un o arolygwyr Michelin yma?' ebychodd. 'Yma, tra o'n i ar fy ngwyliau?' Rhedodd ei fysedd drwy ei wallt. 'Tra o'n i ac Alys ar wyliau... O na, na, na ... mae hyn yn drychineb... Bydden nhw... Pam es i...? Blydi hel, pam ddaethon nhw rŵan?' Cododd ei ben a sylweddoli fod John yn sefyll o'i flaen gyda dwy bowlen yn ei ddwylo, yn ceisio mygu ei chwerthin.

'Sut fedri di chwerthin?' arthiodd Duncan ar ei ffrind. Rhoddodd John y powlenni i mi ac edrych ar Bobby, a dechreuodd y ddau ohonyn nhw chwerthin yn uchel, nes bod y dagrau'n powlio i lawr eu bochau. Edrychodd Duncan o un i'r llall, wedi drysu. 'Dydi'r arolygydd Michelin ddim wedi bod?' gofynnodd.

'Dydyn nhw byth yn datgelu eu bod nhw'n ymweld, nac

ydyn?' gofynnais, er mwyn atgoffa Duncan. Fyddai 'run arolygydd Michelin yn cerdded i mewn i fwyty ac yn datgan pwy oedd o. Cofiodd Duncan hynny, a dychwelodd rhywfaint o liw i'w fochau.

'Ha, ha, ha,' meddai'n wawdlyd. Gallwn weld fod ganddo gywilydd am iddo adael iddo'i hun gynhyrfu i'r fath raddau. 'Mae amser chwarae drosodd,' meddai Duncan, gan edrych a swnio rhyw fymryn yn hunangyfiawn. 'Efallai fod ganddoch chi amser i gael hwyl, hogia, ond mae gen i fwyty i'w achub.'

2

Y diwrnod wedyn agorais ddrws cefn y Fleur-de-Lis i ganfod dynes yn tynnu at ei chanol oed yn sefyll ar ein stepen drws. Un o stelcwyr Duncan, mwy na thebyg. Roedd ganddo lu ohonyn nhw.

'Ga' i'ch helpu chi?'

'Yma i weld Duncan ydw i.'

'Oes ganddoch chi apwyntiad?' gofynnais, gan wybod y byddai Duncan yn anfodlon rhoi'r gorau i gyfri stoc yn y seler er mwyn siarad â rhyw ddynes ddieithr.

'Na, ond mi fydd o'n hapus i fy ngweld i,' atebodd hithau'n hyderus.

Rhoddais law ar fy nghlun a chodi fy aeliau – ystum ddiamynedd roeddwn i wedi'i mabwysiadu ar ôl blynyddoedd o weithio ochr yn ochr â John, ein Sous Chef sarrug. 'Wel, dwi'n rheolwr ar y cyd â Duncan. Alla i'ch helpu chi?'

'Na, gyda Duncan dwi angen siarad,' mynnodd, gan gyflwyno cerdyn busnes. Cymerais yr hirsgwar gwyn ganddi a'i roi yn fy mhoced.

'Mi a' i i weld ydi o ar gael,' dywedais, gan gau'r drws yn ysgafn yn ei hwyneb. Os nad stelciwr oedd hi, digon posib ei bod yn newyddiadurwr, a do'n i ddim am iddi gael cyfle i wahodd ei hun i'r gegin er mwyn busnesa. Fwy nag unwaith dros y misoedd diwethaf, ers i Duncan wahanu oddi wrth Lydia, cysylltodd newyddiadurwyr â Duncan yn chwilio am gyfweliad fyddai'n cyd-fynd â'r pennawd *Cogydd teledu enwog yn datgan bod ei briodas ar ben.* Roedd yn anodd i mi dderbyn fod Duncan bellach yn cael ei ystyried yn bersonoliaeth digon enwog i fod o ddiddordeb i bapurau newydd cenedlaethol, a fy mod innau hefyd yn cael fy enwi fel 'ei gariad ifanc, deniadol'. Dwi'n gwneud fy ngorau glas i osgoi darllen pob erthygl.

O dop y grisiau, gwaeddais i berfeddion y seler, 'Duncan, mae 'na rywun yma i dy weld di!'

'Pwy?' gwaeddodd yn ôl. Gydag ochenaid ddiamynedd, tynnais y cerdyn busnes allan o fy mhoced a darllen y print mân gyda chryn drafferth.

'Dynes o ryw gwmni teledu, dwi'n meddwl.' Gydag ochenaid yr un mor ddiamynedd, dringodd Duncan y grisiau, gan ddiosg y gôt drwchus a wisgai i gadw ei hun yn gynnes yn y rhewgell danddaearol. Cymerais innau'r gôt er mwyn gorffen cyfri'r stoc tra byddai o'n sgwrsio gyda'r ddynes yn y swyddfa. Er mai fo oedd yn gwneud y rhan fwyaf o'r gwaith gweinyddol, roedd Duncan yn ddigon ystyriol i argraffu'r stocrestr yn y ffont a'r maint oedd hawsaf i mi ei ddarllen – yn wir, ers i ni ailagor y bwyty roedd o wedi ailargraffu'r holl fwydlenni, yr amserlenni a'r hysbysebion yn yr un teip fel nad oedd fy nyslecsia'n gymaint o rwystr ag y gallai fod.

Wrth weithio, meddyliais ei bod yn od nad oedd John wedi cyrraedd eto, a hithau bron yn hanner dydd. Felly, ar ôl gorffen cyfri'r stoc, brysiais i fyny'r grisiau i estyn yr offer fyddai ei angen arnom ar gyfer y gwasanaeth cinio, fel bod o leiaf un aelod o staff yn barod at brysurdeb y prynhawn. Estynnais fy ffedog a mynd at y sinc i olchi fy nwylo'n drylwyr, a'r eiliad honno, brasgamodd y ddynes allan o'r swyddfa gan anelu'n syth am y drws cefn.

'Hwyl i ti, Alys,' meddai mewn llais fyddai wedi medru troi peint o laeth yn *semifreddo* mewn chwinciad chwannen.

'Be oedd yn bod efo hi?' gofynnais wrth i Duncan gamu allan o'r swyddfa ar ei hôl a phwyso'i ysgwydd yn erbyn ffrâm y drws.

'Mi gynigiodd hi raglen deledu i mi,' eglurodd. 'Mae hi'n gweithio i'r un cwmni cynhyrchu ag a oedd yn gyfrifol am *The Best of British Banquet* – roedd hi am i griw teledu ddod yma er mwyn ffilmio rhyw fath o raglen ddogfen pry ar y wal amdanon ni.'

'Rhaid ei bod hi'n hynod o cîn iddi ddod yr holl ffordd yma yn hytrach na chodi'r ffôn,' dywedais, gan barhau i olchi fy nwylo er mwyn i mi gael troi fy nghefn ar Duncan am eiliad a chuddio'r anesmwythder ro'n i'n ei deimlo. A ddaeth hi yma ar wahoddiad Duncan, tybed? Dwi'n caru llawer iawn o bethau am Duncan Stuart, ond tydi ei ddyhead am enwogrwydd ddim yn un o'i nodweddion mwyaf dymunol. Gwingais yn fewnol wrth gofio'r profiad ges i y tro cyntaf i mi ymddangos ar y teledu. Os oedd Duncan am wahodd cwmni cynhyrchu i'r bwyty byddai'n golygu misoedd o aflonyddwch. Ta ta, heddwch, ta ta, preifatrwydd...

'Wrth gwrs, ddywedais i nad oeddet ti'n gyfforddus yn ymddangos ar y teledu, a byddai'n amhosib i ti weithio yma gyda'r lle yn llawn camerâu.' Duncan, f'enaid hoff cytûn. Pam wnes i dy amau o gwbl? 'Doedd hi ddim yn hapus, ond ta waeth am hynny. Ges i gynnig arall wsnos diwetha gan gwmni gwahanol. Ti wedi clywed am *Around the World in 80 Dishes*?'

'Ai dyna'r rhaglen wylion ni un tro, pan aethon nhw â chogyddion i Noma a Le Manoir aux Quat'Saisons?'

'Dyna'r un: "Cyfle i ddysgu gan y goreuon, a blasu bwyd o bedwar ban y byd," yntê.' Dyfynnu cyflwynydd y sioe oedd Duncan. Ond do'n i ddim yn deall – cystadleuwyr ifanc, dibrofiad oedd cogyddion y gyfres, ac roedd Duncan wedi ennill cystadleuaeth goginio *The Best of British Banquet* y llynedd – doedden nhw erioed am ei sarhau drwy ofyn iddo ymuno â chriw oedd newydd ddechrau gweithio fel cogyddion?

'Paid â dweud ei bod hi am i ti gystadlu?'

Ysgydwodd Duncan ei ben, yn methu â chuddio gwên slei. 'Ei chyflwyno,' meddai. Bu bron i mi ollwng y gyllell ro'n i wrthi'n ei hogi.

'Cyflwynydd? Felly byddet ti'n garantîd o gael mynd reit rownd y byd a chael ymweld â'r bwytai enwocaf?' Nodiodd ei ben, ond diflannodd ei wên.

'Ond wrth gwrs, wnes i wrthod y cynnig hwnnw hefyd.'

'Pam? Dwi ddim yn deall... pam wnest ti'r fath beth?'

'Achos byddai gofyn i mi deithio am bron i dri mis. Fedra i ddim dy adael di a John i redeg y lle 'ma heb gymorth, yn enwedig a Catrin ar fin dechrau ei chyfnod mamolaeth. Ac mae angen cymaint o oruchwyliaeth ar Toby a Bobby...'

'Mi fyse John a finnau'n ymdopi'n iawn am gwpl o fisoedd. Fedri di ddim gwrthod cynnig fel hyn, Duncan! Does gen i ddim dyhead i ymddangos ar y teledu eto, ond fysen i byth eisiau dy gadw di rhag cyflawni dy uchelgais...'

Fuaswn i ddim mor barod i'w weld o'n diflannu heblaw bod John yma'n gefn i mi. John ydi ffrind gorau Duncan, sydd wedi gweithio wrth ei ochr am flynyddoedd lawer, ac sydd bellach yn ffrind da i minnau hefyd. Gallwn ymdopi gydag unrhyw beth o gwbl, cyn belled â bod John yn ddirprwy i mi. Yn wir, er mai Duncan a fi ydi'r prif gogyddion yn swyddogol, John sy'n rhedeg y gegin. Fo ydi'r un sy'n cadw trefn ar y staff ifanc a dibrofiad, er mwyn galluogi Duncan i ganolbwyntio ar ei weledigaeth. Fel pry cop yn eistedd yng nghanol ei we, mae John yn synhwyro pob dim – pob sibrydiad, pob edrychiad, pob camgymeriad a phob celwydd.

'Dwi'n siŵr y byse'r pedwar ohonoch chi'n ymdopi...' Daeth Duncan draw a'm cofleidio, gan edrych i fyw fy llygaid, 'ond dwi ddim eisiau dy adael di. Dyna'r gwir reswm. Ydi, mae'n gyfle hollol wych, a phetawn i'n sengl mi fysen i wedi derbyn y cynnig mewn amrantiad...'

'Wnei di 'mo 'ngholli i drwy fynd i deithio am chydig fisoedd. Os wyt ti am gymryd rhan yn y gyfres...'

'Ond dwi ddim eisiau mynd i unlle hebddat ti wrth fy ochr.'

'Mae ganddon ni weddill ein bywydau efo'n gilydd. Chei di byth 'mo'r cyfle hwn eto...'

'Mae tri mis yn rhy hir i mi fod yn jolihoetian hebddat ti.'

'Yr hen ddiawl rhamantus...' dywedais, gan gau fy llygaid a phwyso fy ngwefusau yn erbyn ei rai o, ond difethwyd yr ennyd o bleser gan law drom yn taro yn erbyn gwydr y drws ffrynt.

Troais fy mhen i gyfeiriad y sŵn, gan grafu fy ngên ar farf Duncan, a gwelais siâp ein hymwelydd drwy'r gwydr barugog.

'Catrin?' galwais. 'Mae 'na rywun wrth y drws.'

'Arhosa funud – dwi'n cael poenau Braxton Hicks,' galwodd hi o'r stafell egwyl fechan. Camais yn ôl o freichiau Duncan, er ei fod yn cydio yn fy llaw ac yn ei mwytho'n chwareus â'i fawd.

'W, ti'n iawn?' galwais arni, wrth i'r ymwelydd guro eto ar y drws.

'Mi fydda i... rho funud i mi... ond fedri di ateb y drws, plis?' Yn anfodlon, tynnais fy hun yn rhydd o afael Duncan a datgloi'r drws derw trwm. Safai Siwan, un o'r efeilliaid pengoch a redai fferm Tan y Bryn, o 'mlaen i.

'Wyau i ti,' meddai hi'n siriol, gan wthio bocs o wyau maes i fy mreichiau. 'Mae'r lêdis 'di bod yn brysur yn dodwy. Fedrwch chi eu defnyddio nhw?'

'Wrth gwrs, bydd y rhain yn champion. Diolch i ti...'

'Siwan!' Edrychais dros ei hysgwydd i weld Leisa, ei chwaer, yn eistedd y tu ôl i lyw tractor Massey Ferguson, yn chwifio'i llaw yn wyllt. 'Y cwstard!' Lonciodd Siwan ati i nôl pecyn wedi ei lapio mewn papur brown.

'Tarten gwstard gan Mam,' eglurodd, gan drosglwyddo'r pecyn i fy nwylo i. 'Well i ni fynd – mae pic-yp Dad yn styc mewn ffos yn Cae Top. 'Den ni ar ein ffordd i'w dynnu o allan, ond roedd Mam yn mynnu ein bod ni'n galw heibio'r bwyty ar y ffordd.'

'Cofion at dy fam, a diolch yn fawr iawn am y rhain.'

Eisteddodd Siwan ar stepen uchaf y tractor wrth draed Leisa, a chododd y chwiorydd eu dwylo arna i wrth i'r hen dractor sgytian yn swnllyd allan o'r maes parcio. Wrth i mi droi i fynd yn ôl i mewn, gwelais Catrin yn sefyll y tu ôl i mi, yn rhwbio'i bol enfawr.

'Www, cwstard Mrs Edwards?' gofynnodd, gan lyfu ei gwefusau'n farus. Tarten gwstard Mrs Edwards oedd prif atyniad pob bore coffi a stondin gacennau elusennol. Rhoddais y darten iddi cyn mynd yn ôl i'r gegin.

'Gobeithio na wnaiff neb arall darfu arnon ni heddiw,' meddai Duncan, 'mae pymtheg wedi bwcio ar gyfer cinio a tydyn ni ddim wedi dechrau paratoi...'

Gosodais yr wyau'n ofalus yn yr oergell. 'Ble mae John heddiw?' gofynnais.

'Dwi'n meddwl iddo ddweud fod ganddo apwyntiad. Rhaid ei fod o'n rhedeg yn hwyr...' Oedodd Duncan wrth glywed sŵn bloeddio a ffraeo yn dod o'r tu allan.

'Be ddiawl?' ebychodd, gan redeg at y drws. Ymunais â fo i weld tractor yr efeilliaid yng nghanol y fynedfa, a thrwyn fan *hi-loader* wen yn blocio'r ffordd. Roedd yr efeilliaid yn cyfarth ar ddyn tew a safai o'u blaenau gyda chlipfwrdd yn ei law.

'Symuda'r blydi fan neu 'nawn ni ei symud hi i ti! 'Sgen ti'm hawl i'n hatal ni rhag gadael!' gwaeddodd Siwan. Dywedodd y dyn rywbeth wrthyn nhw mewn llais isel, a dechreuodd Leisa floeddio chwerthin.

'Ti'n meddwl bod y tractor yn perthyn i'r bwyty? Yli'r twpsyn, ni sydd pia hwn, felly well i ti adael i ni fynd neu dwi'n ffonio'r heddlu...'

Yn anfoddog braidd, symudodd y dyn ei fan o'r ffordd er mwyn gadael i'r efeilliaid a'u tractor yrru ymaith. Clywais ochenaid yn dianc o frest o Duncan. Hyd yn oed cyn i'r dyn neidio allan o'i fan wen a chlymu clamp am olwyn hen gar Duncan, gwyddwn beth fyddai busnes y boi. Beili. Beili arall.

'Ai ti yw Mrs Lydia Stuart?' gofynnodd y beili i mi, gan wthio'i fol a'i frest allan fel colomen hunanbwysig.

'Na,' atebais yn flin. Ro'n i wedi cael sawl un yn mynnu gweld fy nhrwydded yrru cyn derbyn 'mod i'n dweud y gwir. Camodd Duncan ymlaen.

'Fi ydi Duncan Stuart, partner busnes a chyn-ŵr Lydia Stuart,' meddai. 'Faint sydd arnon ni y tro hwn?' Edrychodd y boi i lawr ar ei waith papur.

'Gyda'n ffioedd ni... mil dau gant ac wythdeg pump.'

Rhedodd Duncan ei fysedd drwy ei wallt. 'Ydi'n bosib i ni ddod i gytundeb – alla i dalu can punt y mis?'

Ysgydwodd y dyn ei ben yn benderfynol. 'Taliad llawn heddiw, mae arna i ofn. Neu fel arall dwi wedi cael cyfarwyddyd i ddechrau cymryd eiddo i dalu'r ddyled.' Taflodd olwg dirmygus at gar Duncan, a ddifrodwyd gan Lydia mewn pwl o dymer. 'I fod yn onest, syr, dwi'n meddwl y byddai'n haws i ni ddechrau cymryd offer o'r gegin. O leiaf gawn ni rywbeth os eith y rheiny i ocsiwn.'

'Mae gen i gynilion...' cynigiais, ond ysgydwodd Duncan ei ben yn benderfynol.

'Nid dy ddyled di yw hon, Alys.'

Yr eiliad honno daeth John i mewn i'r maes parcio. Roedd golwg flin ar ei wyneb, ac wrth iddo weld y clamp ar olwyn car Duncan, gwgodd nes ei fod yn edrych fel bwgan cynddeiriog.

'Faint?' gofynnodd i'r dyn yn swta, gan estyn ei waled o boced gefn ei drowsus. Aeth y beili i nôl teclyn darllen cerdyn o'i fan, a thalodd John y cyfan gyda'i gerdyn debyd. 'Tynna'r clamp 'na a hegla hi o 'ma,' meddai John yn filain wrtho. 'Rhag dy gywilydd di, am ddod yma pan allai cwsmeriaid fod o gwmpas. Wyt ti'n ceisio pardduo ein henw da, fel y gwnaeth ei ast o gyn-wraig? Rhwbio halen i'r briw, dyna dy nod di, ie?' Dringodd y dyn y tu ôl i lyw ei fan heb air arall. 'A gwynt teg ar dy ôl di!' poerodd John ar ei ôl.

'Diolch i ti, John,' meddai Duncan, a'i ryddhad yn amlwg. 'Gen i bach o broblem gyda llif arian ar hyn o bryd, ond wna i dy dalu'n ôl ddiwedd yr wythnos...'

Chwifiodd John ei law fel petai'n cael gwared ar bryfyn. 'Na, wnei di ddim. Ystyria hwnna'n rhodd gen i. Dydi brodyr ddim yn cadw trac ar bres.' Rhoddodd Duncan law ar ysgwydd ei ffrind a'i gwasgu, gyda golwg o ddiolchgarwch diffuant ar ei wyneb.

'Be wnes i i haeddu ffrind mor dda?' gofynnodd.

'Wnest ti ei goddef *hi*,' meddai John. 'Mae gen i gymaint o gywilydd ohoni.' Doeddwn i ddim yn siŵr beth oedd John yn ei olygu – ond wnes i ddim gofyn a wnaeth o ddim ymhelaethu, dim ond mynd i'r gegin, codi'r gyllell fues i'n ei hogi a thorri bricsen o deisen gwstard Mrs Edwards iddo'i hun.

'Unrhyw siawns am baned, Catrin?' gofynnodd. 'Dwi wir angen un ar ôl y bore dwi newydd ei gael.' Unwaith eto, wnaeth o ddim egluro, dim ond eistedd yn un o'r cadeiriau a wynebai'r ffenest, gan syllu allan dros ddyffryn Clwyd a bwyta gyda mwynhad amlwg.

'Gad iddo gael munud neu ddwy i ddod ato'i hun,' sibrydodd Duncan, wrth i'r ddau ohonom gamu i'r swyddfa. 'Siawns y cawn ni'r hanes ganddo wedyn.'

'Ffrae arall gyda'r derbynnydd yn y feddygfa, efallai?' Bu'n rhaid i John i symud at ddoctor newydd yn ddiweddar, ar ôl i'r derbynnydd yn yr hen feddygfa ei gyhuddo o 'siarad yn fygythiol' â hi. Ar ôl blynyddoedd o oruchwylio gweithwyr cegin di-glem a diofal roedd gan John dueddiad i arthio ar bawb, gan gynnwys ei fòs. Pan ddechreuais i weithio yn y Fleur-de-Lis roedd o'n codi ofn arna innau yn yr un modd. Bobby oedd yr unig un, hyd yma, i osgoi ei gynddaredd.

Aeth Duncan at y gliniadur ac agor taenlen Excel er mwyn ychwanegu dyled ddiweddaraf Lydia i waelod un o'r rhesi. Safais y tu ôl iddo, yn sbïo ar y fantolen. Yn ychwanegol i fanylion y gwariant ar gostau staffio, yswiriant, bwyd a threuliau eraill, a'r golofn oedd yn dangos incwm wythnosol y bwyty, roedd Duncan wedi ychwanegu colofn arall, a'i chynnwys wedi ei liwio'n goch i gyd, sef dyledion ei gyn-wraig. Nofiai'r geiriau ar y sgrin o 'mlaen i, ond neidiodd ambell air eglur allan: Range Rover Evoque, Balenciaga, Boodles, Louboutin, Apple... Dros £60,000 o ddyled roedd Lydia wedi ei greu yn enw'r busnes cyn iddi ddiflannu oddi ar wyneb y ddaear a gadael i'r beili ddod ar ôl Duncan am y taliadau.

'Sut fedrith hi gael get-awê gyda hyn?' gofynnais yn ddigalon.

'Achos dwi'n *jointly and severally liable*,' atebodd Duncan. 'Pan briodon ni mi ddaethon ni'n bartneriaid busnes hefyd. Dwi'n atebol am ei dyledion hi, cyn belled â'i bod hi wedi prynu'r nwyddau yn enw'r cwmni.' Rhwbiodd ei dalcen â'i fysedd. 'Dwi'n beio fy hun am adael i hyn ddigwydd. Pan ddwedais wrthi nad o'n i am ei gweld hi byth, byth eto, mi ddylwn i fod wedi dechrau gweithredu'n syth i dorri pob cysylltiad rhyngddon ni. Ond yn lle hynny, diflannais i waelod potel wisgi am wythnos, gan roi digon o amser iddi wagio'n cyfrif ni a mynd ar *shopping spree* sbeitlyd...' Cliciodd ar y tab a ddangosai ragolygon ariannol y bwyty am y tair blynedd nesaf. Byddai'n dal i dalu dyledion Lydia ar ddiwedd y cyfnod hwnnw.

Roedd y ddau ohonyn nhw'n berchen ar dŷ gyda'i gilydd, a byddai gwerthu hwnnw wedi helpu i dalu rhywfaint o'r ddyled, ond ni allai Duncan berswadio Lydia (neu'r cyfreithiwr a weithredai ar ei rhan hi) i roi'r tŷ ar y farchnad am geiniog yn llai na £500,000. Can mil yn llai na hynny dalon nhw am y lle. O ganlyniad, doedd neb wedi bod yn gweld y tŷ ers iddo fynd ar y farchnad. Ystyriodd Duncan roi'r tŷ i'w osod ar les, ond doedd ganddo ddim awydd delio â'r holl helbul o fod yn landlord dim ond er mwyn rhoi hanner yr elw i Lydia. Tacteg arall atgas gan Lydia i gadw Duncan yn dlawd ac mewn dyled. Roedd yn gas gen i ei weld yn poeni ac yn pendroni, gan wybod y byddai dyledion Lydia fel gefynnau amdano am flynyddoedd eto, yn ei atal rhag gwneud elw nac ehangu'r busnes. Ar hyn o bryd roedden ni'n byw ar lawr uchaf y Fleur-de-Lis mewn gofod oedd yn rhy fach i'r ddau ohonom fedru byw yn gyfforddus. Roedd y bwyty ar agor saith diwrnod yr wythnos, ac er mwyn cadw costau staffio'n isel gweithiai Duncan a finnau bob awr o'r dydd a'r nos. Digalon iawn oedd meddwl y bydden ni'n gorfod parhau i fyw a gweithio felly am bron i bum mlynedd arall cyn clirio dyledion Lydia, a than hynny byddai mynd ar wyliau tramor neu brynu cartref ein hunain yn hollol amhosib.

Am yr ugeinfed tro, erfyniais ar Duncan, 'Gad i mi helpu... mae gen i'r arian etifeddais i gan Nain a Taid Tan y Bryn...'

Torrodd Duncan ar fy nhraws. 'Na, Alys, rydyn ni wedi bod dros hyn droeon. Os wyt ti'n cael dy weld yn bartner yn y busnes mae 'na siawns y gwnaiff y credydwyr ddechrau dod ar dy ôl di am yr arian hefyd. Cyflogai wyt ti ar hyn o bryd, er mwyn gwarchod dy bres di. Ar ôl i mi glirio'r ddyled gei di ddod yn bartner, a dim cynt. Dwi ddim am adael i ti dalu am fy nghamgymeriadau i.' Ro'n i'n dal i sefyll y tu ôl i'w gadair, felly llithrais fy mreichiau o amgylch ei wddf a phwyso fy moch yn erbyn ei un o. 'Chaiff Lydia ddim dy frifo di byth eto,' meddai'n benderfynol.

'Ond mae'n anodd i mi dy wylio di'n dioddef o'i herwydd hi,' mynnais, gan bwyntio at y daenlen ar y sgrin o'n blaenau. 'Sut all hyn fod yn gyfreithlon? Mae hi'n cael gwario degau o filoedd o bunnoedd ar sothach, a mynd i deithio i bedwar ban byd gan dy adael di i dalu am ei char a'i gemwaith a'i bagiau llaw, er nad ydych chi wedi gweld eich gilydd ers misoedd...'

Pedwar ban byd. Rhoddais y gorau i siarad a chau fy llygaid yn dynn, gan feddwl yn galed. Pedwar ban byd! Teimlais fel chwerthin. Roedd yr ateb i'n problem reit o'n blaenau, a ninnau heb sylweddoli hynny!

'Faint fysen nhw'n dy dalu di i gyflwyno *Around the World in 80 Dishes*?' gofynnais.

'Ofynnais i ddim,' cyfaddefodd Duncan.

'Wel, dydi Tom Kerridge a Jason Atherton ddim yn fyr o bres... Werth i ti ffonio'r cwmni cynhyrchu a holi am y swydd cyflwyno, cyn iddyn nhw gynnig y gwaith i rywun arall.'

3

Cododd Duncan y feiro a'i defnyddio i grafu ei farf. Darllenodd y cytundeb hirfaith yn araf ac yn drylwyr, gan holi'r cyfreithiwr ynglŷn ag ambell fanylyn. O'r diwedd, nodiodd ei ben a throdd i edrych arna i.

'Ar ôl i mi arwyddo hwn does dim troi'n ôl, Alys. Ti'n siŵr dy fod di'n hapus?'

'Cer amdani,' mynnais, a thorrodd Duncan ei enw ar waelod y cytundeb. Gwthiodd y papur yn ôl ar draws y bwrdd a dyna ni – ymhen ychydig wythnosau byddai'n pacio'i fagiau ac yn cychwyn ar daith ryngwladol am bron i dri mis. Fi fyddai'n gyfrifol am redeg y Fleur-de-Lis yn ei absenoldeb. Doeddwn i ddim yn edrych ymlaen at y cyfnod nesaf o gwbl, ond er mwyn Duncan, ceisiais guddio fy ngofid. Petaen ni'n medru goroesi'r cyfnod hwn mi fydden ni wedi cymryd cam sylweddol at gael gwared ar ddyled Lydia, a rhyddhau ein hunain o'i gafael.

Heddiw, am y tro cyntaf ers wythnosau lawer, roedd gan y ddau ohonon ni ddiwrnod o wyliau gyda'n gilydd. Roedd ein taith i Lundain yn lladd nid dau ond tri aderyn â'r un garreg – yn ogystal â chwrdd â'r cwmni fyddai'n ffilmio *Around the World in 80 Dishes* a chau pen y mwdwl ar y gwaith trefnu, roedden ni hefyd am ymweld â sawl hen gyfaill oedd yn dal i fyw yn y brifddinas.

Tu allan i swyddfeydd y cwmni cynhyrchu, trodd Duncan ata i.

'Mae ganddon ni oriau tan y parti heno. Oes 'na rywle hoffet ti fynd?'

'Nunlle o gwbl. Dreuliais i flwyddyn yma ac roedd hynny'n rhy hir o lawer.'

'Nunlle o gwbl?'

'Wel...' gwenais arno, 'beth am fynd yn ôl i'r gwesty a chodi potel ar y ffordd?'

Gorweddais gyda fy mhen ar frest Duncan, fy llygaid ar gau, yn fodlon fy myd. Ond roedd Duncan yn ochneidio'n drwm, a gallwn deimlo'i fron yn codi ac yn gostwng o dan fy moch.

'Trueni na wnaethon nhw gynnig cyfle i ti ddod ar y daith efo fi,' gresynodd. 'Mae dipyn o raglenni coginio'n cael eu cyflwyno gan bâr o gogyddion...'

'Hyd yn oed petaen nhw wedi gwneud hynny, fysen i wedi gwrthod. Ti'n gwybod hynny. Dwi ddim am ymddangos ar y teledu byth, byth eto. Wnes i ond cytuno i fynd ar *The Best of British Banquet* am fod Lydia wedi 'mhlagio i.'

Cododd Duncan ar ei eistedd a rhoi ei fraich amdanaf yn dynn. 'Gobeithio y bysen ni'n cael affêr oedd hi, siŵr iawn, gan ddilyn esiampl ei rhieni. Mae gan ei thad blant siawns ar hyd y wlad – un ym mhob un o'i westai, o be glywais i. Ond mi gafodd Lydia ei brathu ar ei thin – y mwya'n y byd o amser ro'n i'n ei dreulio yn dy gwmni di, yr anoddaf oedd hi i mi anwybyddu'r ffaith 'mod i wedi cael digon ar ei phwdu a thwyll a'i hystryw.... Taset ti ond wedi dweud "Duncan, dwi ddim eisiau i ni gael affêr tu ôl i gefn Lydia", yn hytrach na rhedeg ffwrdd i Lundain, yna mi fysen i wedi mynd ati a gofyn am ysgariad. Dyna faint ro'n i'n dy garu di. Dyna faint dwi *yn* dy garu di.'

Teimlais ymchwydd o lawenydd ar glywed hyn. Y tro cyntaf i mi gerdded drwy'r drws a dweud wrth Mam fy mod i am symud fy eiddo i'r fflat uwchben y Fleur-de-Lis i fyw efo Duncan, bu bron iddi ddechrau crio. 'Na, Alys!' gwaeddodd, 'dyma'r dyn oedd yn barod i dy gadw di'n gyfrinach fach fudr! Rwyt ti'n haeddu cymaint gwell na fo!' (Mae hi wedi cynhesu rhywfaint at Duncan ar ôl hynny, neu o leiaf ei dderbyn yn gwrtais er fy mwyn i.) Ond roedd hi'n anghywir amdano. Nid 'cyfrinach fach fudr' oedd rhyngddon ni ond cariad cryf oedd yn werth pob eiliad o'r disgwyl.

Troais fy nghorff yn chwim fel fy mod i'n penlinio gyda fy nghoesau un bob ochr i'w gluniau, a phwyso fy nwylo ar ei ysgwyddau llydan. Rhoddais gusan ysgafn ar ei drwyn.

'Dwi'n dy garu di hefyd, Mr Stuart. Ond dwi ddim yn difaru mynd i Lundain, achos fyse Lydia wedi gwneud fy mywyd i'n uffern petawn i heb fynd... a phawb arall wedi meddwl mai *homewrecker* o'n i, ac fel y gwyddost ti, tydi hynny ddim yn wir.'

'Wel... does dim rhaid i ti fod yn hogan neis, barchus rŵan,' meddai'n chwareus, gan gladdu ei wyneb yn fy ngwddw a 'nghusanu'n wyllt.

Bedair awr (fodlon iawn) yn ddiweddarach, teithiodd Duncan a minnau yn ôl i ganol y ddinas i ddathlu ymddeoliad ei ffrind a fy nghyn-gyflogwr, Charles Donoghue. Ar ôl hanner canrif yn y diwydiant arlwyo roedd Charles yn ffigwr chwedlonol a oedd wedi haeddu'r enw 'Taid *haute cuisine*' ar ôl hyfforddi sawl cenhedlaeth o gogyddion, gan gynnwys fi. Roedd ganddo bymtheg o fwytai ar draws y byd a sêr Michelin mor niferus fel ei bod yn anodd cadw cofnod ohonyn nhw i gyd, ac i goroni ei gampau roedd o newydd sefydlu elusen newydd i hyfforddi pobl ifanc ddigartref a chyn-droseddwyr i fod yn gogyddion. Roedd sawl rheswm i edmygu Charles, ond y rheswm pennaf, i mi o leiaf, oedd mai fo ddaeth â Duncan a finnau at ein gilydd o'r diwedd.

Ac yntau wedi troi'n bymtheg a thrigain, a newydd ddioddef strôc fach o ganlyniad i bwysau gwaith, cymerodd Charles gyngor ei ddoctor i ymlacio – ond cyn iddo fynd i fyw yn ne Ffrainc roedd o am ffarwelio â'i 'deulu estynedig' mewn parti mawreddog mewn neuadd wledda anferth yng nghanol Lundain.

Roedd Duncan a minnau ymhlith yr olaf i gyrraedd, ac roedd y lle o dan ei sang. Rhaid bod tua dau gant o bobl yn yr ystafell, ac edrychai'r lle fel *mardi gras*. Ochneidiais yn dawel wrth sylweddoli fy mod i wedi camddehongli'r *dress code* unwaith eto. Ro'n i wedi dewis gwisgo ffrog las tywyll a sandalau plaen, a dim gemwaith heblaw am y freichled arian a brynodd Duncan i mi'n anrheg. Gwisgai'r merched eraill ffrogiau at y llawr, eu gyddfau'n frith o ddiemwntau, ac roedd gan bawb, yn ddieithriad, fwgwd i orchuddio'u llygaid. Ar waelod y grisiau, yn disgwyl i groesawu ei westeion, roedd Charles, a het silc am ei ben.

'Alys, Duncan! Diolch am ddod, mae mor hyfryd eich gweld chi!' Cofleidiodd fi, gan gusanu fy mochau yn y dull Ffrengig. Er fy mod i'n meddwl y byd o Charles, do'n i ddim wedi dod i arfer â chael fy nghusanu felly ganddo. Daliodd fi hyd braich. 'Alys, rwyt ti'n odidog! A Duncan, ti'n dal i wisgo'r hen gilt 'na, dwi'n gweld...' Nid sarhad oedd hyn, achos i Albanwr mae gallu gwisgo'r un cilt ag yr oedd o'n ei wisgo'n llanc yn destun cryn falchder. Doedd Duncan ddim wedi pesgi o gwbl, diolch i'r oriau hir a weithiai a'r ffaith ei fod yn treulio oriau yn dringo bryniau Clwyd i gadw'n heini.

Camodd gweinydd tuag atom gyda hambwrdd oedd â rhai o'r mygydau coeth arno.

'Rhaid i chi wisgo un o'r rhain,' meddai Charles, gan roi mwgwd du ac arian i mi, ac un du a gwyn gyda phig arno i Duncan. 'O Fenis ges i nhw,' meddai, gan glymu'r rhuban o amgylch fy mhen. 'Mae 'na dipyn o wynebau cyfarwydd yma heno, a gan mai dyma fydd fy nghân olaf, fel petai, ro'n i am i'r holl lygaid fod arna i... ac wrth gwrs, mae bod yn anhysbys yn ychwanegu *frisson* i unrhyw ddigwyddiad, ydych chi'n cytuno?' Trodd at weinydd arall, gan alw, 'Champagne i Ms Ryder a Mr Stuart!' Ysgydwodd Duncan ei law a diolch eto am y gwahoddiad.

'Rwy'n disgwyl i chi ad-dalu'r ffafr pan fyddwch chi'n priodi... paid ag oedi'n rhy hir, Duncan!' Gyda'r datganiad enigmatig hwnnw'n atalnod ar y sgwrs, cawsom ein harwain at weinydd oedd yn cario hambwrdd llawn gwydrau Champagne.

Safais yn f'unfan, yn sipian fy niod. Un swil fues i erioed, ac mae'n gas gen i bartïon mawr, er bod Duncan wrth ei fodd gyda nhw. Mae ganddo'r ddawn i gymysgu'n rhwydd a mân-siarad gyda phawb. Er ei fod yn gwisgo'r mwgwd, yn ei gilt brithwe roedd Duncan yn dal i fod yn amlwg, a chafodd ei dynnu i ganol haid o bobl i ysgwyd llaw a chusanu bochau, gan fy ngadael i ar fy mhen fy hun.

Yn sydyn, teimlais gyffyrddiad ysgafn ar fy ysgwydd. Troais a chanfod fy hun yn syllu i fyw llygaid brown tywyll, chwareus y tu ôl i fwgwd sidanaidd. Roedd y llygaid yn gyfarwydd, ond allwn i ddim adnabod yr wyneb na'r gwallt a ddisgynnai at ei ysgwyddau mewn tonnau trwchus. Yn ysgafn, cymerodd y dieithryn fy llaw dde rhwng ei fysedd hirion a'i chodi at ei wefusau. Anfonodd cyffyrddiad ei geg wefr o gyffro i lawr fy asgwrn cefn.

'Dawns, Madam?' gofynnodd, gan foesymgrymu rhyw ychydig.

'Diolch, ond dwi'm yn hoffi dawnsio,' atebais, yn falch fod y mwgwd yn cuddio rhywfaint ar y gwrid oedd wedi lledaenu ar draws fy mochau.

'Bechod,' atebodd, gan fy synnu drwy ddweud y gair yn Gymraeg. Gyda gwên camodd y dieithryn yn ôl, a chyn i mi fedru ei holi, trodd ei gefn a diflannu i'r haid o gyrff oedd yn troelli i'r miwsig.

'Pwy oedd *o*?' Roedd Duncan wrth fy ochr, a'r crychau ar ei dalcen uwchben y mwgwd yn arwydd ei fod o'n gwgu – oedd o ychydig yn genfigennus?

'Dwi ddim yn credu i mi ei gyfarfod o'r blaen,' atebais.

'Na byth eto, gobeithio,' meddai Duncan. Oedd, roedd o'n genfigennus! Yn ffodus iddo fo, do'n i ddim mor ansicr. Roedd merched yn fflyrtian gyda fo'n feunyddiol, ond dyma'r tro cyntaf i ddyn golygus ofyn i mi ddawnsio, ac roedd Duncan wrth fy ochr fel gelen!

Dawnsiais gyda Duncan am gân neu ddwy, ond bob hyn a hyn, allan o gornel fy llygad, gwelwn y dieithryn yn y mwgwd du yn edrych i'n cyfeiriad ni. Teimlwn ei lygaid arnaf, a dechreuais feddwl tybed pwy oedd y Cymro dirgel.

Gwaethygodd hwyliau Duncan eto pan grwydrodd Brian Marubbi, ei hen elyn oddi ar gyfres *The Best of British Banquet*, heibio a gofyn yn ddigywilydd, 'Dderbyniaist ti'r job yn cyflwyno 80 *Dishes*, do? Ges i ei chynnig, ond wnes i wrthod. Ddim yn talu hanner digon... ond yn gyfle da i rywun fel ti gael troed ar reng isa'r ysgol, siŵr o fod...'

'Profiad gwerth chweil, mwy na dim arall,' atebodd Duncan yn ddi-hid. 'Cyfle da i fentora'r genhedlaeth iau.' Chwarddodd Brian, gan daro Duncan ar ei ysgwydd yn nawddoglyd.

'Wrth gwrs, rwyt ti'n un mawr am *fentora'r* genhedlaeth iau, yn dwyt?' Cerddodd Brian i ffwrdd cyn i Duncan fedru ei ateb.

'Anwybydda fo,' sibrydais wrth Duncan, 'y coc oen iddo.'

Yn ffodus, yr eiliad honno dringodd Charles ar y llwyfan i annerch ei westeion. Dechreuodd drwy roi crynodeb o'i yrfa yn gogydd, a diolch i'r sawl fu'n ei fentora a'i gefnogi yn y dyddiau cynnar. Dysgais ei fod wedi dod o deulu cefnog a brynodd *bistro* iddo.

'Do, fues i'n ffodus iawn i ddod o deulu a oedd â'r arian a'r cysylltiadau i fy helpu ar ddechrau'r daith,' meddai Charles. 'Rydw i'n ymwybodol fy mod i wedi llwyddo yn y maes yn rhannol am fod gen i gefnogwyr selog. Ar hyd fy ngyrfa rydw i wedi trosglwyddo rhywfaint o'r arian wnes i i gogyddion eraill o gefndir llai ffodus na fi, drwy ysgoloriaethau, hyfforddiant ym Mharis, mentora a thrwy greu cyfleoedd i gogyddion uchelgeisiol.' Fi oedd un o'r cogyddion a elwodd o'r profiad o weithio yng nghegin *haute cuisine* Charles yn Llundain. Dechreuodd fy ngyrfa mewn cegin ysgol gynradd a *bistro* bach Cymreig ar lethrau dyffryn Clwyd, a dwi'n ymwybodol i mi fod yn ffodus iawn i gael y cyfle i lamu sawl rheng i fyny'r ysgol yrfaol a gweithio am gyfnod yng nghegin Chef mawreddog oedd wedi ennill sêr Michelin. Dysgais o'r profiad hwnnw nad ydw i'n ddigon uchelgeisiol nac ymroddedig i gyrraedd rhengoedd uchaf y diwydiant. Ro'n i'n berffaith hapus i ddychwelyd i Gymru a gweithio unwaith eto yn ein bwyty yng nghefn gwlad.

Do, mi ges i fudd aruthrol o hyfforddiant Charles, ond ro'n i'n llawer hapusach yn coginio heb orfod poeni am wobrau a beirniaid a chystadlu.

Aeth Charles yn ei flaen. 'A dyma fi ar fin ymddeol! Mae'r wraig a'r doctor wedi fy mherswadio i aros allan o'r gegin er lles fy iechyd. Ond bydd aros yn segur yn her i mi. Mae'n rhaid i mi gael prosiect o ryw fath, felly ceisiais feddwl am y ffordd orau i barhau i gefnogi pobl yn y diwydiant. Mi ges i syniad – elusen! Ymddiriedolaeth Charles Donoghue, a'r genhadaeth fydd hyfforddi pobl ar gyrion cymdeithas a'u helpu i greu gyrfaoedd iddyn nhw'u hunain. Wrth gwrs, alla i ddim rhedeg yr ysgol goginio, ond gyda chymorth bwrdd o ymddiriedolwyr a rheolwr prosiect, rwy'n falch o ddweud fod popeth yn ei le, a drysau'r ysgol ar fin agor i'r myfyrwyr cyntaf. Heno, mae'n bleser mawr gen i gyflwyno fy olynydd, unigolyn ardderchog sy'n ymgorffori fy egwyddorion ac sydd wedi bod yn gyd-weithiwr ers blynyddoedd lawer...'

Camodd dyn ymlaen o gefn y llwyfan, a llamodd fy nghalon wrth weld mai'r dyn yn y mwgwd du oedd o. Tynnodd y mwgwd a rhoddais ebychiad o sioc wrth i bawb o'm cwmpas ddechrau cymeradwyo.

'Lech!'

'Ro'n i'n meddwl fod Lech yn byw yn Warsaw bellach,' meddai Duncan.

'Rhaid ei fod o wedi dod yn ei ôl,' atebais, gan guro fy nwylo gyda phawb arall.

Yn syth ar ôl i'r areithiau orffen, neidiodd Lech oddi ar y llwyfan a daeth yn syth draw ata i gyda gwên lydan ar ei wyneb.

'Wyt ti'n f'adnabod i nawr, Ms Ryder?' gofynnodd yn gellweirus.

'Rwyt ti 'di newid cymaint!' rhyfeddais, gan edrych arno o'i gorun i'w sawdl. Roedd o wedi tyfu ei wallt yn hir ac roedd ganddo flewiach newydd, ac yn hollol wahanol o ran pryd a gwedd i'r dyn ro'n i'n ei nabod mor dda yn Llundain.

'Wel, yn Warsaw fy unig weithgaredd hamdden oedd mynd

i'r gampfa, felly dwi wedi colli rhyw chydig o bwysau, a magu ambell gyhyr newydd.'

'Mae'n dy siwtio ti!' gwenais. 'Ond pam wyt ti'n ôl yma? Be ddigwyddodd i dy yrfa yn brif gogydd?'

'Aeth y gwesty i'r wal,' atebodd yn ddifater. 'Ond ro'n i wedi gadael cyn hynny, ar ôl i'r rheolwr gael gwared ar hanner fy nhîm a phenderfynu y byddai popeth – y cig, y pysgod, y ffrwythau a'r llysiau – yn cael eu prynu wedi'u rhewi.'

'Na!' Ysgydwodd Duncan ei ben mewn anghrediniaeth.

'Ro'n i'n bwydo cant a hanner o bobl bob nos gyda dim ond pedwar o staff i fy helpu i, a phopeth yn dod i'r gegin mewn bagiau plastig. Ffoniais Charles i ofyn ei gyngor, ac yn digwydd bod, roedd o'n cyfweld... felly dyma fi, yn ôl yn y wlad hon.'

'Wel, llongyfarchiadau gwresog. Alla i ddim meddwl am neb gwell i gymryd y rôl.'

'Ond digon amdana i – be wyt ti'n wneud y dyddiau yma?'

'Yr un peth ag yr o'n i'n wneud y tro diwetha i ni e-bostio'n gilydd – rhedeg y Fleur-de-Lis gyda Duncan.'

'A dyma'r dyn enwog ei hun!' meddai Lech, gan ysgwyd llaw Duncan yn egnïol. Gwenodd Duncan yn lletchwith, ac wrth weld y ddau'n cyfarfod am y tro cyntaf dechreuais innau deimlo'r un mor anghyfforddus. Ond o'r ffordd roedd llygaid Duncan yn crwydro'r stafell mi ges i'r teimlad ei fod o wedi diflasu ar ein sgwrs, ac yn chwilio am esgus i barhau â'i rwydweithio. Rhaid bod hynny'n amlwg i Lech hefyd, oherwydd gofynnodd i mi oedd gen i amser i gyfarfod am sgwrs y diwrnod wedyn. Ysgydwais fy mhen.

'Rydyn ni'n dal y trên cynnar yn ôl. Does ganddon ni ddim digon o staff i'r ddau ohonon ni fod yn absennol ar hyn o bryd.'

Cyffyrddodd Duncan fy ysgwydd yn ysgafn. 'Pam na wnei di a Lech ddal fyny rŵan? Dwi'n meddwl 'mod i newydd weld Gordon draw fan acw... esgusodwch fi.' Cerddodd i ffwrdd, gan anelu am fop o wallt melyn ar ochr bellaf y stafell. Cododd Lech ei aeliau.

'Gordon,' meddai'n dawel – gan ddynwared acen Duncan.

Roedd yn amhosib i mi beidio â chwerthin: oedd, roedd Duncan wedi swnio'n ymffrostgar. Aeth Lech yn ei flaen yn ddidostur, gan greu sgwrs ddychmygol rhwng Duncan a'r cogydd byd-enwog a gwneud i mi chwerthin nes bod fy mochau'n brifo. Doedd neb yn medru gwneud i mi chwerthin fel Lech.

Daethon ni o hyd i seddi yn un o gorneli tywyll yr ystafell, yn ddigon pell oddi wrth y DJ i ni fedru sgwrsio heb orfod bloeddio ar ein gilydd. Tynnodd Lech ei fwgwd a gwnes innau'r un peth. Doedd yr un ohonon ni'n ddigon enwog i ddenu sylw neb arall.

'Ti'n edrych gan gwaith delach nag unrhyw ferch arall yma heno,' meddai Lech, gan beri i mi wrido am yr eildro mewn noson.

'A dwyt ti ddim yn edrych rhy siabi dy hun,' atebais. 'Mae'r ddelwedd newydd yn dy siwtio di.'

'Wyt ti'n hapus, Alys?' gofynnodd Lech yn sydyn ac yn ddifrifol, gan syllu i fyw fy llygaid.

'Ydw,' atebais yn bendant.

Gwenodd yn ddiffuant. 'Dwi'n falch o glywed hynny. Mor falch. Ar ôl i mi fynd i Warsaw ddywedodd Jamie a Charles dy fod di'n ymddangos yn isel ac wedi colli diddordeb ym mhopeth. Roedd gen i ofn dy fod di'n difaru ynglŷn â sut y gorffennodd pethau rhyngddon ni... ond dwi'n falch o glywed dy fod di'n hapus. Dwi'n falch i ti ddod o hyd i Duncan eto. Ti'n haeddu pob hapusrwydd.'

'Fel tithau!' atebais yn chwim, gan newid y pwnc. 'C'mon, dyweda wrtha i am dy swydd newydd – wyt ti wedi cychwyn arni'n barod? Ble ti'n byw? Ble mae'r swyddfa?' Llywiais y sgwrs oddi wrth fy mherthynas â Duncan am fy mod i'n teimlo chydig yn lletchwith yn trafod fy mherthynas garwriaethol â rhywun oedd yn gyn-gariad i mi. Fy ngobaith oedd y bydden ni'n medru anghofio ein carwriaeth fer ac aflwyddiannus a dychwelyd at ein hen gyfeillgarwch.

Mi fuon ni'n siarad am oriau. Daeth rhai o'r hen griw o fwyty Donoghue's i ymuno â ni: Jamie, fy nghyn-landlord,

Adele, fy rheolwr llinell, a Petrus, un o'r bobl gyntaf i mi ei gyfarfod yn y bwyty. Am chwarter i hanner nos daeth Duncan draw i f'atgoffa fod y tacsi ar ei ffordd, a'i bod yn amser i ni droi'n ôl am y gwesty. Rhoddais gwtsh hir i Lech, gan addo y byddwn yn ymweld â fo'n fuan. Wrth i mi droi i ffarwelio â phawb arall, allan o gornel fy llygad, gwelais Lech yn ysgwyd llaw Duncan ac yn sibrwd rhywbeth yn ei glust. Yn syth bìn newidiodd osgo Duncan, a thynnodd ei law yn ôl fel petai Lech wedi'i llosgi.

'Awn ni rŵan, Alys?' gofynnodd, gan osod ei fwgwd ar y bwrdd. Ddywedodd o ddim byd wrth i ni ddisgwyl am y tacsi, nac yn ystod y daith, ac erbyn i ni gyrraedd y gwesty roedd fy mol yn gwlwm o nerfau. Ddywedodd Duncan ddim gair nes iddo eistedd ar ochr y gwely i dynnu ei sgidiau.

'Wnest ti erioed sôn dy fod di a Lech yn gariadon,' meddai, a synnais o glywed y min yn ei lais. Es i drwodd i'r stafell molchi i dynnu fy ngholur, ac i ddianc rhag llygaid oeraidd Duncan. Doeddwn i ddim wedi ei dwyllo, ond am ryw reswm wnes i ddim dweud wrtho fod Lech a minnau wedi cysgu gyda'n gilydd, nac ychwaith ei fod o wedi gofyn i mi symud dramor efo fo.

'Be ddywedodd Lech?' gofynnais.

'Wrth i ni adael, ddywedodd o, "Duncan, dwi mor falch na ddaeth Alys i Warsaw gyda fi. Yma mae hi i fod, gyda ti. Mae hynny'n amlwg." Soniaist ti ddim ei fod o wedi gofyn i ti fynd i Warsaw gyda fo. Ro'n i'n meddwl mai ffrindiau oeddech chi, ond o'r ffordd roedd o'n siarad, ges i'r argraff eich bod chi'n arfer bod yn gariadon.'

Edrychais ar fy adlewyrchiad yn y drych. Yn edrych yn ôl arnaf roedd dynes a fu'n brwydro'n hir i ennill ei hunanhyder. Doeddwn i ddim am adael i Duncan wneud i mi deimlo'n euog pan na wnes i ddim o'i le. Wnaeth Duncan erioed rannu ei holl hanes carwriaethol gyda fi, felly pam ddylwn i deimlo'n euog am fy mod innau wedi cadw'n dawel?

Gwenwyn Lydia oedd wrth wraidd ei genfigen, mi wyddwn

i hynny. Roedd gweithredoedd creulon ei wraig wedi gadael ôl ar ei bersonoliaeth – roedd o'n fwy anghenus, yn llai parod i ymddiried mewn pobl ac yn ddioddef pyliau o iselder ac ansicrwydd. Roedd y cyfan yn ddealladwy o dan yr amgylchiadau, ond doeddwn i ddim am ganiatáu i falais Lydia effeithio ar ein perthynas. Gan dynnu fy ngŵn nos amdanaf cerddais allan o'r stafell ymolchi ac eistedd yn y gadair feddal gyferbyn â Duncan.

'Wyt ti'n fy nghyhuddo i o rywbeth, Duncan?' gofynnais, yn blwmp ac yn blaen.

'Nac ydw.'

'Felly, os wyt ti'n fy nhrystio i, does gen ti ddim rheswm o gwbl i boeni am Lech, na bod yn genfigennus ohono fo.'

Pwdodd Duncan ar glywed hynny. 'Dydw i ddim yn genfigennus,' meddai fel bachgen bach, gan brofi'n syth mai dyna oedd yn gyfrifol am ei hwyliau drwg.

'Does 'na ddim byd rhwng Lech a finnau. Oedden, ar un adeg roedden ni'n gariadon, ond mae hynny drosodd. Os oes rhaid i ti wybod, dim ond unwaith wnaethon ni rannu gwely...'

'Ond mi wnest ti roi cynnig ar berthynas gyda fo... a phetai pethau wedi gweithio allan efo Lech, a fyddet ti wedi ystyried mynd i Warsaw yn gariad iddo?'

'Efallai. Ond nid dyna ddigwyddodd, felly does dim pwynt mynd i lawr y trywydd hwnnw...'

'Ond rwyt ti newydd ddweud y byddet ti wedi ystyried symud i wlad arall gyda'r boi!'

'Hei, Mr Stuart, does gen ti ddim hawl i fod yn genfigennus. Roedd gen ti wraig ar y pryd! Ro'n i'n hoff iawn o Lech, a phetawn i heb syrthio mewn cariad efo ti, *efallai* y bysen ni wedi bod yn hapus gyda'n gilydd. Ond ti ddaeth gyntaf. Doedd o ddim yn medru cymharu â ti.' Gwelais y tensiwn yn llifo allan o gorff Duncan, ei ysgwyddau yn ymlacio a'r crychau ar ei dalcen yn diflannu.

'Mae'n ddrwg gen i, Alys. Ro'n i'n poeni am funud mai fi oedd dy ail ddewis – rhyw fath o *consolation prize* achos bod Lech wedi dy adael di.'

'Nid dyna ddigwyddodd. Fi wrthododd fynd efo fo.' Dringais o dan y cwrlid. 'Ond doedd gan hynny ddim byd i'w wneud â ti, cofia di. Ar y pryd roeddet ti'n dal yn briod â Lydia, ac ro'n i wedi rhoi'r gorau i obeithio y bydden ni'n dod at ein gilydd. Nid dewis rhyngddat ti a Lech wnes i, ond penderfynu y byddai'n well gen i fod ar fy mhen fy hun na gyda rhywun do'n i ddim yn ei garu.'

Gwenodd Duncan yn addfwyn. 'Dwi mor falch o glywed hynny. Does gen i ddim ffansi mynd *mano a mano* efo Lech...'

'Fel mae'n rhaid i mi gystadlu gyda'r criw o stelcwyr 'na sy gen ti?' gofynnais yn ysgafn. Roedd gan Duncan bron i dair mil o ddilynwyr ar ei gyfrif Instagram – rhyw hanner cant o gogyddion eraill, a'r gweddill yn ferched.

'Dydi'r edmygwyr ddim mor niferus ag yr oedden nhw'n arfer bod,' protestiodd Duncan. 'Dwi'n dechrau mynd yn hen. Colli fy *good look*s.'

'Nonsens. Dwyt ti'm wedi newid fawr ddim ers dwi'n dy nabod di.'

'Dim ond ers tair blynedd rwyt ti'n fy nabod i, cofia,' atebodd Duncan yn gwynfanus, gan ddringo o dan y cwrlid ata i. 'A dwi'n cofio i ti ddweud nad oedd Lech yn olygus, ond roedd y boi yn edrych fel rhywun oddi ar glawr nofel ramant...' Codais obennydd a'i ddefnyddio i waldio Duncan dros ei ben.

'Wnei di gau dy geg! Iawn, mae Lech wedi gwneud bach o ymdrech i golli pwysau a steilio'i wallt ers i mi ei weld ddiwethaf. A magu *biceps*. Falle 'i fod o wedi dechrau plycio ei aeliau hefyd. Da iawn fo, ddweda i. Rŵan, gawn ni newid y pwnc? Wyt ti am ddweud wrtha i be ddwedodd yr enwog Gordon wrthat ti?'

4

Welais i erioed barti wedi ei addurno'n debyg i hwn o'r blaen. Ar un o waliau'r bwyty roedd mapiau enfawr o'r byd a hanner dwsin o faneri lliwgar, a phob twll a chornel wedi eu haddurno â bynting pinc a glas. Crogai *piñata* o'r to, ac ar ben îsl roedd bwrdd arddangos wedi ei orchuddio â lluniau o staff y Fleur-de-Lis yn fabanod.

Yn wreiddiol, trefnwyd y parti i ffarwelio â Catrin, a oedd ar fin dechrau ei chyfnod mamolaeth, ond pan ddaeth yn amlwg y byddai Duncan yn gadael y wlad tua'r un pryd, penderfynwyd cael parti ar y cyd iddyn nhw. Yna, datganodd Mam ei bod hi am adael i fynd ar fordaith hir ddeuddydd ar ôl ymadawiad Duncan, felly mi wnaethon ni gynnwys ei thaith hithau hefyd fel rhan o'r digwyddiad. Parti *Anchors Away!* oedd o bellach, meddai Mam. Cododd Duncan ei aeliau wrth ei gweld hi'n gosod map cyfatebol o'i thaith i'r Dwyrain Pell gyferbyn â'i fap o o'r byd, ond ddywedodd o ddim byd, dim ond brathu ei wefus am ei fod yn gwneud ei orau i feithrin perthynas dda gyda Mam. Ddywedais i ddim byd chwaith, er bod yn rhaid i mi gyfaddef fod y weithred yn ymddangos fel petai Mam yn ceisio denu sylw oddi wrth Duncan a Catrin, a hithau ond yn mynd ar wyliau. Roedd hi'n dal i fod ychydig yn fregus ar ôl dwyn ei pherthynas gyda'i chariad, Merfyn, i ben rai wythnosau ynghynt, ac roedd treulio gwyliau'r haf cyfan ar fordaith gyda'i ffrind yn ymgais i anghofio'r 'llipryn llysnafeddog'.

Eisteddodd pawb o gwmpas y bwrdd mwyaf yng nghanol y

bwyty, yn disgwyl i seren y sioe gyrraedd, ond doedd dim golwg o Catrin.

'Ddylwn i ei thecstio hi?' gofynnodd Hannah, y weinyddes newydd. Roedd arian yn dal i fod yn dynn, felly dim ond chwe aelod o staff roedd Duncan a finnau'n medru eu cyflogi – Catrin, Hannah a Ryan i weini a John, Bobby a Toby, y golchwr llestri, yn y gegin. Daeth Hannah a Toby aton ni'n syth o'r ysgol, ac roedden ni'n cael trafferth recriwtio rhywun gyda digon o brofiad i lenwi'r bwlch y byddai Catrin yn ei adael.

Ar y gair, agorodd y drws a cherddodd Catrin a Jake i mewn, y ddau ohonynt yn wên o glust i glust. Roedd ganddi fwndel bach pinc yn ei breichiau.

'Catrin... ond... ti ddim i fod i ddechrau dy gyfnod mamolaeth am bythefnos arall!' meddai Duncan, gan godi a chynnig ei gadair iddi.

'Mi wn i, ond chafodd y fechan 'mo'r neges,' atebodd hithau, gan ddangos y baban bach prydferth yn ei breichiau. 'Pawb, dyma Martha Jaqueline Johnstone. Pum wythnos yn gynnar, saith pwys tair owns.' Gyda'i thrwyn bach smwt a'i llygaid ar gau yn dynn, edrychai'n debyg i lygoden yn gaeafgysgu. Roedd hi mor fach ac mor berffaith teimlais boen yn fy mrest wrth edrych arni.

'Wel, am bwysau iach i un mor gynnar!' meddai Mam, gan gyffwrdd boch Martha yn ysgafn. 'Tipyn o sioc i ti, siŵr o fod?' gofynnodd.

Nodiodd Catrin ei phen. 'Feddyliais i 'mod i'n cael poenau Braxton Hicks, felly mi wnes i eu hanwybyddu nhw tan amser swper neithiwr, ond yn sydyn teimlais fod 'na rywbeth o'i le. Wnes i ddim hyd yn oed meddwl ffonio'r fydwraig am gyngor, jest neidio i'r car a dweud wrth Jake am fy ngyrru i Glan Clwyd. Bum munud ar ôl i mi gerdded i'r ward esgor ro'n i'n ei geni hi – ddaeth hi allan fel corcyn, a bore 'ma ges i ganiatâd i ddod adre.' Cododd ei phen i edrych arna i. 'Ydi Anti Alys eisiau cwtsh?'

Estynnais fy mreichiau allan, braidd yn stiff, i dderbyn

pwysau'r pwdin bach. Teimlais ddagrau yn cronni yn fy llygaid, a chan fod fy mreichiau'n llawn doedd gen i ddim dewis heblaw gadael iddyn nhw bowlio i lawr fy mochau.

'Mae hi'n berffaith. Llongyfarchiadau, chi'ch dau. Hollol berffaith.'

Er i Catrin daeru ei bod hi'n teimlo'n iach fel cneuen, gallwn weld ei bod hi wedi blino'n arw. Dim ond am ryw chwarter awr arhoson nhw.

Er nad oedd Catrin gyda ni, mi wnaethon ni chwarae'r gemau oedd wedi'u cynllunio ar gyfer mamau newydd, gan chwerthin ar luniau ohonon ni'n hunain yn fabanod a malu'r *piñata* oedd yn llawn fferins pinc a glas.

Ar ddiwedd y noson, ar ôl i'r rhan fwyaf o'r gwesteion fynd adref, diflannodd Duncan i'r swyddfa i chwilio am ryw waith papur. Roedd o'n awyddus i sortio tâl mamolaeth Catrin cyn iddo fynd dramor, fel y byddai un peth yn llai i mi boeni amdano. Allan o gornel fy llygad gwelais Toby yn mynd i gael gair yng nghlust Duncan, a diflannodd y ddau i'r swyddfa gan adael John a finnau i glirio llanast y parti. Am dric mor nodweddiadol o Toby – roedd o byth a hefyd yn sleifio i ffwrdd pan oedd unrhyw waith caled i'w wneud.

Gwelais John yn sgubo'r llawr, gan oedi o flaen yr îsl i edrych ar y llun ohono'i hun ym mreichiau ei fam, oedd yn edrych yn rhyfeddol o ifanc.

'Dynes dlos,' mentrais.

'Oedd,' cytunodd John. 'Er, doedd hi ddim yn ddynes yn y llun 'ma. Geneth oedd hi – dim ond dwy ar bymtheg, ac yn gweini mewn gwesty pan ges i 'ngeni. Bu hi farw'n ifanc hefyd. Canser y coluddyn.' Clywais nodyn anghyfarwydd yn llais John. Ro'n i wedi arfer gyda'i dymer, ei chwerwder a'i wawd, ond nid â'i dristwch. 'Pedwar deg un oedd hi yn marw, ac mi wnes i wasgaru ei llwch ar lannau'r *loch* ger y gwesty hwnnw. Wnes i erioed ddeall pam roedd hi mor hoff o'r hen le. Chafodd hi 'mo'i thrin yn dda iawn yno, ond dyna oedd ei dymuniad hi. Doedd ganddi nunlle i alw'n gartref go iawn, debyg...'

Ochneidiodd, gan droi yn ôl at ei waith. Dyma'r tro cyntaf iddo sôn mewn unrhyw fanylder am ei deulu. Roedd John wastad yn barod iawn ei farn, ond o ran ei fywyd personol roedd o'n enigma. Soniodd o erioed am ei dad. Mi wyddwn iddo fod yn briod amser maith yn ôl, ond a dweud y gwir, Duncan a finnau oedd y peth agosaf oedd gan John at deulu go iawn. Wnes i erioed ei glywed yn cwyno am fod yn unig, ond ro'n i'n teimlo drosto yn eithaf aml (er na fyddwn i erioed wedi cyfaddef hynny iddo).

Agorodd drws y swyddfa a gwelais Toby yn ei heglu hi i gyfeiriad y drws ffrynt. Daeth Duncan allan eiliadau ar ei ôl o, a'i siom yn glir ar ei wyneb.

'Mae Toby yn ein gadael ni,' datganodd yn uchel, gan blethu ei freichiau ar draws ei frest. 'Ac yn gwrthod gweithio ei gyfnod rhybudd.' Bu bron i Toby redeg allan drwy'r drws. Wnaeth o ddim edrych ar Duncan, na dweud unrhyw beth wrth John na finnau.

'Methu ymdopi ag ychydig o waith caled?' gofynnodd John. Nodiodd Duncan ei ben.

'Rhywbeth fel'na. Am dreulio mwy o amser ar-lein gyda'r nosau, er mwyn denu mwy o ddilynwyr i'w dudalen YouTube, neu rywbeth. Ffansïo'i hun yn ddylanwadwr, beth bynnag ydi un o'r rheiny.'

Ysgydwodd John ei ben, gan chwerthin. 'Ti 'di rhoi cyfle i dipyn o bobl ifanc ddibrofiad yn ddiweddar. Dwi'n meddwl ei bod hi'n amser i ni ddechrau recriwtio staff profiadol.'

'Os wnân nhw ymgeisio, rŵan bod y gwersylloedd gwyliau a'r gwestai wedi agor am yr haf,' meddai Duncan yn bryderus. 'Toby oedd y gorau o grŵp gwael. A cha' i ddim amser i gyfweld eto cyn i mi fynd. Mae hyn yn gymaint o lanast... Catrin i ffwrdd, Toby wedi gadael ar fyr rybudd... jest be 'den ni angen cyn i mi ddiflannu!' Rhwbiodd ei dalcen gyda'i lawes, oedd wastad yn arwydd ei fod dan straen.

'Mae John, Bobby a finnau'n ddigon 'tebol i recriwtio,' mynnais, gan geisio swnio'n gadarn. 'Ac mi fedrwn ni ymdopi, jest y ddau ohonon ni, am ychydig.'

'Ond all Hannah a Ryan edrych ar ôl y cwsmeriaid?'

'Bydd yn rhaid iddyn nhw. Wna i gadw golwg arnyn nhw. Ac rydyn ni'n cyfweld ganol yr wythnos nesaf. Stopia boeni.' *Bravado* oedd hyn i gyd. A dweud y gwir, ro'n i'n pryderu mwy na Duncan am sut y bydden ni'n rhedeg bwyty gyda dim ond pum aelod o staff. Eisoes, gallwn rag-weld y bydden ni'n gorfod cau dros ginio neu gau ar nos Lun neu Fawrth, ond doeddwn i ddim am i Duncan feddwl na allen ni ymdopi hebddo.

Cariodd John y llestri budron olaf i'r gegin, ac yna oedodd wrth y bar. Cododd botel o win, gan ei chynnig i Duncan. 'Wna i orffen yn fama. Ewch chi'ch dau i'r llofft. Mae ganddoch chi bethau pwysicach i'w gwneud na phoeni am bethau sy tu hwnt i'ch rheolaeth. Felly, gwely amdani.'

Agorodd Duncan ei geg i brotestio, ond ychwanegodd Bobby, 'Wna i aros i helpu John dacluso. Hanner awr arall fyddwn ni.' Gwenodd John arno'n ddiolchgar, a gweiddi arnon ni, '*Shoo*! *Vamos*!' Roedden ni'n dau yn gwybod yn well na dadlau gyda John. Roedd o'n iawn hefyd – doedd dim y gellid ei wneud heno ynglŷn â'r llwyth o waith o'n blaenau. Gwell fyddai i mi fwynhau cwmni Duncan, achos o fewn deuddydd byddai'n teithio i ochr arall y byd.

Yn falch o gael noswaith annisgwyl i ffwrdd o'r gwaith, dilynais Duncan i fyny'r grisiau a chau drws y landin. Aeth Duncan yn syth i'n cegin fach i nôl dau wydryn, ac agorais innau'r gwin.

'Roeddet ti'n edrych yn fodlon iawn dy fyd gyda Martha yn gynharach,' meddai Duncan. 'Siŵr nad wyt ti'n cofio, ond y tro hwnnw ddaeth Julia â'i mab i'r bwyty, yn fuan ar ôl i ti ddechrau gweithio i ni, mi wnest ti ddal Ieu bach yn dy freichiau a dwi'n cofio meddwl pa mor gyfforddus roeddet ti'n edrych.'

Oeddwn, roeddwn i'n cofio'r diwrnod yn iawn – diwrnod y te parti, pan gollodd Lydia ei thymer a malu bocs llawn tsieni ar y llawr. Ond ro'n i hefyd yn cofio'r munudau heddychlon cyn ei strancs hefyd – y tro cyntaf i mi weld Duncan yn siarad â phlentyn bach – achos mi feddyliais innau'r un peth yn union amdano fo.

Daeth Duncan i sefyll y tu ôl i mi, gan roi ei freichiau o amgylch fy nghanol.

'Wyt ti erioed wedi meddwl am gael plant?' sibrydodd yn fy nghlust. Llyncais yn galed, gan ddatod fy hun o'i afael.

'Wrth gwrs dwi am i ni gael plant, ryw ddydd. Ond falle ddylen ni gael y drafodaeth honno pan ddei di'n ôl adre? Mae gormod o bethau eraill i feddwl amdanyn nhw ar hyn o bryd, yn does, heb feddwl sut fysen ni'n ymdopi petawn i ar gyfnod mamolaeth?' Gyda hynny, dihangais i'r ystafell wely i dynnu amdanaf. Dewisais y pyjamas hynaf, mwyaf plaen oedd gen i. Doeddwn i ddim yn teimlo fel dechrau ar y gwaith o greu teulu heno.

Gwyddwn fod Duncan yn ysu i gael plant, yn enwedig ar ôl iddo golli un y llynedd. Na, nid colli chwaith – daeth ar draws cofnod yn nyddiadur Lydia a chanfod ei bod wedi mynychu apwyntiad mewn clinig preifat yn Lloegr ddeuddydd cyn iddi 'golli' eu baban ar ddiwedd trydydd mis ei beichiogrwydd. Erthyliad gafodd hi, a doedd hi ddim yn fodlon egluro pam y teimlodd yr angen i wneud y fath beth. Dyna oedd diwedd y briodas, ond er mai Lydia oedd ar fai am sut y gorffennodd pethau rhyngddyn nhw, mynnodd hi ymddwyn fel petai Duncan wedi pechu yn ei herbyn hi, gan ddifrodi ei gar a malu ffenestri'r bwyty. Yna, tra oedd o'n galaru am y plentyn a gollodd, aeth hi allan ar *shopping spree* gyda cherdyn credyd y cwmni a gadael Duncan mewn dyled. Er bod y ddyled ei hun yn fyrdwn anferthol, doedd hi'n ddim o'i chymharu â'r sylweddoliad bod ei wraig wedi cael gwared ar ei unig blentyn. Dechreuodd ddyfalu: a oedd babanod eraill na wyddai amdanyn nhw? Oedd o wedi gwastraffu blynyddoedd yn breuddwydio am ddechrau teulu gyda dynes nad oedd yn ei garu o gwbl? Hynny oedd yn ei frifo. Dim ond yn ddiweddar iawn y dechreuodd ddod dros ei alar, a doeddwn i ddim am iddo brofi rhagor o boen diangen.

Efallai, erbyn i Duncan ddychwelyd, y byddwn innau hefyd

wedi rhoi'r gorau i alaru. Ro'n i'n benderfynol o beidio â dweud dim wrtho cyn iddo fynd. Fyddai gwybod ei fod o'n poeni amdana i wrth ffilmio'r gyfres yn gwneud dim i leddfu fy nhristwch i fy hun. Byddai tri mis yn ddigon o amser, gobeithio, i mi ddod dros fy ngalar.

Cynnar oedd y golled. Rhyw bythefnos ynghynt, sylwais ar newidiadau bach yn fy nghorff – fy mod i'n anarferol o flinedig a bod blas od yn fy ngheg, ac yna, fy mod i'n teimlo'n sâl ar godi. Yna, sylweddolais nad oedd fy mislif wedi cyrraedd yn ôl ei arfer. Mi fuon ni'n ddiofal y prynhawn hwnnw yn y gwesty yn Llundain, mae'n rhaid. Dim ond oddeutu wythnos yn hwyr oeddwn i, a phenderfynais beidio â dweud dim wrth Duncan nes y byddwn i wedi cymryd prawf beichiogrwydd, er mwyn i mi gael tystiolaeth gadarn. Ar ôl sawl diwrnod o deimlo'n wael, es i i'r archfarchnad a phrynu prawf, ond wnes i 'mo'i ddefnyddio gan fod y cyfarwyddiadau'n dweud mai'r amser gorau i'w ddefnyddio oedd y peth cyntaf yn y bore. Drannoeth, deffrais gydag ysfa i fynd i'r tŷ bach, ond pan gyrhaeddais yno gyda'r wialen blastig yn fy llaw roedd smotiau o waed ar fy nillad, yn goch ffres fel lliw mefusen aeddfed. Nid mislif mohono, gan mai dyna'r unig waed i mi ei golli.

Doedd Duncan ddim wedi profi'r gobaith yn gwawrio yn fy nghroth, a phenderfynais beidio â sôn wrtho. Welwn i ddim synnwyr yn ei siomi, gan nad oedd gen i unrhyw dystiolaeth gadarn fod y babi wedi bodoli yn y lle cyntaf, heblaw am deimlad cryf fy mod i wedi profi rhywbeth ac yna ei golli. Dechreuais wylo yn y tŷ bach, ac am ychydig ddyddiau ceisiais gadw draw oddi wrth Catrin a'i bol balch, anferthol.

Dim ond pythefnos yn ôl oedd hynny. Doeddwn i ddim yn barod i lenwi'r gwagle eto, a diolch byth wnaeth Duncan ddim ceisio fy swyno â'i gorff, na sôn am blant wedyn. Gorweddon ni ym mreichiau'n gilydd nes iddo syrthio i drwmgwsg.

Wrth i mi orwedd yn y tywyllwch daeth dyfyniad i fy mhen, o un o gerddi R. Williams Parry y bu'n rhaid i mi ei hastudio yn ystod fy nghwrs TGAU: 'Digwyddodd, darfu, megis seren wib'.

Ond yn wahanol i seren wib, ni chefais ei gweld hi, dim ond ei chael hi'n rhan ohonof fi am ryw bythefnos. Gorweddais yno, a dagrau'n llenwi fy llygaid wrth i mi feddwl amdani'n dechrau, yn darfod ac yn gorffen ei thaith fel smotiau o waed yn fy nillad isaf.

5

Llusgodd Duncan ei gês anferth ar hyd platfform gorsaf drenau Prestatyn a'i osod yn ofalus rhwng y meinciau fel na fyddai neb yn baglu drosto. Trodd i edrych arna i, a theimlais fy ngwddw'n tynhau a'r dagrau yn pigo fy llygaid fel bod siarad yn amhosib. Heb air, rhoddodd ei freichiau amdana i, a phwysais fy mhen ar ei ysgwydd a gadael i'r dagrau lifo i wlân ei siwmper lwyd. Caeais fy llygaid am ennyd ac ymgolli ynddo – ei bersawr, ei daldra a'i gryfder a'r teimlad o fod yn ddiogel, yn hollol ddiogel, yn ei freichiau.

'Paid â chrio,' sibrydodd, gan fwytho fy ngwallt. 'Fydda i adre ymhen dim.'

Ceisiais fy ngorau i wenu arno a dangos fy mod i'n hapus iddo gael y cyfle hwn. Roeddwn i'n falch y byddai'n cael y profiad o deithio ac ymweld â bwytai enwocaf y byd, a chyfle i ennill arian i ad-dalu dyledion Lydia ar yr un pryd. Ro'n i'n ddiolchgar na fyddai'n profi'r boen o wybod am fy ngholled, a'i fod yn medru mynd i ffilmio'r rhaglen heb unrhyw ofid. Ond er mwyn iddo gael gwneud hynny roedd yn rhaid i mi gadw'n dawel.

'Mi fydda i'n iawn,' sibrydais, gan sefyll ar flaenau fy nhraed a chusanu Duncan yn ysgafn. 'Paid â phoeni amdana i.' Fi fyddai'n poeni amdano fo, bob diwrnod o'i daith. Meddyliais am yr holl awyrennau y byddai'n teithio ynddyn nhw, y llongau, y tacsis a'r *tuk tuks* – y cyfleoedd di-ben-draw iddo anafu ei hun neu gwrdd â damwain angheuol. Lle gwelai Duncan gyfleoedd am antur a phrofiadau newydd, gwelwn innau beryglon a rhesymau i hiraethu am y cyfarwydd a'r cysurus. Wnawn i byth ddeall dyhead Duncan am gael gweld y byd.

'Wna i dy ffonio di bob dydd,' meddai. 'Falle bydd hi'n hwyr ar ôl i mi orffen ffilmio, ond a' i byth i gysgu heb geisio siarad efo ti.' Gwasgodd fi'n dynn yn erbyn ei frest wrth i'r trên ddod i aros yn yr orsaf. 'Caru ti, Alys.' Datganodd ei gariad yn y Gymraeg, a wnaeth i mi wenu'n ddiffuant.

'Caru ti 'fyd,' atebais, ond allwn i ddim ymddiried ynof fy hun i ddweud rhagor, rhag ofn i mi ddechrau crio.

Mewn chwinciad roedd o ar y trên ac yn brwydro i wthio'i gês i'r rhesel. Erbyn iddo droi i wynebu'r ffenest roedd y trên wedi dechrau symud. Chwifiodd yn wyllt a chwythu cusan, a gwnes innau'r un fath, ond o fewn eiliad roedd o wedi diflannu. Chwythais un gusan fach arall ar hyd y trac at gerbyd ola'r trên, gan ei dychmygu'n gwibio trwy'r awyr ac yn creu llinyn i glymu Duncan a finnau at ein gilydd.

Gyrrais am adref, ond yn hytrach na dychwelyd i'r Fleur-de-Lis es i draw i dŷ Mam, lle'r oedd hi'n brysur yn pacio ar gyfer ei thaith hithau. Gorweddai hanner dwsin o ffrogiau crand ar ei gwely ac roedd hi wrthi'n paru pob un gyda sgidiau.

'Est ti ddim i'r maes awyr gyda Duncan?' gofynnodd hi.

'Roedd o'n mynd ar y trên i Lundain gyntaf. Mi fydd o'n ffilmio am gwpl o ddyddiau yn y stiwdio yno cyn hedfan i Ffrainc, ac yna Sbaen, Portiwgal a'r Eidal.'

'Braf iawn. Biti na chest ti gyfle i fynd gyda fo...'

'Pwy fyddai'n rhedeg y Fleur-de-Lis wedyn?' gofynnais. Stopiodd Mam bacio a throi i syllu arna i.

'Wn i ddim pam fod rheidrwydd arnat *ti* i wneud,' snwffiodd hi, ond yna brathodd ei gwefus ac aeth yn ôl i chwilio trwy ei drôr sgidiau. A bod yn deg iddi, yn ddiweddar roedd hi wedi dechrau ymdrechu i fod yn llai amddiffynnol ohona i, ac yn llai parod i rannu ei barn – fy nhrin i fel oedolyn aeddfed yn hytrach na'i chyw melyn olaf. (Eironig, gan fod fy mrawd, Lee, flwyddyn yn iau na fi. Ond roedd o wastad mor sicr ohono'i hun, efallai na theimlai Mam yr angen i fod mor wyliadwrus ohono fo.) Er na ddywedodd hi ddim heblaw, 'Mae'n rhaid i ti fyw dy fywyd dy hun, Alys,' gwyddwn nad oedd hi'n hapus fy mod i'n canlyn Duncan. Wnaeth hi erioed fy mherswadio i ddychwelyd i Lundain nac i ddewis cariad arall, ond gallwn deimlo islif o densiwn rhyngddon ni bob tro roedden ni'n trafod Duncan neu'r bwyty. Anodd oedd byw gyda'i beirniadaeth, er fy mod i'n bendant fod fy newis o gymar a gyrfa yn fy ngwneud i'n hapus.

Dechreuais blygu pentwr o grysau T Mam yn ofalus, gan wrando arni'n sôn am ei chynlluniau a'r holl lefydd roedd hi'n gobeithio ymweld â nhw gyda'i ffrind, Janice.

'Mae'n bechod i ti ymrwymo i redeg y Fleur-de-Lis yn absenoldeb Duncan,' meddai hi'n sydyn. 'Ro'n i'n gobeithio y byset ti wedi medru dod gyda fi. Fyse'n well o lawer gen i dreulio amser gyda ti na Janice, er fy mod i'n meddwl y byd ohoni. Fysen i wedi prynu dy docyn yn anrheg...'

'Amseru anffodus. Mae'n rhaid i chi fynd yn ystod gwyliau'r ysgol, a doedd gan Duncan ddim dewis ynglŷn â'r amseru chwaith. Fysen i wedi hoffi dod gyda chi, ond siawns y cawn ni fynd ryw dro eto. Y flwyddyn nesaf, efallai.' Roedd yr hen lwmp wedi dychwelyd i fy ngwddw, ac roedd siarad yn anodd.

Yn sydyn, ro'n i eisiau pwyso fy mhen yn erbyn ysgwydd Mam a chrio a chrio fel yr arferwn wneud ers talwm. Ro'n i'n dal i deimlo'n fregus ar ôl fy ngholled, a gwyddwn ei bod hithau wedi colli plentyn – chwaer i mi, ddwyflwydd yn hŷn, a aned bum mis i mewn i'r beichiogrwydd. Byddai Mam wedi deall sut ro'n i'n teimlo, wedi gwrando a chydymdeimlo, a byddwn innau'n teimlo'n well ar ôl rhannu rhywfaint o fy maich. Fodd bynnag, wnes i ddim sôn wrthi am yr un rheswm na soniais wrth Duncan. Roedd hi'n mynd ar wyliau drannoeth a do'n i ddim am iddi boeni amdana i, neu'n waeth fyth, cynnig aros adref i ofalu amdana i.

Roedd Mam yn haeddu cyfnod o hapusrwydd a hwyl ar ôl blynyddoedd o frwydro i gadw'r ysgol leol lle'r oedd hi'n bennaeth ar agor, ac ar ôl i'r hen goc oen Merfyn ei brifo hi. Ro'n i am iddi fynd ar ei gwyliau heb ofid na phryder o unrhyw fath, felly llyncais fy nagrau a chadarnhau unwaith eto y byddwn i'n bendant yn galw yn y tŷ yn ddyddiol i ddyfrio'r planhigion ac i fwydo Kate a Caradog, ei chathod newydd. (Neu, i fod yn fanwl gywir, y cathod brynodd hi gyda Merfyn. Fo berswadiodd Mam y dylen nhw brynu anifeiliaid anwes gyda'i gilydd, ond hi dalodd amdanyn nhw a hi bellach oedd yn gofalu amdanyn nhw a thalu biliau'r milfeddyg. Rywsut, roedd hynny'n crynhoi ei pherthynas â Merfyn i'r dim.)

'Pam na wnei di symud 'nôl adre am sbel?' cynigiodd Mam yn sydyn. 'Mi fyse'n brafiach o lawer i ti na byw uwchben y bwyty, 'swn i'n meddwl! Dwi wedi gwagio'r oergell, ond mae 'na fwyd yn y cwpwrdd a'r rhewgell. Helpa dy hun i unrhyw beth leci di a gwna dy hun yn gyfforddus. Hwn ydi dy gartref di o hyd, cofia hynny.'

Rhaid i mi gyfaddef fod y syniad o gael tŷ pedair llofft i mi fy hun yn apelio'n fawr. Braf fyddai cael bàth yn hytrach na chawod, a chael gardd hardd yn lle maes parcio y tu allan i'r drws ffrynt.

Arhosais am swper gyda Mam, a gan i ni lwyddo i orffen gweddillion y bwyd ffres, gwahoddais i hi draw i'r Fleur-de-Lis am ginio drannoeth. Yn y gegin yn gweithio fyddwn i, wrth gwrs, ond byddai cyfle i ni sgwrsio ar ddiwedd y gwasanaeth cyn iddi gychwyn am y maes awyr.

Dychwelais i'r Fleur-de-Lis, a chrwydro'n llesg rhwng y byrddau derw a'r cownteri, gan weld ôl Duncan ym mhob man a theimlo'i absenoldeb. Ddylwn i fod wedi mynd i'r oergell i gylchdroi'r stoc neu i gadw llestri neithiwr neu sgubo'r llawr neu ymgymryd ag un o'r cant a mil o jobsys y byddai'n rhaid i mi eu gwneud nes y bydden ni'n medru cyflogi golchwr llestri newydd. Ddylwn i fod wedi ffonio adran swyddi y *Journal* a chreu hysbyseb, neu gysylltu â'r Ganolfan Waith. Ond yn lle cychwyn ar fy ngwaith, dringais y grisiau cul a arweiniai i'n llofft fechan, a gorwedd ar y gwely. Troais i wynebu'r wal a syllu ar batrwm blodeuog y papur wal hynafol.

Roedd poen yn fy mherfedd, yn fy mhen, ym mêr fy esgyrn. Poen na fyddai dagrau yn medru ei leddfu. Daeth hwn yn deimlad cyfarwydd iawn pan symudais i Lundain: hiraeth, y teimlad fod rhan ohona i ar goll, fy mod i wedi colli rhywbeth hanfodol bwysig i mi, ond hefyd y dealltwriaeth mai amser oedd yr unig beth fyddai'n fy ngwella. Nid gwella chwaith, dim ond dysgu sut i ddygymod.

6

Deffrais drannoeth yn teimlo'n yn well ar ôl noson o gwsg braf heb i mi orfod deffro a phrocio Duncan yn ei gefn i'w atal rhag chwyrnu'n swnllyd. Roedd nifer o bleserau ynghlwm â rhannu gwely efo Duncan – ond doedd cwsg trwm, ymlaciol, ddim yn un o'r rheiny.

Wrth i mi estyn am fy ffôn i weld faint o'r gloch oedd hi, gwelais fod neges destun wedi cyrraedd gan Lech ryw hanner awr ynghynt:

Haia Alys, ble mae Rhuallt?

Am gwestiwn od! Anfonais neges yn ôl:

Pentre tua phum milltir o fy nghartref. Pam??

Rhaid ei fod o'n disgwyl am fy ateb, oherwydd cefais ymateb ganddo'n syth:

Achos dwi yn Rhuallt rŵan. Unrhyw siawns i ti ddod i fy nôl i?

Codais, gwisgo amdanaf ac ymolchi fy wyneb yn frysiog, yn chwilfrydig i wybod pam fod Lech, o bawb, yng ngogledd Cymru. Ymhen rhyw ugain munud cyrhaeddais Rhuallt, a dod o hyd i Lech yn sefyll tu allan i fwyty'r White House gyda sach deithio wrth ei ochr. Gyrrais i'r maes parcio a neidio allan o'r car, gan daflu fy mreichiau o amgylch ei wddf.

'Be ddiawl wyt ti'n wneud fyny fama?' gwichiais wrth iddo fy nghwtsio fi'n galed. Roedd arogl chwys, cwrw a mwg baco ar ei ddillad a'i groen, oedd yn od am fod Lech fel arfer mor lân a destlus.

'Yma i dy weld di ydw i,' meddai, gan fy rhyddhau o'i afael – oedd yn rhyddhad gan fod drewdod y mwg baco wedi dechrau codi cyfog arna i. 'Wel, os dwi'n hollol onest, dwi newydd ddychwelyd o *stag night* wythnos o hyd yn Nulyn. Wrth deithio adre ar y fferi o Gaergybi ro'n i'n edrych ar Google Maps, a gwelais enw dy bentre di a sylweddoli fod mod i'n pasio heibio. Do'n i ddim am fethu'r cyfle i ddod i weld fy ffrind gorau, felly gofynnais i'r hogiau fy ngollwng i yma ar eu ffordd i lawr yr A55, ond rŵan dwi wedi colli signal fy ffôn a do'n i ddim yn medru defnyddio'r we i ffendio fy ffordd i Santes-Fair-tanrallt... felly dyma fi.'

'Wel dwi'n falch iawn o dy weld di!' atebais, gan gymryd ei fag a'i ollwng ym mŵt car Duncan. 'Rwyt ti newydd fethu Duncan mae arna i ofn – ond wnei di aros dros nos er mwyn gweld sut le ydi'r bwyty?'

Yn ôl yn y fflat, aeth Lech yn syth i'r gawod. Roedd ei holl ddillad yn drewi o faco a chwys a chebabs, felly estynnais siwmper a throwsus glân iddo o gwpwrdd dillad Duncan. Er bod y trowsus fymryn yn rhy hir, roedd popeth arall yn ffitio i'r dim.

Ar ôl iddo wisgo, tywysais Lech o gwmpas y bwyty.

'Rydyn ni'n fyr o staff ar hyn o bryd,' eglurais, 'a dyna pam rydyn ni wedi penderfynu peidio ag agor ar ddyddiau Llun a Mawrth nes i Duncan ddychwelyd.' Cytunodd Lech fod hynny'n beth doeth i'w wneud – aberthu rhywfaint ar nifer y cwsmeriaid yn hytrach na gostwng safonau.

Aeth Lech drwodd i'r ystafell fwyta i edmygu'r cadeiriau brethyn Cymreig a'r lle tân anferth ar wal bellaf y bwyty. Crwydrodd draw at y ffenestri a safodd yno yn syfrdan, yn edrych allan dros ddyffryn Clwyd.

'Alys, dwi'n deall rŵan pam nad oeddet ti'n awyddus i aros

yn Llundain. Petawn i'n byw yn rhywle mor dlws mi fyddwn innau'n ysu i gael dychwelyd yma hefyd. Dwyt ti ddim yn sylweddoli mor ffodus wyt ti i gael y fath olygfeydd ar stepen dy ddrws.'

'Mae'r golygfeydd yn brafiach o lawer ar gopa'r mynydd acw,' eglurais. 'Wyt ti'n teimlo fel mynd am dro bach?'

Dringodd y ddau ohonom i ben Moel Hiraddug at adfeilion yr hen fryngaer a goronai llethrau gogleddol dyffryn Clwyd. Chwythai gwyntoedd bae Lerpwl dros wastadedd y dyffryn yn ddirwystr, gan daro copa'r mynydd gyda'u holl nerth. Wrth i ni sefyll ar ochr y mynydd, y gwynt yn ein chwipio, roedd siarad bron yn amhosib.

'Dwi'n meddwl y medra i weld Iwerddon o'r fan hyn!' bloeddiodd Lech i'r gwynt.

'Na, Ynys Môn 'di honna!' gwaeddais yn ôl.

Wrth i ni ddychwelyd i waelod y mynydd, oedodd Lech. 'Dwi mor genfigennus ohonot ti, gyda dy wreiddiau'n ddwfn yma,' meddai. Pwysodd yn erbyn clwyd, gan edrych dros gae llawn gwartheg yn ei ffordd synfyfyriol, unigryw. 'Bron i mi ddifaru mynd yn ôl i Wlad Pwyl. Fues i oddi cartref am saith mlynedd, yn hiraethu am fy nheulu a fy nghynefin. Ond pan es i adref roedd fy chwiorydd a fy mrodyr wedi gadael y nyth, roedd fy nhref enedigol wedi newid cymaint, a fy hen ffrindiau ysgol wedi symud i'r ddinas i weithio. Ro'n i'n gwybod y byddai pethau wedi newid dipyn dros saith mlynedd, ond doeddwn i ddim yn disgwyl teimlo fel dieithryn yn ymweld â fy nheulu fy hun. Roedd o'n brofiad reit annifyr – am flynyddoedd meddyliais amdanaf fy hun fel rhywun oedd yn byw yn Lloegr dros dro, ond pan ddychwelais i Wlad Pwyl sylweddolais na fyddwn i'n medru camu'n ôl yn daclus i fy hen fywyd, achos doedd fy hen fywyd ddim yn bodoli mwyach.'

'Dwi'n gyfarwydd â'r teimlad,' atebais yn llawn cydymdeimlad. 'Profiad od oedd dychwelyd i Gymru, a dim ond blwyddyn fues i oddi cartref! Roedd pethau wedi newid dipyn go lew i minnau hefyd, ond i ti rhaid ei fod o'n teimlo fel cychwyn o'r newydd.'

'Yn union. O'r wythnos gyntaf ro'n i'n gwybod fy mod i wedi gwneud camgymeriad,' meddai Lech yn ddolefus. 'Do, ges i fod yn brif gogydd, ac ar bapur ro'n i wedi cyflawni fy uchelgais... ond roedd y gost yn ormod. Dwi'n difaru rhoi'r gorau i fy mywyd yn Llundain. Roedd popeth yn berffaith yno, ac mi wnes i ei ddifetha am fy mod i'n rhy uchelgeisiol.'

'Ond yn y pen draw, mi wnest ti elwa, yn do? Yn hytrach na bod yn Sous Chef rwyt ti'n bennaeth ar ysgol goginio. Mae bod yn bennaeth ar elusen yn swydd reit uchel ei pharch. Ac mi wnei di helpu cymaint o bobl. Rwyt ti'n berffaith ar gyfer y swydd.'

Bu Lech yn ddirprwy reolwr arna i yng nghegin Charles Donoghue, a chlywais i erioed mohono'n codi ei lais na dweud gair llym wrth neb. Roedd o'n deall yn iawn sut i gynnal safon ac arwain tîm heb godi ofn ar neb. Alla i ddim meddwl am arweinydd gwell na Lech. Teimlwn fymryn yn anffyddlon wrth feddwl y fath beth, ond mae'n rhaid i mi gyfaddef ei fod o'n well am reoli ac addysgu pobl na Duncan. Mae Duncan a John wedi mynd i'r arfer o gyfathrebu yn y gegin trwy floeddio a rhegi, ac er bod Lech ddegawd yn iau na Duncan, mae'n rhaid cydnabod ei fod dipyn yn fwy aeddfed.

'Sut brofiad ydi rhedeg yr ysgol goginio?' gofynnais.

'Mae'n wahanol iawn i weithio mewn bwyty. Dwi'n meddwl y bydda i'n hiraethu am gyfeillgarwch y gegin, ond mae'n braf cael rhyddid i fynd a dod heb neb yn fy ngoruchwylio. Dwi'n meddwl y gwna i fwynhau unwaith i mi ddod i arfer â'r holl waith papur.'

'Felly nid tiwtor wyt ti?'

'Ar brydiau mi wna i gynnal gweithdy neu ddarlith, ond cydlynydd ydi fy rôl i mewn gwirionedd, gyda thipyn o waith strategol ar ben hynny... dod o hyd i diwtoriaid a siaradwyr gwadd, trafod y meini prawf... dipyn bach o bopeth... gyda llaw, wnei di ddod lawr i'r ysgol ryw dro i siarad â'r myfyrwyr?'

'Fi a Duncan? Mi fyddai o wrth ei fodd unwaith iddo ddo...'

'Na – dim ond ti. Dwi'n siŵr ei fod o'n siaradwr gwych, ond mae cannoedd o gogyddion fel fo. Ti dwi eisiau.'

'Ti'n gwybod nad ydw i'n hoff o siarad yn gyhoeddus...'

'A dyna'n union pam mae angen i ti ddod i siarad â fy myfyrwyr i. Mae llawer ohonyn nhw'n ddihyder ac yn ansicr ac yn wynebu heriau dysgu fel y gwnest ti. Dwi ddim am swnio'n nawddoglyd, ond fyset ti'n ysbrydoliaeth iddyn nhw... o gegin ysgol i reoli bwyty dy hun mewn llai na phum mlynedd.' Allan o gornel ei lygad gwelodd Lech fuwch yn ymlwybro draw atom dros y borfa wlyb. 'Dwi ddim yn hoffi'r olwg yn llygaid honna,' sibrydodd. 'Efallai ei bod hi'n gwybod pa mor handi ydw i gyda chyllell finiog...'

''Sgen ti'm ofn gwartheg?' chwarddais.

'Yr unig wartheg dwi'n gyfforddus o'u cwmpas ydi'r rhai ar fachyn y cigydd,' atebodd Lech, gan neidio dros y glwyd. Cydiodd yn fy llaw a dechrau rhedeg. 'Ty'd, well i ni 'i heglu hi cyn i'w ffrindiau gyrraedd!'

'Fanna mae'r llwybr!' galwais, gan gofio sut y byddai Taid Tan y Bryn yn ysgwyd ei ddwrn ac yn bloeddio ar blant yn rhedeg yn wyllt yn ei gaeau. Tynnais Lech yn ôl i gyfeiriad y llwybr cyhoeddus. Rhedodd y ddau ohonom law yn llaw i lawr y llethr mor gyflym fel y bu'n rhaid i mi stopio i eistedd ar y glwyd nesaf am fy mod i'n benysgafn. Roedd yn rhaid i mi chwerthin wrth weld Lech yn llygadu'r meheryn yn y cae nesaf yn ddrwgdybus. Bachgen y ddinas oedd o, roedd hynny'n amlwg.

Y noson honno arhosodd Lech i swper. Roedd y bwyty'n llawn dop, fel arfer, ond llwyddais i wneud lle iddo drwy ei roi ar yr un bwrdd â Mam a'i ffrind Janice, oedd wedi dod draw am bryd olaf cyn iddyn nhw gychwyn ar eu mordaith.

Coginiais bryd arbennig iddyn nhw ro'n i newydd ei ychwanegu i'r fwydlen – tarten ffigys efo salad betys ac oren, cig eidion gyda couscous, a tharten mafon ac almon yn bwdin. Daeth y chwe phlât yn ôl yn wag, ynghyd â'r ddwy botel win.

Cyn mynd, daeth Mam i'r gegin i ffarwelio â mi, yn wên o

glust i glust ar ôl treulio noson yng nghwmni Lech.

'Rhaid i mi gyfaddef, Alys, ro'n i'n gobeithio y byset ti'n dechrau canlyn dyn ifanc fel Lech – mae o mor fonheddig a charedig a ffraeth! Ac yn bennaeth ar ysgol goginio ac yntau ond yn ei dridegau cynnar...' Ceisiais beidio ag ochneidio'n ddiamynedd. Pam oedd hi wastad yn teimlo'r angen i danseilio Duncan?

Rhaid bod Mam wedi synhwyro fy nhymer, gan iddi ychwanegu'n gyflym, 'O, mi wn i dy fod di'n caru Duncan a does dim ots am ddyled na dyfodol nac oedran pan wyt ti mewn cariad. Jest dweud ydw i ei bod hi'n biti na wnest ti gyfarfod Lech yn gynt. Yn amlwg, mae o'n meddwl y byd ohonot ti.'

'A dwi'n meddwl y byd ohono fo. Fel ffrind.' Doeddwn i ddim wedi sôn wrth Mam i ni fod yn gariadon, gan fy mod i'n gwybod na fyddwn yn clywed ei diwedd hi.

'Wel, mae'n dda cael ffrindiau fel Lech. Bechod ei fod yn byw yn Llundain. Mi fysen i'n teimlo'n well petawn i'n gwybod ei fod o'n medru picio draw i helpu allan petaet ti'n mynd i drafferthion...'

'Mam, dwi'n bump ar hugain, nid pump!'

'O, mi wn i 'mod i'n or-amddiffynol, ond petai rhywbeth yn mynd o'i le a Duncan a finnau ym mhen draw'r byd mi fysen i'n poeni f'enaid. Wn i ddim fydd *wi-fi* ar y llong, hyd yn oed!'

'Wel, does dim angen i chi boeni. Aiff dim byd o'i le, ac mae John a finnau'n hen ddigon 'tebol i redeg y lle 'ma am gwpl o fisoedd. Mwynhewch eich hun. Gwnewch y gorau o bob cyfle.' Gwenodd Mam wrth i mi ddyfynnu un o'i hoff ddiarhebion.

'Mi wna i. A cheisia di fwynhau'r profiad o fod yn fòs hefyd. Cyfle i roi dy stamp dy hun ar y bwyty...'

'Dyna'r gobaith,' dywedais yn ysgafn, gan ei chofleidio'n dynn. Daeth Janice atom i ddweud ei bod hi wedi ffonio am dacsi i fynd â nhw i'r maes awyr – doedden nhw ddim yn teithio am oriau eto, ond roedd Mam yn hoffi cyrraedd pob man yn gynnar.

Ar ôl gwylio'r tacsi'n diflannu i'r tywyllwch, sleifiais yn ôl drwy'r drws cefn fel na fyddai neb yn gweld fy nagrau. Pam oeddwn i'n crio? Ar wyliau roedd hi'n mynd, nid i fyw dramor!

'Ti'n iawn?' gofynnodd John wrth iddo lwytho platiau budron olaf y gwasanaeth i'r peiriant golchi llestri. Nodiais fy mhen, ond teimlais ragor o ddagrau yn cronni yn fy llygaid.

'Anwybydda fi. Bod yn wirion ydw i,' atebais. Trodd John i orffen ei dasg, a siaradodd heb edrych arna i.

'Na, dwyt ti ddim yn wirion,' meddai'n dawel. 'Ges i fy magu gan fam sengl. Pan ges i fy ngeni roedd hi'n gweithio fel morwyn mewn gwesty anghysbell yn yr Alban. Swydd breswyl ac oriau hir, felly yn amlwg doedd dim modd i mi aros yn y gwesty gyda hi drwy'r flwyddyn. Talodd fy nhad i mi fynd i ysgol breswyl.'

'Ysgol breifat?' gofynnais.

'Tydi hynny ddim yn amlwg, nac'di?' atebodd John yn ei acen Albanaidd gref, gan wenu. 'Beth bynnag, ro'n i'n cael mynd at Mam am rywfaint o wyliau'r haf, ac ar ddiwedd Awst roedd Nain yn mynd â fi'n ôl i'r ysgol breswyl. A phob blwyddyn yn ddi-ffael, hyd yn oed yn fy arddegau, byddwn yn sefyll ar blatfform yr orsaf yn crio, er 'mod i'n gwybod yn iawn y byddwn i'n cael siarad efo hi dros y ffôn a derbyn llythyrau ganddi. Do'n i ddim yn medru deall pam fy mod i'n crio gymaint, achos a dweud y gwir ro'n i'n eitha hoff o'r ysgol. Dim ond unwaith i mi golli Mam y gwnes i sylweddoli – mae pob ymadawiad, boed yn wythnos neu'n dri mis, yn arwain at yr ymadawiad olaf sy'n dod i ran pawb, ac rydyn ni'n deall hyn o oed cynnar.' Safais yn stond, wedi fy llethu gan ddyfnder geiriau John. Er 'mod i'n ei adnabod ers sawl blwyddyn, teimlwn fel petawn i'n gweld ochr gwbl newydd i'w gymeriad. 'A dyma fi'n gwneud i ti deimlo'n waeth fyth,' ychwanegodd, gan droi i edrych arna i a gwasgu fy ysgwydd, a gwenu'n lletchwith. 'Gwranda, pam nad ei di adre gyda dy ffrind a chael gwydraid o win? Mi wnaiff Bobby a fi orffen clirio a chloi'r adeilad heno. Dos di.'

'Diolch i ti, John, dwi'n meddwl y gwna i.' Es ato er mwyn ei gofleidio'n ddiolchgar, ond gafaelodd John mewn dwy sosban fawr fel mur rhyngddon ni.

'Dos,' meddai'n swta, fel petai'n swil ar ôl datgelu rhan mor breifat a phersonol o'i fywyd.

Aeth Lech a finnau yn ôl i dŷ Mam, ond a dweud y gwir, y peth olaf ro'n i eisiau ei wneud ar ôl noson galed yn y gegin oedd yfed a sgwrsio tan oriau mân y bore. Felly dewisais baned o goffi yn lle gwin fel y gallwn aros yn effro ychydig yn hirach nag arfer. Cefais hanes pawb y buon ni'n gweithio gyda nhw ym mwyty Donoghue's, a rhagor am ei brofiad o sefydlu'r ysgol goginio gyda Charles. Roedden nhw'n dal wrthi'n apwyntio staff a datblygu cyrsiau addysgol – gwaith digon difyr, yn ôl Lech, ond nid y math o waith y byddwn i'n medru dygymod ag o, oherwydd fy nyslecsia.

Arhoson ni'n effro tan ddau y bore yn siarad am ein dyfodol, ein cynlluniau a'n siomedigaethau. Pan godais oddi ar y soffa i noswylio, aeth Lech i gysgu yn stafell wely Mam a chiliais innau i fy hen lofft a chysgu'n sownd.

Deffrais drannoeth ar ôl breuddwyd annaturiol o glir, a gweld fy mod wedi methu sawl galwad ffôn gan Duncan y noson cynt. Ond gan fod arogl bwyd hyfryd yn llenwi'r tŷ, penderfynais beidio â'i ffonio'n ôl yn syth. Pan es i lawr y grisiau gwelais fod Lech yn y gegin yn paratoi *shakshuka* gyda'r wyau maes y byddai Mrs Edwards yn eu gadael ar stepen drws Mam.

'Dwi newydd gael syniad!' meddai Lech, ei lygaid yn disgleirio. 'Dwi am gael ieir yn yr ysgol goginio. Mae gardd lysiau yng nghefn yr adeilad – bydden ni'n medru creu libart iddyn nhw a dysgu'r myfyrwyr sut i ofalu amdanyn nhw. Y bonws fyddai wyau ffres bob dydd!'

Ro'n i ychydig yn genfigennus o weledigaeth Lech a'r ffaith fod ganddo gyllideb i gynllunio a gwireddu'r fath freuddwydion. I ni yn y Fleur-de-Lis, byddai'r esgid yn dal i wasgu hyd yn oed ar ôl i Duncan orffen ffilmio ei raglen – byddai'n rhaid i ni ddisgwyl rhai blynyddoedd cyn gallu gwneud unrhyw welliannau i'r busnes.

Ffoniodd Duncan eto tra oeddwn i'n golchi'r llestri brecwast. Roedd o wrthi'n ffilmio golygfeydd agoriadol y gyfres yn y stiwdio yn Llundain – gwaith digon diflas ac ailadroddus, meddai, ond roedd o wedi trefnu i gwrdd â'i hen ffrind Aleksey am swper.

'Cofia fi at Aleksey,' dywedais wrth i ni ffarwelio.

'A finne at Lech,' atebodd, gyda thinc o wawd yn ei lais. Oedd o'n dal i fod yn genfigennus o Lech, tybed?

Ychydig funudau'n ddiweddarach ro'n i'n gyrru Lech i orsaf Prestatyn er mwyn iddo ddal y 10.15 i Euston. Am y trydydd tro mewn wythnos, ffarweliais â rhywun oedd yn golygu'r byd i mi, ac am y trydydd tro mewn wythnos, roeddwn yn fy nagrau.

Wrth gerdded yn ôl at y car gwelais ffrog hyfryd yn hongian yn ffenest un o'r *boutiques* ar y stryd fawr – efallai y buasai prynu rhywbeth newydd i mi fy hun yn codi rhywfaint ar fy hwyliau. Do'n i ddim wedi prynu dilledyn newydd ers hydoedd, ac roedd y ffrog yn wirioneddol odidog. Ond cyn i mi gamu i mewn i'r siop, gwelais rywbeth (neu rywun, i fod yn fanwl gywir) a dynnodd fy sylw. John, yn eistedd yn y siop goffi gerllaw, yn bwyta *croissant* ac yn siarad â rhywun oedd â'i gefn ata i. Cododd ei ben i alw am y weinyddes, ac ar wneud hynny mae'n rhaid ei fod o wedi fy ngweld i. Trodd ei gymar yn ei gadair i edrych i'm cyfeiriad, a gwelais mai Bobby oedd yn eistedd gyferbyn â fo. Doeddwn i ddim yn teimlo fel siarad â neb, felly codais fy llaw arnyn nhw a mynd i mewn i'r siop ddillad.

Doedden nhw ddim yn y caffi pan ddes i allan ugain munud yn ddiweddarach, ond ar gyrraedd Santes-Fair-tanrallt roedd John yn eistedd yn stafell fwyta'r Fleur-de-Lis, yn disgwyl amdana i.

'Ti'n iawn, Al?'

'Ydw siŵr. Be ti'n wneud yma?'

'Angen sgwrs. Rhywbeth swyddogol.'

'O... tydi hynna ddim yn argoeli'n dda.'

'Ffurfioldeb bach, dyna'r cwbl.'

'Oes eisiau i mi nôl y folder Adnoddau Dynol?' Gwenais,

ond roedd wyneb John yn syber. Eisteddais i lawr gyferbyn â fo. 'Be sy, John?'

'Bobby a finnau... rydyn ni wedi penderfynu rhoi cynnig ar berthynas. 'Dyn ni wedi bod yn gweld ein gilydd yn achlysurol dros y misoedd diwethaf, ond mae'r ddau ohonon ni 'di penderfynu gwneud pethau'n swyddogol... a gan ein bod ni'n gweithio efo'n gilydd, ro'n i'n meddwl y dylwn i roi gwybod i ti a Duncan, fel rheolwyr.' Roedd hyn yn annisgwyl – ers i mi ddod i adnabod John doedd o ddim wedi bod yn canlyn neb, na hyd yn oed mynd am ddiod gyda dyn arall.

'Wel, yn gyntaf, llongyfarchiadau, a dwi'n gobeithio y byddwch chi'n hapus iawn gyda'ch gilydd. Yn ail, ga' i sgwrs gyda Duncan, ond dwi'm yn meddwl bod angen i ni newid gweithdrefnau na dim felly, gan mai fi yw rheolwr llinell Bobby. Dwi'n gwybod na fydd yr un ohonoch chi'n gadael i'r berthynas effeithio ar eich gwaith.'

'Fel ti a Duncan?' atebodd John yn gellweirus.

'Dwi ddim eisiau dy golli di na Bobby achos rhyw *lover's tiff*.'

'Paid â phoeni, Al. Fyddwn ni yr un mor broffesiynol ag erioed. Fedra i ddim siarad ar ran Bobby, ond dim ond mewn arch y bydda i'n gadael y Fleur-de-Lis. Does gen i unlle arall i fynd.'

7

Yr wythnos yn dilyn ymadawiad Duncan oedd un o wythnosau anoddaf fy mywyd proffesiynol. Erbyn ei diwedd ro'n i hyd yn oed yn dyheu am fynd yn ôl i weithio i Donoghue's, a ffeirio'r dasg o redeg bwyty am yr undonedd o dorri cannoedd o lysiau i union yr un faint neu wahanu perlysiau gyda phlyciwr.

Roedd y llwyth gwaith yn ormod i dri pherson, ond doedd dim dewis gan John, Bobby a finnau ond dyfalbarhau. Ro'n i wedi cysylltu ag asiantaeth waith a gofyn iddyn nhw anfon golchwr llestri ac is-gogydd draw er mwyn ysgafnhau'r baich, ond dim ond un person gytunodd i ddod, a wnaeth hwnnw hyd yn oed ddim troi i fyny.

'Haws hawlio'r dôl, siawns,' poerodd John. Ro'n i wrthi'n llunio hysbyseb i'w roi yn y *Rhyl and Prestatyn Journal*, ond yn y cyfamser roedd yn rhaid i'r tri ohonon ni ymgymryd â'r holl goginio a'r glanhau, golchi'r llestri a'r llieiniau, archebu a chylchdroi stoc, prosesu anfonebau, cyfri a bancio'r enillion a'r cant a mil o jobsys bach roedd Duncan yn eu gwneud yn ddyddiol ac yn ddi-lol heb i mi sylweddoli.

Dwi'n meddwl y byddwn i wedi medru ymdopi â'r gwaith llafurus corfforol yn eithaf, ond y peth a chwalodd fy mhen oedd yr holl waith gweinyddol. Yn ôl Mam mae cysylltiad agos rhwng fy nyslecsia a fy ngorbryder – y mwyaf *stressed* ydw i, yr anoddaf ydi hi i mi ddarllen. Cymerodd bron i awr i mi fewngofnodi i'r gliniadur a thalu bil trydan. Nofiai geiriau a rhifau o flaen fy llygaid nes bod gen i gur pen, a phan ffoniais y llinell gymorth bu bron i mi â chrio mewn rhwystredigaeth wrth geisio sillafu cyfeiriad a chyfeiriad e-bost Duncan i'r dyn ar ochr arall y ffôn. (*'Yes, the postcode is LL: LL as in llachar or llnau... in English? Sorry, LL as in will or bill...'*) Dechreuais ddioddef meigryn yn ddyddiol – rhywbeth nad oedd wedi digwydd ers i mi adael yr ysgol uwchradd. Dawnsiai golau llachar o flaen fy llygaid, a bu'n rhaid i mi eistedd i lawr fwy nag unwaith rhag ofn i mi lewygu.

Wnes i ddim cyfaddef dim o hyn i Duncan, wrth gwrs, ond dwi'n meddwl iddo sylweddoli ein bod ni dan straen – bu i mi fethu ateb ei alwadau ffôn neu Skype sawl tro oherwydd i mi syrthio i gwsg trwm ar ôl dod adre o'r gwaith, a methu deffro.

'Dwi ar amserlen ffilmio dynn iawn, Alys!' cwynodd un amser cinio.

'A dwinnau'n eistedd yma ar fy nhin yn gwneud dim byd o gwbl am oriau maith!' arthiais arno. Dwi'n meddwl iddo gael y neges.

Un bore, cyrhaeddais y gwaith a chanfod neges ar y peiriant ateb gan John – roedd ganddo salwch neu wenwyn bwyd, medde fo, gan iddo dreulio oriau'r nos yn gaeth i'r stafell molchi. ('Paentio waliau'r tŷ bach yn frown' oedd ei union eiriau.) Ffoniais i weld sut oedd o, ond ches i ddim ateb. Yn ôl y llyfr archebion roedd ganddon ni ddeg bwrdd wedi eu cadw at gyda'r nos – byddai'n bosib i mi eu bwydo nhw ar fy mhen fy hun, ond byddai'n rhaid i mi ofyn i Hannah a Ryan beidio â derbyn neb fyddai'n cyrraedd heb fwcio o flaen llaw. Mewngofnodais i dudalen Facebook y bwyty a theipio neges gyflym:

> *Ned hedlaw am dodl sydd wedi dwcio ar nos Fawrth a Mercher. Ymddiheuriabau.*
> *Bwcings only on Tiwsbay and Wensbay. Sori.*

Gyda phopeth dan reolaeth, mi es i'r oergell i ddechrau gwirio'r stoc, er mwyn gweld faint o bob saig y byddwn i'n medru eu gweini. Yng ngwaelod y drôr lysiau roedd ciwcymber heibio'i orau, a'i ganol meddal wedi dechrau llwydo. Tynnais o allan o'r drôr a chefais fy nharo gan yr arogl. Yn sydyn, ro'n i angen cyfogi. Edrychais o gwmpas yn wyllt, yn chwilio am ddysgl o ryw fath, a jest mewn pryd, cydiais mewn bin a lluchio'r ciwcymber i'w berfedd du cyn stwffio fy mhen i'r bin ar ei ôl a chwydu. Lleddfodd y pwys, nes i arogl y bin gyrraedd fy ffroenau – pecynnau cig gwaedlyd, hen gadachau, bwyd wedi llwydo a'r blydi ciwcymber afiach – a dechreuais chwydu unwaith eto.

Ymhen sbel ro'n i'n ddigon da i eistedd ar stepen isaf y grisiau gyda 'mhen yn fy nwylo, yn grynedig ac yn wan, a blas afiach yn fy ngheg. Ychydig funudau'n ddiweddarach teimlwn yn ddigon cryf i lusgo'r bin mawr du ar hyd y seler, i fyny'r grisiau a thrwy'r gegin. Y tro hwn doedd dim rhaid i mi arogli'r bin – roedd meddwl am y gwastraff y tu mewn iddo'n ddigon i droi fy stumog. Stopiais i chwydu bedair gwaith ar y ffordd, ac o'r diwedd llwyddais i gau'r bag a'i luchio allan i'r bin mawr ar olwynion yn y maes parcio.

Mae'n rhaid 'mod i wedi cael yr un byg â John. Suddodd fy nghalon. Heb orfod edrych ar y polisi iechyd a diogelwch, gwyddwn y byddai'n rhaid i mi gau'r gegin, disgwyl i'r symptomau ddiflannu ac yna, 48 awr wedi hynny, glanhau popeth yn ddwys. Yn y cyfamser, roeddwn i am fynd adref, cyfogi eto, o bosib, a chysgu am oriau.

Ond cyn i mi fedru gwneud hynny roedd yn rhaid i mi gysylltu â phawb oedd wedi bwcio bwrdd at y noson honno a thrannoeth er mwyn dweud wrthyn nhw fod y bwyty ar gau. Wrth gwrs, doeddwn i ddim yn bwriadu cyfaddef mai salwch oedd yr achos. Penderfynais ddweud fod problem gyda'n cyflenwad trydan. Roedd gen i ddeg rhif ffôn i'w galw, a bob hyn a hyn, rhwng galwadau, bu'n rhaid i mi frysio at y sinc i gyfogi. Yn bendant, byddai'n rhaid i mi gannu a diheintio'r lle yn drylwyr cyn ailagor.

Ychydig iawn o drafferth ges i wrth gysylltu â'r cwsmeriaid, heblaw un boi oedd wedi bwcio bwrdd i wyth i ddathlu pen blwydd ei wraig. 'Canslo gyda llai na diwrnod o rybudd?' meddai'n anghrediniol. 'Sut fedri di? Be dwi i fod i'w wneud rŵan?' Roedd 'dechrau ffonio bwytai eraill' ar flaen fy nhafod, a dwi'n siŵr mai dyna fyddai John wedi ei ddweud, ond y cyfan wnes i oedd ymddiheuro unwaith eto am yr anghyfleuster. 'Syr, mae arna i ofn nad ydi hi'n bosib i ni weini bwyd ar hyn o bryd...'

'Wel, sbia di ar Google a TripAdvisor a gei di weld be dwi'n feddwl o dy blydi bwyty di, yr ast wirion!' Gorffennodd yr alwad, ac eisteddais yn dawel am funud, wedi fy syfrdanu gan rym ei dymer. Byddai Duncan wedi ychwanegu enw'r boi at y *blacklist* ac anghofio amdano'n syth, ond tarodd ei eiriau fi fel ergyd. Sylweddolais fy mod wedi crio bob diwrnod ers i Duncan adael, a hynny dros y pethau lleiaf.

Wedi i mi dawelu fy hun, ffoniais John i weld sut gyflwr oedd arno fo. Nid atebodd ei ffôn, felly gadewais neges arall. Yna, llusgais fy nghorff blinedig a chrynedig i fyny'r grisiau a chwympo i ganol y gwely, fy mhen yn troelli a'r lliwiau llachar yn ffrwydro o flaen fy llygaid. Roeddwn i ar fin cysgu pan ganodd fy ffôn lôn.

Llamodd fy nghalon wrth i mi weld wyneb Duncan ar ganol y sgrin, wedi ei bicseleiddio rhyw ychydig ond yn olygus er hynny.

'Alys! Mae ganddon ni hanner awr rydd dros ginio ac ro'n i'n ysu i gael dy weld di. Ydw i'n torri ar draws dy ginio di?'

'Dim o gwbl.' Wnes i ddim sôn nad oeddwn i wedi bwyta ers bron i bedair awr ar hugain. 'Ble wyt ti?'

'Yn Laguardia. Pentre bach yn Sbaen. Mae mor, mor brydferth yma. Edrycha...' Trodd y camera er mwyn i mi gael gweld fflach o fryniau brown a gwinllannoedd. 'Bydd yn rhaid i ni ddod yma ar ein mi... gwyliau nesaf. Rydyn ni'n ffilmio mewn *bodegas* ar hyn o bryd...'

'Ti 'di bod yn yfed felly?'

'Ges i wydraid neu ddau o win efo fy nghinio...' Aeth yn ei flaen i sôn am y gystadleuaeth – pwy ymhlith y cystadleuwyr oedd wedi gwneud argraff dda, pwy oedd y gwanaf, a phwy oedd yn amlwg wedi ymgeisio jest er mwyn cael bod ar y teledu. 'Mae 'na dipyn o bobl na fysen i wedi rhoi cyfweliad swydd iddyn nhw yn y lle cyntaf. Dim ond un person ga' i ei anfon adref o'r gystadleuaeth bob wythnos, ond ar ôl i mi gael gwared ar ryw bump neu chwech o'r rhai di-glem dwi'n meddwl y bydd gen i griw go dda – criw fysen i'n fodlon eu cyflogi yn y Fleur-de-Lis. Falle y byddai gan dy gariad ddiddordeb ynddyn nhw ar ôl i mi orffen efo nhw...'

'Am bwy wyt ti sôn?' gofynnais yn ddiamynedd, er fy mod i eisoes yn gwybod yr ateb.

'Yr anhygoel Lech, wrth gwrs.' Ni allwn feddwl sut i'w ateb. Beth oedd gan Lech i'w wneud â'r sefyllfa? Pam fod Duncan yn teimlo'r angen i sôn amdano? 'Ydi o wedi mynd adref eto?' gofynnodd Duncan.

'Wrth gwrs. Dim ond galw heibio wnaeth o...'

'Wyt ti wirioneddol yn disgwyl i mi gredu mai "galw heibio" oedd o pan laniodd o ar stepen y drws? Mae o'n byw yn Llundain... pam ddiawl oedd o yng ngogledd Cymru, heblaw ei fod o wedi dod yno'n benodol i dy weld di?'

'Duncan, dwi'n meddwl dy fod di wedi cael gwydraid o win yn ormod efo dy ginio, achos dwi 'di dweud wrthat ti sawl tro nad oes dim byd rhamantus rhwng Lech a finnau. Dim byd o gwbl. Ar fy llw.'

'A dwi i fod i dy gredu di heb amheuaeth? Fel roedd Lydia yn disgwyl i mi wneud?' Synnais pa mor gyflym roedd ei wrychyn wedi codi. Rhaid ei fod o wedi bod yn hel meddyliau am hyn ers tro.

'Wyt, achos nid blydi Lydia ydw i!' arthiais arno, fy nhymer yn chwerwi mewn chwinciad, fel siwgr mewn sosban grasboeth. 'Pam wyt ti'n gadael iddi hi wenwyno ein perthynas fel hyn? Pam nad wyt ti'n fy nhrystio fi?' Rhythais arno drwy'r sgrin, a gwelais ei fod o'n gwneud ymdrech wirioneddol i ffrwyno'i dymer.

'Dwi eisiau dy drystio di, wir, mi ydw i. Rwyt ti'n swnio mor ddiffuant dwi eisiau credu pob gair ti'n ddweud wrtha i. Ond dyna sut oedd Lydia hefyd: "Ar fy ngwir Duncan, fyddwn i ddim yn dy frifo di fel'na..." Roedd y celwyddau a'r dagrau'n dod mor hawdd iddi. Ar ôl i mi weld pa mor dwyllodrus oedd hi...' Cuddiodd ei wyneb gyda'i law am eiliad.

'Os na wnei di orchfygu hyn, Duncan, mi fydd o'n chwalu'n perthynas ni,' meddwn yn dawel. 'Dwi'n dy garu di a wna i ddim byd yn fwriadol i dy frifo di. Os na alli di dderbyn hynny, does dim byd alla i ei wneud i newid dy feddwl.' Teimlais y dagrau'n cronni yn fy llygaid. Sut aethon ni o sgwrs ysgafn am ddarpar gogyddion i fi'n cael fy nghyhuddo o'i fradychu? Doedd gen i 'mo'r egni i ddelio â'i amheuon a'i ofnau, a finnau mor wael. Suddais i'r gwely a gadael i'r dagrau bowlio i lawr fy mochau.

'Ti'n dechrau mynd yn paranoid, Duncan. Roedd Lech ar ei ffordd adref o wythnos yn Nulyn. Roedd o'n teithio ar hyd yr A55, a phenderfynodd bicio draw i ddweud helô, fel mae ffrindiau'n wneud weithiau. A do, mi wnaeth o aros dros nos, ond yn stafell wely Mam gysgodd o, a chyn i ti ofyn, na, do'n i ddim yna gyda fo. Heblaw am y ffaith fod ffrind wedi galw i 'ngweld i tra oeddet ti'n digwydd bod oddi cartref, ydw i wedi gwneud rhywbeth, unrhyw beth o gwbl, i gyfiawnhau dy amheuon?'

Nodiodd Duncan ei ben yn araf, a gwelais ei gorn gwddw'n symud wrth iddo lyncu'n galed. Llyfodd ei wefusau.

'Dwyt ti ddim yn fy ngharu i.' Bu bron i mi chwerthin yn ei wyneb. Doedd fy ngwaith caled a fy ymroddiad i redeg ei fusnes tra oedd o'n jolihoetian ddim yn dystiolaeth o fy nheyrngarwch a 'nghariad? 'Ers i ni fynd i Lundain, ers i ti gwrdd â Lech ym mharti Charles, dydyn ni ddim wedi caru. Ddim unwaith. Bob nos, hyd yn oed y noson cyn i mi adael Cymru, roeddet ti'n troi dy gefn arna i...'

Clywais lais gwrywaidd yn galw, 'Duncan, pum munud os gweli di'n dda!'

Trodd Duncan ei ben a gweiddi dros ei ysgwydd y byddai o'n barod cyn gynted â phosib. Yna, trodd i edrych i fyw fy llygaid. 'Dwi 'di bod yn gofyn a gofyn i mi fy hun, Alys, be wnes i'n anghywir? Be ydi'r rheswm am y newid yn dy agwedd? A'r unig beth fedrwn i feddwl amdano ydi dy fod di wedi cwrdd â Lech yn y parti. Dyna pryd ddechreuodd pethau newid...'

'Achos am y pythefnos ar ôl y parti yn Llundain roedd y ddau ohonon ni'n gweithio ddeuddeg awr a mwy bob dydd. Doedd gen i ddim digon o egni i wneud mwy na rhoi cusan nos da i ti. A'r pythefnos cyn i ti adael... wel, na, do'n i ddim yn teimlo fel caru bryd hynny. Achos... achos...' Roedd y dagrau'n disgyn yn gyflym bellach, a llewys fy nghrys yn wlyb domen. 'Do'n i ddim am i ti wybod achos ro'n i'n poeni y byddet ti'n gwrthod mynd ar y daith. Do'n i ddim am i ti boeni amdana i... ond ro'n i'n wael. Dydw i dal ddim yn teimlo'n wych hyd heddiw.' Ar yr eiliad olaf penderfynais beidio â dweud wrth Duncan am ei fabi.

'Duncan, wyt ti'n barod i ailddechrau?' galwodd rhywun.

'Mewn eiliad!' atebodd Duncan yn flin, ond pan siaradodd â fi roedd ei lais yn llawn tynerwch. 'Pam na ddwedaist ti? Be sy'n bod arnat ti? Wyt ti wedi bod yn gweld y meddyg?'

'Rhyw firws neu haint, dybiwn i. Dwi'n teimlo'n wan ac yn flinedig ac yn methu bwyta'n iawn. Mae'n bosib 'mod i wedi pasio'r haint i John hefyd – roedd o'n sâl drwy'r nos neithiwr.'

'Wyt ti am i mi ddod adref? Ddo' i ar unwaith os ydych chi'ch dau'n stryglo i ymdopi.'

'DUNCAN?' galwodd y cynhyrchydd. 'Mae pawb yn disgwyl amdanat ti!'

'Dos di,' anogais. 'Dwi wedi cau'r bwyty am gwpl o ddyddiau ond mi fyddwn ni'n iawn wedyn. Paid â phoeni amdanon ni.'

'Ei di at y meddyg os na wnei di wella?'

'Gwnaf. Ond mi fydda i'n iawn. Jest angen gorffwys ydw i.'

'Rhaid i mi fynd.' Cododd Duncan un bys a chyffwrdd sgrin ei ffôn fel petai'n ceisio mwytho fy moch. 'Mae'n ddrwg gen i, Alys. Wir.'

'Dos di rŵan. Ffonia fi'n hwyrach ymlaen, os gei di gyfle.'

Mi ddylwn i fod wedi sôn wrth Duncan am y babi. Ein babi

ni. Y gobeithion a'r llawenydd y bydden ni wedi ei rannu, petai rhywbeth heb fynd mor ofnadwy o'i le. Sylweddolais bryd hynny nad er mwyn Duncan y cedwais yn dawel am y golled, ond er fy mwyn fy hun. Trwy gadw'n dawel gobeithiais y gallwn anghofio'r ffaith fod fy mhrofiad cyntaf o feichiogi wedi gorffen gyda gwaed, anghofio'r ffaith fy mod i'n gynddeiriog o genfigennus o Catrin a Jake, anghofio'r ffaith fod fy nghorff wedi methu.

Ar ddiwedd y sgwrs eisteddais ar y gwely, yn syllu ar fy adlewyrchiad gwelw yn y drych a cheisio dweud y geiriau'n uchel: 'Duncan, y rheswm ro'n i'n wael ydi am i mi golli'n babi ni bythefnos yn ôl.' Ond arhosodd fy nhafod yn drwm yn fy ngheg, yn gwrthod ffurfio'r geiriau. Teimlais boen annhebyg i unrhyw beth i mi ei deimlo o'r blaen. Cydiais yn fy mol a chyrlio'n belen ar y gwely, ac udo crio. Ro'n i'n dal i grio ddwyawr yn ddiweddarach, pan ffoniodd Duncan fy ffôn symudol, ac yna ffôn y bwyty. Gadewais i'r ddau ohonyn nhw ganu a chanu.

8

Y bore Sadwrn canlynol, codais yn gynnar iawn a sgrwbio pob modfedd o'r gegin gyda diheintydd a mopio'r lloriau'n drylwyr nes bod mygdarthau'r hylif glanhau a'r cannydd yn gwneud i mi deimlo'n benysgafn. Treuliais i a Bobby y bore cyfan yn mynd rhwng y rhewgell, yr oergell a'r bwtri yn chwynnu hen stoc, ac aeth John i'r swyddfa i archebu a thalu ac ateb negeseuon e-bost. Anfonais Hannah a Ryan i lanhau a gosod y stafell fwyta. Ar ôl bod ar gau am wythnos gyfan o ganlyniad i'r salwch roedd dipyn o lwch i'w waredu, ond gan i ni weithio fel tîm, a gweithio'n gyflym, erbyn hanner dydd roedd y lle fel pìn mewn papur unwaith eto ac roedden ni'n barod am y llif o westeion a fyddai'n dod trwy'r drysau.

Bu fy nghyfnod yn y fflat yn ddiflas, ac ro'n i wedi bod yn hiraethu am fwrlwm a phrysurdeb y gegin: ergydion cyllyll, sisial y cig yn y padelli ffrïo, yr aroglau cyfoethog a lenwai'r gegin wrth i ni weini'r seigiau a'r gweiddi cyson, '*Oui*, Chef!'. Am y tro cyntaf ers i Duncan adael anghofiais am y poendod oedd yn fy mhlagio i, ac roedd yn rhyddhad i fedru ymgolli yn fy ngwaith am oriau ar y tro. Ffoniais Duncan yn hwyrach y noson honno yn fuddugoliaethus ac yn bendant y bydden ni'n medru ailadrodd llwyddiant y dydd Sadwrn hwnnw bob diwrnod nes iddo ddychwelyd adref.

Ddydd Sul, doedd dim golwg o John. Rhoddais Bobby ar waith i blicio'r tatws a'r moron tra es innau ati i baratoi'r cig ar gyfer y cinio rhost. Allan o gornel fy llygad gwyliais yr ychwanegiad diweddaraf i'r staff yn gweithio'i ffordd drwy'r mynydd o datws.

Roedd o'n drylwyr iawn wrth lanhau a golchi llestri, ond er i mi ddangos y ffordd gywir o ddal cyllell iddo, mynnai ddefnyddio cyllell hollti a waldio'r llysieuyn fel petai am ei ddienyddio. Byddai angen dipyn o hyfforddiant dwys arno os oedd o am wneud rhywbeth heblaw paratoi llysiau i gael eu stwnsio a'i rhostio. Ond o leiaf roedd o'n weithgar, ac yn wahanol i John, roedd o'n bresennol yn y gegin!

Hanner awr cyn i ni agor drysau'r bwyty daeth Hannah drwy i'r gegin a galw arna i.

'Anrheg i ti, Alys!'

Roedd rhywun o'r siop flodau leol newydd ddanfon tusw anferth o lilïau a rhosod coch i'r bwyty. Darllenais y cerdyn oedd yn gudd rhwng y petalau: GWELLHAD BUAN, CARIAD. Dyma'r ail dusw i Duncan ei yrru ata i ers i mi sôn am deimlo'n sâl, er i mi geisio ei berswadio fy mod i bellach yn holliach. Teimlo'n euog am fy nghyhuddo ar gam oedd o, mwy na thebyg.

'Gan bwy mae'r rhain, tybed?' meddai Hannah gyda gwên slei. 'Duncan neu Lech?'

'Duncan, wrth gwrs,' atebais yn siarp. 'Gwylia dy hun, Hannah. Does neb yn hoffi rhywun sy'n hel clecs.' Sawl gwaith yn ddiweddar bu'n rhaid i Duncan ei hatgoffa nad oedd clebran am bobl eraill yn dderbyniol yn y gweithle, yn enwedig o fewn clyw'r cwsmeriaid. Syllodd Hannah arna i, gan wneud siâp pig hwyaden gyda'i gwefusau.

''Mond jocian o'n i,' dywedodd yn bwdlyd.

'Wel, dwi ddim yn chwerthin,' atebais yn swta. Cymerais y blodau o'i breichiau fel petai ei chyffyrddiad am lygru'r petalau. Efallai i mi orymateb, ond ro'n i wedi dioddef o ganlyniad i glecs a sibrydion yn y gweithle, a do'n i ddim am i Hannah feddwl ei bod hi'n dderbyniol i awgrymu fod Lech yn gariad i mi.

'Ti'n gwneud dim byd ond cwyno y dyddiau yma,' mwmialodd Hannah dan ei gwynt.

'*Haud yer wheest*, Hannah!' arthiodd acen Albanaidd. Troais yn sydyn i weld John yn brasgamu i'r gegin gan gau botymau ei siaced wen at ei wddf. Cerddodd yn syth ati a phwyntio bys at ei thrwyn. 'Pwy wyt ti'n feddwl wyt ti, yn siarad gyda dy fòs fel'na? Ti ddim yn cael ateb yn ôl. Ti ddim yn cael clebran. Dwi 'di gweithio mewn bwytai lle nad ydi *minions* bach fel ti ddim hyd yn oed yn cael siarad efo'r prif gogydd.' Roedd wyneb Hannah'n goch, ond doedd John ddim wedi gorffen. 'Gweithle proffesiynol ydi hwn, nid rhywle i ti sefyllian yn hel clecs, a phwdu fel taset ti newydd gael chwip din. Ond dalia ati os wyt ti am gael P45 ar ddiwedd y noson!'

Roedd John wedi mynd yn rhy bell. Camais ymlaen cyn iddo fedru dweud rhagor.

'Diolch, John,' dywedais yn gadarn. 'Dwi'n siŵr y gwnaiff Hannah ddewis ei geiriau'n ofalus o hyn allan.' Daliodd John i rythu ar Hannah. Trodd hithau ar ei sawdl a rhedeg i'r tŷ bach. 'Doedd dim angen codi dy lais arni, John. Dim ond ifanc ydi hi. Difeddwl weithiau, ond does dim drwg ynddi.'

'Os na wnei di sathru arnyn nhw'n ifanc mi fyddan nhw'n dechrau rhedeg yn wyllt,' atebodd John yn ffyrnig.

'Tra mae aelodau hŷn o'r staff yn cael mynd a dod fel maen nhw eisiau, a hyd yn oed cyrraedd y gwaith ddwyawr yn hwyr?' gofynnais yn wawdlyd, gan bwyntio bys at y cloc.

'Wnes i gysgu'n hwyr,' meddai'n swta, ac aeth i olchi ei ddwylo. Roedd hynny'n amlwg o'r drewdod a lynai wrth ei ddillad – hen chwys, mwg baco a rhywbeth arall yr un mor annymunol – mor annymunol nes iddo wneud i fy stumog ddechrau corddi. Doedd o ddim wedi bod yn agos at gawod am rai dyddiau, roedd hynny'n amlwg.

'John, fuest ti'n yfed neithiwr?' gofynnais yn dawel, fel na fyddai Bobby na Ryan yn medru ein clywed. Estynnodd am y lliain sychu dwylo fel petai o ddim wedi clywed fy nghwestiwn. 'John?' mynnais. 'Ti 'di dechrau yfed eto, yn dwyt?'

'Ges i lymaid neithiwr,' atebodd yn ddifater.

''Drycha arna i, John.' Trodd ei ben, er na allai edrych i fyw fy llygaid. Tybiais ei fod o'n dal dan ddylanwad. Cymerais gam yn nes ato ac arogli wisgi, ei hen wendid, ar ei wynt. Gollyngais ochenaid, ond teimlwn yn siomedig yn hytrach na blin. 'Be sy'n mynd ymlaen, John?'

'Wyt ti'n mynd i fy nanfon i adref?' gofynnodd.

'Mae'n rhaid i mi. Fedra i ddim caniatáu i ti weithio'n feddw, na fedraf?'

'Ddes i yma am 'mod i'n gwybod dy fod di'n fyr o staff. Tri o'r gloch y bore ges i fy niod olaf. Dwi'n iawn i weithio.'

'Na, John, dwyt ti ddim.' Roedd John yn alcoholig; un oedd yn llwyddo i wrthsefyll temtasiwn am fisoedd ar y tro, ond gwyddwn o brofiad pan soniai John am 'lymaid neithiwr' nad am ddiod unigol yr oedd o'n sôn, ond potel gyfan. Troais fy mhen i gyfeiriad y stafell fwyta a gweld Ryan yn agor y drws ffrynt i groesawu'r ciniawyr cyntaf.

'Dos adref, John. Gawn ni sgwrs am hyn wedyn.' Daliais fy llaw allan. Ochneidiodd fel plentyn pwdlyd, ond ildiodd allwedd ei gar heb ddweud gair. Fel arfer roedd John yn yfed er mwyn ymdopi gyda'r straen a'r lludded a ddeuai yn sgil gweithio oriau hir ac anghymdeithasol. Ond fel finnau, bu adref yn sâl am wythnos gyfan. Yn amlwg, roedd rhywbeth heblaw straen gwaith wedi ei gymell i estyn am y botel. Byddai'n rhaid i mi fynd i'w weld y peth cyntaf drannoeth er mwyn canfod y rheswm am ei feddwdod, i weld a oedd rhywbeth allwn i wneud i'w helpu. Ond rŵan, roedd gen i fwrdd o wyth yn datgan yn uchel eu bod nhw 'ar fin llwgu' a doedd y llysiau na'r grefi'n barod, na'r peli stwffin chwaith, a do'n i ddim wedi cymysgu'r cytew ar gyfer y pwdinau Efrog na hyd yn oed meddwl am gwstard i'w weini gyda'r pwdinau sbwng...

'Bobby, ydi'r tatws a'r moron ar y tân?' galwais.

'*Oui*, Chef!' daeth yr ateb. Diolch byth am hynny.

Ro'n i mor flinedig y noson honno nes i mi ddisgyn i'r gwely yn noeth yn syth allan o'r gawod, heb drafferthu mynd i chwilota yn y sychwr dillad am byjamas glân. Cysgais fel un o'r meirw a deffro am ddeg y bore wedyn, a'r peth cyntaf wnes i, cyn cael brecwast hyd yn oed, oedd cerdded i'r pentref i weld sut gyflwr oedd ar John. Ro'n i'n dal i deimlo'n flinedig ar ôl gwasanaeth y noson cynt: pedwar deg saith cwrs cyntaf, pum deg naw prif gwrs a thri deg saith o bwdinau. Diolch byth mai'r cinio Sul oedd y rhan fwyaf o'r rheiny, fel ei bod yn bosib i Bobby a finnau weithredu system debyg i un ffatri masgynhyrchu. Fyddwn i ddim wedi medru gweini'r un nifer o blatiau petawn i'n coginio seigiau unigol ar fy mhen fy hun.

Roedd y drws yn gilagored felly camais dros y trothwy a galw i fyny'r grisiau serth, 'John? Alys sy 'ma. Ti'n effro?'

'Tyrd i fyny,' galwodd John yn gryg. Roedd o'n gorwedd ar y soffa, yn amlwg newydd ddeffro ychydig funudau ynghynt. Doedd dim golwg o boteli gwirod, ond o'r ffordd y daliai John ei ben yn ei ddwylo, a'r ffaith iddo wingo wrth i mi agor y llenni i groesawu'r haul i'r lolfa, gwyddwn ei fod o wedi bod yn yfed eto.

'Faint o'r gloch 'di hi?' gofynnodd.

'Toc ar ôl deg.'

Rhegodd dan ei wynt. 'Gen i apwyntiad yn Ysbyty Glan Clwyd am un ar ddeg.'

'Wel, dwyt ti ddim mewn unrhyw gyflwr i fod yn gyrru,' atebais. Es i draw at y sinc fach yng nghornel ei gegin a llenwi jwg (yr unig beth glân oedd ar gael) gyda dŵr oer. Yn amlwg, doedd o ddim yn gofalu amdano'i hun. Roedd pentyrrau o lestri budron ym mhob man, a'r bin sbwriel yn gorlifo â bocsys têc-awê.

Gosodais y dŵr ar y bwrdd coffi o'i flaen. 'Yfa hwn. A' i i nôl y car. Well i ti gael cawod cyn i ni gychwyn – ti'n drewi.' Roedd awyrgylch y fflat yn ddigon i droi fy stumog ac ro'n i'n ysu i gael dianc i'r awyr iach. 'Mi fydda i'n ôl mewn ugain munud, a dwi'n disgwyl i ti fod yn barod i fynd.'

'Uffern, be ddigwyddodd i'r Alys oedd byth yn siarad? Ro'n i'n ei hoffi hi'n well.'

'Taw, a dos i'r gawod.'

Doedd y daith i Ysbyty Glan Clwyd ddim yn un hir – gallaf weld yr adeilad o ffenestri'r Fleur-de-Lis. Parcio oedd y broblem, gan fod yr holl feysydd parcio dan eu sang, a cheir wedi eu gwasgu i bob modfedd o dir gwastad heblaw llecyn glanio'r hofrenyddion.

'Oes ganddon ni amser i ddefnyddio'r gwasanaeth parcio a theithio?' gofynnais. 'Os na, mi wna i dy ollwng di wrth y fynedfa a gei di ffonio unwaith mae'r apwyntiad drosodd.'

'Brysia, mae rhywun yn gadael, mae 'na le gwag yn fan'cw!' meddai John, gan bwyntio at gar oedd yn gadael y maes parcio bychan gyferbyn â'r uned ganser.

Gyrrais i'r bae a diffodd injan y car, ond wrth i mi wneud hynny gwelais arwydd ar bostyn cyfagos.

'Dwi ddim yn meddwl y dylen ni barcio yma, John. Mae'n dweud "at ddefnydd cleifion yr uned famolaeth a'r uned ganser yn unig".'

'Ti am ddod efo fi, yn dwyt?' gofynnodd. Edrychais i fyny ar yr arwydd unwaith eto, ac yna i lawr ar John. Nid yma i ymweld â'r uned famolaeth oedd o.

'Rydym wedi derbyn canlyniadau eich profion, Mr Mitchell, ac mae gen i ofn nad ydyn nhw'n gadarnhaol. Dengys y profion fod tiwmor yn eich coluddyn, ac un arall yn eich rectwm. Mae gen i ofn fod canser arnoch chi.' Oedodd y doctor ifanc er mwyn i John gael eiliad i brosesu'r wybodaeth. Arhosodd wyneb John yn llonydd, yn hollol ddiemosiwn, fel petai wedi ei gerfio o garreg. Ond estynnodd ei law chwith allan a chydio yn fy llaw dde i, gan wasgu fy mysedd yn dynn.

Gwenodd y doctor, yn llawn cydymdeimlad. 'Nid dyma'r newyddion roeddech chi'n gobeithio'i glywed heddiw, mi wn i hynny. Ond y newyddion da yw ein bod ni wedi dal y canser yn gynnar, ac os wnawn ni weithredu'n gyflym mae siawns dda y gallwn ni waredu'r tiwmorau gyda llawdriniaeth a lladd unrhyw gelloedd canseraidd gyda chwrs o radiotherapi neu gemotherapi. Felly peidiwch â digalonni'n ormodol. Mi fyddwn yn dechrau ar y driniaeth cyn gynted â phosibl, ac os y symudwn ni'n gyflym mae siawns dda y gallwch chi guro'r afiechyd.'

'Dyna be ddywedon nhw wrth fy mam,' meddai John yn dawel, yn syllu'n ddall drwy'r ffenest. 'Dyna laddodd hi. Yr union afiechyd.'

'Mae'r triniaethau wedi datblygu'n sylweddol, Mr Mitchell. Rydych chi mewn dwylo diogel. Dwi'n deall fod hwn yn gyfnod pryderus, ond fe gewch chi'r gofal gorau posib yma...' Dechreuodd y meddyg drafod triniaeth debygol John – laparsocopi ac ileostomi a phob math o dermau a olygai fawr ddim i mi. Gresynais fy mod i'n cael cymaint o drafferth ysgrifennu, gan y byddai wedi bod yn ddefnyddiol i mi gymryd nodiadau er mwyn i John gael eu darllen unwaith y byddai wedi dod dros y gwaethaf o'r sioc.

Brasgamodd John allan o'r uned ganser heb ddisgwyl amdana i. Croesodd y ffordd heb edrych i'r chwith na'r dde, gan orfodi car i stopio ar frys, ei deiars yn sgrialu wrth iddyn nhw grafu'r ffordd. Gwelais yrrwr y car yn taflu ei ddwylo i'r awyr mewn ystum o dymer neu rwystredigaeth – fel arfer byddai John yn troi ac yn arthio arno, yn barod i roi llond ceg, ond daliodd i gerdded draw at fy nghar i heb hyd yn oed gydnabod y ffaith fod y car arall wedi dod o fewn modfeddi i'w daro oddi ar ei draed. Codais law ar y gyrrwr fel ymddiheuriad a charlamu ar ôl John. Ar ôl i mi ddatgloi'r car, eisteddodd yn sedd y teithiwr a'i ysgwyddau'n grwm, yn syllu ar ei ddwylo. Eisteddais wrth ei ochr a disgwyl yn dawel nes ei fod yn barod i siarad.

'Wel, dyna ni. Dwi'n ffycd.'

'Glywest ti be ddywedodd y doctor – mae gen ti siawns dda o ymateb i'r driniaeth.' Estynnais allan a rhoi llaw ofalus ar ei law o, yn hanner disgwyl iddo dynnu'n rhydd. 'Dwi'n deall mai dyma laddodd dy fam, ond tydi hynny ddim yn golygu mai dyna fydd dy ffawd di. Dim o gwbl.'

Ysgwyd ei ben wnaeth John. 'O fewn llai na blwyddyn i gael y diagnosis roedd hi'n farw, felly maddeua i mi am fod fymryn yn sinigaidd, Al. Plis, paid â thrio gwneud i hyn deimlo'n llai cachu, paid â thrio fy helpu fi i edrych ar yr ochr orau. Jest gad i mi fod, plis.'

Gyrrais adref mewn tawelwch, gyda John yn syllu i lawr ar ei draed, ei ddwylo'n ddyrnau. Yn ôl yn Santes-Fair-tanrallt, camodd allan o'r car heb ddweud gair a chau'r drws yn glep. Ro'n i'n poeni'n arw amdano, ond gwyddwn fod angen iddo dreulio ychydig o amser ar ei ben ei hun i ddod dros sioc y diagnosis.

Gyrrais i dŷ Mam i fwydo Caradog a Kate. Doedd y cathod ddim yn f'adnabod yn dda iawn, felly arhoson nhw ar ben y garej yn fy llygadu'n ddrwgdybus, yn disgwyl i mi osod y powlenni o gig wrth y drws cefn. Anwybyddais nhw a mynd ati i ddyfrio planhigion Mam a gwneud paned, er fy mod ar bigau'r drain eisiau gweld sut oedd John. Diolchais fod y bwyty ar gau ar ddydd Llun a dydd Mawrth fel na fyddai'n rhaid i mi fynd i weithio a gadael John ar ei ben ei hun.

Ar ôl awr a chwarter allwn i ddim disgwyl rhagor. Gyrrais yn ôl i fflat John a chanfod y drws ffrynt ar agor – yn ei frys i ddianc i noddfa'i gartref roedd o wedi gadael ei allwedd yn y clo. Dringais y grisiau a gosod yr allwedd ar fwrdd bach yn y cyntedd yn bryderus, gan ddisgwyl un ai ffrwydrad o dymer gan John neu wydr a llestri yn deilchion ar y llawr. Ond doedd dim golwg o John.

'John?' galwais. 'Mi a' i os wyt ti am gael llonydd, ond dwi jest yma i ofyn alla i wneud rhywbeth i helpu. Dwi'n poeni amdanat ti.'

Gyda hynny, daeth John i'r stafell fyw. Roedd ei lygaid yn goch.

'Dwi mor sori, John. Mae hyn yn hollol *shit*.'

Diflannodd i'w gegin fach a dod yn ôl gyda photeli alcohol yn ei ddwylo. 'Dos di â'r rhain adref,' meddai'n benderfynol. 'Penderfynais y byddwn i'n yfed hyd at yr apwyntiad fel ffordd o leddfu'r ofn, ond heddiw, ar ôl cael y newyddion, dwi'n mynd i roi'r gorau iddi. Nid dy le di ydi gorfod delio â fi pan dwi'n chwil, ac mi fydd yn rhaid i mi roi'r gorau i yfed unwaith dwi'n cychwyn ar fy nhriniaeth beth bynnag, felly waeth i mi stopio rŵan ddim. O leia ga' i fwynhau bwyd am sbel go dda eto. Dwi am droi'n *gourmand*, gei di weld.' Gwenodd arna i, ond pylodd ei wên yn syth. 'Ro'n i'n coginio pob math o ddanteithion i Mam pan oedd hi yn yr ysbyty, i geisio'i themtio hi i fwyta. Ond roedd ei cheg yn boenus, a byddai wastad yn teimlo'n sâl ar ôl y driniaeth... mi ges i wybod wedyn y byddai hi'n rhannu'r bwyd gyda'r cleifion eraill ar ôl i mi fynd adref.' Trodd yn sydyn a cherdded yn ôl i'r gegin. Arhosais yn yr ystafell fyw, gan wybod mai cuddio'i ddagrau oedd o. Pan ddaeth o'n ei ôl roedd o'n gafael mewn lliain sychu llestri. 'Stedda,' meddai. Mi wnes i hynny, ond arhosodd John ar ei draed, a chydio yng nghefn y gadair freichiau. 'Bu bron i'r driniaeth ladd Mam, a wnaeth o ddim gwahaniaeth yn y pen draw. Lledaenodd yr afiechyd i weddill ei chorff beth bynnag. Doedd hi ddim yn medru bwyta, felly roedd hi'n nychu o flaen fy llygaid i. Yn y diwedd, penderfynodd roi'r gorau i'r driniaeth er mwyn mwynhau'r amser oedd ganddi'n weddill.'

'Ond rwyt ti am gael y driniaeth, yn dwyt?' gofynnais yn ofnus. 'Ddywedodd y doctor fod y driniaeth wedi gwella ers i dy fam...'

Nodiodd John ei ben. 'Ym mer fy esgyrn ro'n i'n gwybod mai dyma fyddai fy nhynged i – roedd Taid yn dioddef o'r un afiechyd. Mae o yn y teulu. Dwi 'di bod yn disgwyl am y diagnosis ers i mi glywed fod Mam yn sâl.' Cododd ei ben ac edrych i fyw fy llygaid, ac er gwaetha'r dagrau oedd yn cronni ynddyn nhw gwelais sbarc herfeiddiol. Roedd yr hen John yn dychwelyd, y John oedd yn gwrthod cael ei lethu gan y newyddion. 'Ond ti'n gwybod sut un ydw i, Al. Dwi'n derbyn fy ffawd ond dwi hefyd yn fastard styfnig. Mae'r canser yma'n mynd i drio'i orau i fy lladd i, a dwi'n mynd i gwffio'n ôl pob cam o'r blydi ffordd.' Crychodd corneli ei geg – gwên dila ofnadwy ond un a oedd yn bloeddio'i ddewrder.

'Fyddwn ni yma'n gefn i ti, bob cam o'r ffordd, John,' dywedais, yn brwydro'n erbyn y reddf i'w gofleidio, achos doedd John ddim yn or-hoff o fod yn *touchy-feely*. 'Mi ffonia i Duncan heno i holi be ydi'r drefn o ran tâl salw...'

'Na,' torrodd John ar fy nhraws. 'Chei di ddim dweud wrth Duncan.'

'Ond sut dwi am...'

'Wnawn ni sortio popeth rhyngddon ni'n dau, iawn? Gwranda, ti'n gwybod cystal â fi, petai Duncan yn clywed fy mod i'n sâl byddai'n dod adref ar unwaith. Mae o'n gwybod bod y Fleur-de-Lis yn ormod o waith i ti a Bobby. Mae o'n ffrind ffyddlon, ond mae o'n dilyn ei galon heb feddwl am y goblygiadau – ti'n gwybod hynny'n well na neb.' Teimlais wrid yn llosgi trwy fy mochau wrth i mi gofio Duncan yn cydio ynddа i a 'nghusanu'n fyrbwyll yng nghegin y Fleur-de-Lis, a dim ond wal denau rhyngddon ni a'r holl staff, a Mam; ac unwaith eto, pan grefodd arna i i beidio â symud i Lundain, er ei fod yn briod â Lydia. Oedd, roedd Duncan yn medru bod yn fyrbwyll ar brydiau, ac ro'n i'n deall pam fod John yn awyddus i atal ei ffrind rhag dilyn ei reddf a neidio ar yr awyren nesaf i Brydain.

'Ond sut wnawn ni ymdopi heb Duncan?' gofynnais.

'Ddylwn i fod yn iawn i weithio nes i mi ddechrau ar fy nhriniaeth, a fydd hynny ddim am rai wythnosau, os nad misoedd. Fedrwn ni brynu gwasanaethau asiantaeth neu ddod o hyd i rywun dros dro. Hyd yn hyn rydyn ni wedi targedu pobl leol – falle ei bod yn bryd edrych y tu hwnt i Gymru. Dy ffrind sydd â'r ysgol goginio – falle y bydd o'n chwilio am leoliadau profiad gwaith i'w fyfyrwyr, er enghraifft.' Yn amlwg, roedd John eisoes wedi ystyried hyn. Mae'n rhaid ei fod o wedi bod yn pryderu am wythnosau llawer, a heb ddweud wrtha i am ei boendod.

Siaradodd John yn araf ac yn benderfynol, 'Mi wnawn ni ymdopi, Alys. Bydd yn rhaid i ni, er y bydd pethau'n anodd, achos mae angen i Duncan gwblhau'r gwaith ffilmio. Bydd goblygiadau ariannol os ydi o'n torri ei gytundeb, ac rwyt ti'n gwybod cystal â finnau na fyddai hynny'n beth da.' Oedodd. 'Dwi'n gwybod yn iawn fod rhywbeth yn bod, Alys. Mae 'na reswm am yr holl flodau. Rwyt tithau'n celu rhywbeth oddi wrth Duncan hefyd – dwi ddim eisiau gwybod be – gan dy fod dithau'n gwybod y byddai'n rhuthro'n ôl petai'n gwybod y gwir.' Roedd John yn llygad ei le, fel arfer.

'Iawn. Wna i ddim dweud gair wrtho – ond John, mae'n rhaid i ti addo bod yn fwy agored gyda fi. Os wyt ti'n teimlo'n sâl, paid â llusgo dy hun i'r gwaith. Mi wna i ymdopi. Ac os wyt ti'n teimlo'r angen i yfed eto, os wyt ti'n teimlo'n isel neu angen siarad, dim ots pa adeg o'r dydd neu'r nos, tyrd yn syth ata i.'

'Mi wna i,' atebodd. Fodd bynnag, do'n i ddim yn disgwyl iddo gadw i'w ochr o o'r fargen. Roedd John yn gymeriad allblyg ac yn sylwebydd craff ar ymddygiad pobl eraill, ond anaml iawn y byddai'n trafod ei brofiadau a'i deimladau ei hun. Oedd, roedd o wedi rhannu tameidiau o'i hanes yma ac acw – er enghraifft, gwyddwn ei fod wedi bod yn briod ac wedi ysgaru. Gwyddwn iddo fod yn ddigartref am gyfnod o ganlyniad i'w alcoholiaeth, ac mai swydd yng nghegin Duncan a'i gosododd ar y trywydd iawn ar ôl hynny. Dim ond yn fwy diweddar, wrth iddo ddechrau poeni am ei iechyd, y soniodd am ei fam a'i salwch. Ond roedd yn bwysig i John wybod fy mod i yno i wrando petai angen clust arno.

Deffrais gyda herc, fy nghalon yn curo'n galed wrth i fy ffôn lôn sgrechian yn nüwch y nos. Estynnais am y teclyn gyda llaw grynedig, a chyn i mi ateb y ffôn gwelais ei bod hi'n ddau o'r gloch y bore. Symudais fy mawd dros sgrin y ffôn i dderbyn yr alwad.

'Duncan?' gofynnais. 'Ti'n gwybod faint o'r gloch ydi hi?'

'Na, John sy 'ma. Sori i dy styrbio di, ond ddywedaist ti wrtha i am ffonio unrhyw bryd, dydd neu nos.' Doedd o ddim yn swnio fel petai o wedi meddwi.

'Wrth gwrs. Eisiau siarad wyt ti?'

'Eisiau gofyn ffafr. Os wyt ti'n medru dod, mi wna i fwcio'r tocynnau trên tra byddan nhw'n rhad...' Tocynnau trên? 'Gwranda, dwi 'di bod yn meddwl dipyn am fynd yn ôl i'r Alban. Gweld bedd Mam, mynd i weld y teulu ac ati. Ges i alwad ffôn gan y doctor heddiw. Maen nhw am i mi gael y llawdriniaeth o fewn yr wythnosau nesaf, felly os dwi am fynd, mae'n well i mi fynd yn reit handi, achos unwaith i mi ddechrau ar radiotherapi neu gemotherapi bydd pethau'n anoddach o lawer...'

'Ocê...' atebais yn ddryslyd. 'Eisiau amser i ffwrdd o'r gwaith wyt ti?'

'Ro'n i'n meddwl mynd ar brynhawn Sul a dod yn ôl yn hwyr ar y nos Lun, felly fydd dim angen i mi gymryd amser i ffwrdd.'

'Pam wyt ti'n fy ffonio fi felly?'

'I ofyn i ti ddod efo fi, cyw. Mae'n dipyn o bellter i fynd ar fy mhen fy hun.'

'Wrth gwrs, mi ddo' i... ond fyse'n well gen ti i Bobby ddod yn hytrach na fi?'

'Taswn i am gael cwmni Bobby, mi fyddwn i wedi gofyn iddo fo. Ond os wyt ti'n hapus i ddod, gad y trefniadau i mi. Nos da, Al. Cysga'n dawel.'

Ceisiais fynd yn ôl i gysgu ond bûm yn effro am rai oriau, yn flin gan fod gen i ddiwrnod llawn o waith o 'mlaen. Wrth orwedd yn fy ngwely, sylweddolais nad oeddwn i wedi meddwl am fy ngholled (neu gamesgoriad yn ôl y geiriadur – do, mi wnes i edrych) ers deuddydd a mwy. Roedd afiechyd John a phwysau gwaith wedi gwthio fy nhristwch o'r neilltu, ond daeth yn ôl yn y tywyllwch tawel. Teimlais angen dirfawr i siarad â Duncan, a dechreuais ddifaru cytuno i gelu salwch John rhagddo. Byddai Duncan yn gwybod yn union beth i'w ddweud i dawelu'r gofid a'r gorbryder oedd yn mudferwi yn fy mhen. Hebddo fo'n gorwedd wrth fy ochr, dechreuais feddwl am yr holl bethau gwael oedd wedi digwydd i dîm y Fleur-de-Lis yn ddiweddar – canser John, dyledion Duncan, finnau'n colli'r babi, Mam a Merfyn yn gorffen eu perthynas. Teimlai fel petai rhyw fath o felltith arnon ni. Dychmygais Lydia yn sefyll dros fodel o'r bwyty gyda doliau *voodoo* bach ohonon ni, yn gwthio pinnau i'n cyrff ac yn gwenu'n fuddugoliaethus.

9

Aeth John a Bobby i lawr i draeth Prestatyn yn gynnar un bore i gasglu cregyn gleision ar gyfer y cyfweliadau am gogydd newydd. Ond dim ond y cregyn gwag a ollyngwyd gan y gwylanod a gododd John oddi ar y creigiau, ac oedodd ar y ffordd adref i dorri llond llaw o 'berlysiau' o'r parc – toriadau gwair oedden nhw mewn gwirionedd. Treuliodd hanner awr yn y gegin yn chwerthin yn dawel iddo'i hun wrth wasgu'r cregyn gwag yn ôl ynghau er mwyn iddyn nhw edrych yn gyflawn. I mi, roedd yn hollol amlwg fod y cregyn yn wag, ond bwriad John oedd gweld faint o'r darpar gogyddion fyddai'n sylweddoli hynny.

Safai gyda'i freichiau ymhleth yn gwenu'n falch ar ei ymdrechion: bocs yn llawn ffrwythau a llysiau oedd ar fin llwydo, cig oedd heibio'i orau, twb o hufen oedd wedi troi'n lympiau, y pentwr o gregyn gleision a'r perlysiau amwys.

Roeddwn i wedi profi un o gyfweliadau swydd y Fleur-de-Lis, ac mi ges i'r swydd am i bob un o'r ymgeiswyr eraill ddefnyddio'r bwyd oedd heibio'i orau. Fi oedd yr unig un i wrthod gweithio gyda'r cynhwysion israddol, ac oherwydd hynny gwelodd Duncan a John fod gen i rywfaint o synnwyr cyffredin ac felly'n haeddu cyfle i fod yn rhan o'r tîm.

Mynnodd John ein bod yn glynu at 'yr hen ffordd' o gyfweld y ddarpar gogyddion, ond y tro hwn ro'n i am roi cyfle iddyn nhw osgoi methiant llwyr drwy gynnwys rhywfaint o gynnyrch da yn y bocs hefyd. Drwy arogli, blasu a theimlo dylai fod yn bosib i bob un o'r tri wahaniaethu rhwng y bwyd gwael a'r bwyd ffres er mwyn creu plataid fyddai'n gwneud argraff dda ar John a finnau.

Am ddeg o'r gloch ar y dot, agorais ddrws y Fleur-de-Lis. Safai tri chogydd gwrywaidd ifanc y tu allan.

'Bore da. Dewch i mewn,' cyfarchais, gan geisio swnio'n awdurdodol. Roedd y tri'n edrych o'u cwmpas fel petaent yn chwilio am Duncan, a gwelais ambell fflach o siom wrth iddyn nhw sylweddoli nad oedd o'n bresennol. Daeth John i sefyll wrth fy ochr, ei gefn yn syth a'i ddwylo y tu ôl i'w gefn fel milwr, er nad oedd ond pum troedfedd a chwe modfedd o daldra. Credai'n gryf mewn gwneud argraff gyntaf gadarn.

'Croeso i'r Fleur-de-Lis,' cychwynnais. 'Alys ydw i, y prif gogydd. Dyma John, fy Sous Chef.' Pwyntiais at y bocs bwyd ar gownter y gegin. 'Cyn i ni droi at y cyfweliadau swyddogol, dyma her fach i chi. Mae ganddoch chi hanner awr i gynllunio a pharatoi plât o fwyd gan ddefnyddio'r cynhwysion a'r offer sydd o'ch blaenau. Os ydych chi'n dangos eich bod yn meddu ar y sgiliau a'r dulliau angenrheidiol, mi gewch gyfweliad ffurfiol. Hanner awr, yn cychwyn rŵan.' Edrychais ar John. Pwysodd fotwm ar ei watsh a nodio'i ben.

Ro'n i'n cofio fy nghyfweliad fy hun dair blynedd ynghynt fel petai'n ddoe – y corddi yn fy stumog a'r cryndod yn fy mysedd wrth i mi dyrchu'n aflwyddiannus drwy'r bocs i chwilio am fwyd oedd yn ddigon ffres i'w goginio. A thrwy'r cyfan, yr ymwybyddiaeth fod llygaid barcud Duncan a John yn fy nilyn i o gwmpas y gegin, yn gwylio pob symudiad.

Wrth gwrs, erbyn hyn ro'n i'n gwybod am beth roedden nhw'n chwilio: y pethau mwyaf sylfaenol fel golchi dwylo a gwisgo ffedog, ond hefyd y pethau oedd yn arwydd o gogydd medrus: byseddu'r cynhwysion, eu harogli, blasu'r crisialau gwyn er mwyn cadarnhau ai halen neu siwgr oedd yn y twb anhysbys, osgoi 'dipio dwbl' wrth blymio llwy i ganol cymysgedd, gwybod pa gyllell i'w defnyddio i ba ddiben, ac ati.

Disgynnodd un o'r ymgeiswyr ar y glwyd gyntaf. Dechreuodd dyrchu drwy'r bocs heb gymaint â golchi ei ddwylo. Doedd ganddo ddim clem am ddefnyddio byrddau torri a chyllyll gwahanol wrth drin y cig a'r llysiau. Ciledrychodd John arna i ac ysgwyd ei ben.

Gwingais wrth weld yr ail gogydd, yr un ieuengaf a'r mwyaf dibrofiad yn eu plith, yn trin y cynnyrch. Ceisiodd wneud rhyw fath o gawl pysgod gyda'r hadog a'r cregyn gleision, ond wnaeth o ddim ymdrech i dynnu'r esgyrn o'r hadog, ac ar ferwi'r cregyn a gweld nad oedden nhw'n ildio cig na sudd aeth ati i'w malu a'u hidlo mewn ymgais i wasgu blas o ryw fath allan ohonyn nhw. Wnaeth o ddim sylweddoli mai cregyn gwag roedd o newydd eu berwi.

Dangosodd y trydydd rywfaint o botensial – o leia roedd ganddo ddigon o synnwyr cyffredin i ddewis a dethol y bwyd. Awgrymai'r wên gynnil ar ei wyneb iddo ddyfalu ein cynllwyn, er na ddywedodd air am y peth wrth yr ymgeiswyr eraill. Fodd bynnag, pan gyflwynodd ei blât ceisiodd weini dehongliad o *haute cuisine* – swp o sbloetshys brown a gwyrdd gydag 'ewyn tatws' a *soufflé* caws gafr oedd wedi suddo'n llwyr. John yn unig fentrodd ei flasu, ac ysgydwodd ei ben yn siomedig.

'Mae popeth ar y plât yn blasu fel dŵr golchi llestri,' meddai. 'Does dim blas, dim arogl, dim gwead. Does 'na ddim byd i'w fwyta – aer a dŵr ydi 90% o'r cynnwys!'

Ar ddiwedd y dasg anerchodd John y tri gyda mwynhad amlwg: 'Foneddigion, pwrpas y dasg hon oedd gweld ydych chi'n meddu ar rywfaint o synnwyr cyffredin. Ac mae'n rhaid i mi ddweud, dwi'n meddwl y byddai'r cregyn gwag fan acw wedi gwneud gwell job nag a wnaethoch chi. O leia fydden nhw ddim wedi peryglu iechyd pobl eraill.' Safai'r cogyddion yn gegrwth. Pwyntiodd John fys at y cogydd gyntaf. 'Welais i ti drwy'r ffenest yn crafu dy din ac yn gwneud pwy a ŵyr beth arall gyda dy fysedd – ac yna ddest ti mewn i'r gegin a dechrau trin bwyd heb gyffwrdd dŵr a sebon!' Aeth at y rhesel dal byrddau torri a phwyntio atyn nhw. 'A pham, dweda, fod ganddon ni fyrddau torri coch, melyn, piws, gwyrdd a glas? Pam ydyn ni'n lliwio'r gegin gyda holl liwiau'r enfys – am ein bod ni'n dathlu Gay

Pride? Na, nid dyna'r rheswm, er bod hon yn gegin gwbl gynhwysol... na, fachgen, mae'r rhain yn amryliw er mwyn i ni osgoi traws-heintio. Coch ar gyfer cig, glas ar gyfer pysgod amrwd, ac ati. Taset ti wedi cymryd eiliad i ddarllen yr arwydd reit wrth eu hymyl, byddai hynny wedi dod yn amlwg i ti. Ond na, wnest ti dorri cyw iâr amrwd a garlleg a sbigoglys ar yr un bwrdd, gan wahodd dy ffrindiau, Sal, Mon ac Ella i'n bwyty ni... Rargian, yr unig amser i ti fynd yn agos at dap oedd i olchi'r cyw iâr – a ddylet ti BYTH, BYTH wneud hynny!' Trodd at yr ail gogydd, ei lygaid yn disgleirio gyda'r gymysgedd unigryw o falais a mwynhad pur a berthynai i John yn unig. (Wel, gallwn feddwl am un person arall oedd â'r un ddawn am strancio a rhefru a chadw pob llygad arni hi, sef Lydia. Cymerai hi'r un pleser amlwg mewn bychanu pobl yn gyhoeddus, a gwneud hynny mewn ffordd huawdl a theatrig.) Pan oedd John wedi ei gythruddo roedd o'n medru bod yn ffraeth ac yn ddoniol, ond nid heddiw. Teimlais rywbeth tebyg i ryddhad pan gamodd yr ail ymgeisydd ymlaen a datod ei ffedog, gan ddatgan yn uchel, 'Mae'n rîli annheg chwarae triciau ar bobl fel'na. Sut ydyn ni i fod i brofi'n hunain os wyt ti'n rhoi bwyd 'di pydru i ni? Does dim ots gen i be wyt ti'n feddwl o 'mwyd i. Dwi ddim eisiau gweithio mewn lle sy'n trin pobl mor *crap*.'

'Digon teg,' atebodd John, gan blethu ei freichiau ar draws ei frest mewn ffordd oedd fymryn yn amddiffynnol. 'Ond ystyria hon yn wers am bwysi...'

'*Whatevs*,' meddai'r boi yn flin, gan gerdded allan gyda'r ymgeisydd cyntaf yn dynn ar ei sodlau. Trodd John at y llanc olaf.

'Gwynt teg ar eu holau. Wnest ti goginio rhywbeth oedd yn dangos sgiliau sylfaenol a dealltwriaeth o bwysigrwydd hylendid. Ond dwi'n amau dy fod di wedi gor-gymhlethu pethau braidd.' Estynnodd John wy o'r bocs a'i ddal allan i'r ymgeisydd. 'Gwna rywbeth gyda hwn a gawn ni weld sut hwyl gei di.' Ond ysgwyd ei ben yn benderfynol wnaeth y dyn ifanc.

'Ti'n gwybod be, does gen innau ddim awydd gweithio yma

chwaith. Diolch am y cyfle, ond dydw i ddim yn meddwl y byswn i'n para yma'n hir gyda ti'n rheolwr arna i.' Gwenodd yn sydyn ac yn swil arna i fel petai'n ceisio ymddiheuro am adael mewn ffordd mor swta. Gwenais fy ymddiheuriad yn ôl arno wrth iddo adael. Mi fyddwn innau wedi cerdded allan hefyd, yn ei sefyllfa o.

'Gwynt teg ar ei ôl o,' meddai John, gyda gwên sarrug o foddhad. Cododd blât y trydydd ymgeisydd a'i droelli'n araf, fel bod yr holl hylifau brown, gwyrdd a gwyn yn rhedeg ar hyd y porslen ac yn cymysgu'n un llanast mwdlyd. Rhaid ei fod o wedi synhwyro fy anfodlonrwydd, achos cododd un ael drwchus yn gellweirus.

'Paid ag edrych arna i fel'na.'

'Dyna wastraff o fore, a dydyn ni ddim nes at apwyntio aelod ychwanegol o staff, nac ydyn?'

'Wel, ges i hwyl...'

Daliodd John i wenu'n huanfoddhaus arna i, nes iddo sylweddoli fy mod i o ddifrif. Aeth i wagio'r platiau a'r sosbenni i'r bin sbarion.

'Alys, doedd dim posib i ni gyflogi 'run ohonyn nhw. Ti'n gwybod hynny cystal â fi. Doedden nhw ddim ffit i weithio yma.'

'Ond oedd yn rhaid i ti fod mor gas?'

'Cael tipyn o hwyl o'n i. Duw a ŵyr, mae cyfleoedd i chwerthin yn brin ar hyn o bryd.'

Ochneidiais a dechrau clirio cynnwys y bocs bwyd, gan grychu fy nhrwyn ar glywed arogl yr hen hadog. Ro'n i'n deall fod John yn teimlo'n ddiymadferth ac isel ar hyn o bryd, ond ddylai cael hwyl ddim bod ar draul enw da y Fleur-de-Lis...

Cludais y pot hufen plastig at y tap a'i olchi o dan y tap dŵr poeth cyn ei ailgylchu. Wrth i'r hufen lympiog daro gwaelod y sinc cefais fy nharo gan yr arogl sur, afiach. Gollyngais y twb a'i heglu hi am y tŷ bach i chwydu.

Ar ôl cwpl o funudau o wag-gyfogi, golchais fy ngheg â dŵr o'r tap a sychu fy wyneb gyda thywel papur. Roedd fy stumog yn dal i gorddi, ond gwyddwn fod y gwaethaf drosodd. Sleifiais allan i'r gegin a gweld bod John wedi gorffen clirio'r bwyd drewllyd, a diolchodd fy stumog wan iddo.

'Ti 'di gorffen pwdu?'

'Gorffen taflu fyny ar ôl trin y sbarion afiach 'na, ti'n feddwl?'

'Sori...' meddai'n wylaidd. 'A ti'n iawn. Roedd y bechgyn 'na'n anobeithiol, bob un ohonyn nhw, ond ddylwn i ddim bod wedi siarad efo nhw fel gwnes i. Y tro nesa, mi wnawn ni bethau'n wahanol.'

'Os gawn ni ragor o ymgeiswyr...'

'Gad bopeth i mi, cyw. Gad bopeth i mi.'

Yn y pen draw, nid John oedd yn gyfrifol am ddod â'r pedwerydd ymgeisydd i'r bwyty, ond Bobby: roedd Craig, sgowsar yn ei bedwardegau gyda gwên annwyl a fflach o ddireidi yn ei lygaid, yn ffrind iddo. Lledodd ei wên pan glywodd fi'n siarad Cymraeg gyda Ryan, ac er mawr syndod i mi, dechreuodd yntau siarad Cymraeg!

'Ti'n siarad Cymraeg? Bendigedig.' Cliriodd ei wddw yn swil a datgan, fel bachgen yn adrodd mewn eisteddfod, 'Craig ydw i. Dwi yn byw yn Nhrelogan. Cogydd ydw i a dwi yn hoffi coginio gyda chyw iâr.' Ynganodd yr 'ch' yn 'chyw iâr' yn berffaith – yn amlwg, roedd yn falch o'i acen. 'Dwi'n cael mwy o drafferth gyda "cyllell", ond *nobody's perfect*.'

Na, doedd Craig ddim yn berffaith, ond roedd o'n agos iawn. Fel rhan o'i gyfweliad rhoddais gyfarwyddyd iddo goginio saig i ni gydag unrhyw beth o'r oergell. Gweithiodd yn gyflym, gan olchi, torri, ffrïo a phlatio yn ddiymdrech. Wrth goginio, eglurodd ei fod o'n gogydd mewn cartref hen bobl, ond nad oedd yn hapus yno. Cynigiais y swydd iddo a derbyniodd yn falch, ond yna eglurodd ei broblem.

'Mae'n rhaid i mi roi mis o rybudd,' meddai, 'sy'n boncyrs o amser hir i gogydd... felly alla i ddim dechrau yn y swydd am bedair wythnos. Dwi'n deall os na fedrwch chi ddisgwyl...' Edrychais ar John, a nodiodd hwnnw ei ben. Roedd o wedi clywed gan ei ddoctor y byddai'n cael ei lawdriniaeth o fewn y mis, ac yn dechrau ar gwrs o radiotherapi yn yr wythnosau nesaf. Byddai dyfodiad Craig yn sicrhau ein bod ni'n medru cadw'r Fleur-de-Lis ar agor nes bod Duncan yn cyrraedd adref ymhen deufis. Fodd bynnag, byddai'n anodd i mi a Bobby redeg y gegin ar ein pennau ein hunain pan ddeuai'r amser i John gael ei driniaeth canser. Am ychydig wythnosau byddai'n rhaid i mi gario'r baich ar fy mhen fy hun.

'Wnawn ni ymdopi,' meddai John, ar ôl i Craig adael. 'Paid â phoeni. A phaid â dweud wrth Duncan. Na Bobby.'

'Ti ddim wedi dweud wrth Bobby dy fod di'n wael? Ro'n i'n meddwl fod pethau'n mynd yn dda rhyngoch chi.'

'Ydyn, ac mi wna i, cyn i mi gychwyn ar y radiotherapi. 'Sdim angen iddo wybod cyn hynny. Dwi am i bethau fod yn normal mor hir â phosib.'

Teimlais yn genfigennus o'i weld yn aros am Bobby wrth y drws cefn, er mwyn i'r ddau fynd am swper i Ruthun. Roedd John yn cadw at ei gynllun o fwynhau ei hun tra gallai wneud hynny. Daliodd y drws yn fonheddig, a gwenodd Bobby arno'n swil. Rhaid bod cariad wedi dechrau meddalu ymylon garw John – ryw ychydig, o leia.

Y noson honno, ffoniodd Duncan, yn hiraethu am adref.

'Tydi o ddim yr un fath, siarad efo ti dros y ffôn,' meddai'n gwynfanus. 'Dwi eisiau eistedd ar y soffa efo ti a photel o win a ffilm wael ar y teledu. Dwi wedi cael digon ar gysgu mewn gwely hebddat ti wrth f'ochr. Dwi'n gweld y llefydd mwyaf prydferth, ond y cwbl dwi eisiau'i wneud ydi cerdded i fyny Moel Famau gyda ti. Dwi'n hiraethu amdanat ti bob awr o bob dydd a'r nos.' Ceisiais lywio'r sgwrs at bethau ysgafnach, ond methais godi ei galon – ychydig funudau'n ddiweddarach ro'n i'n eistedd ar erchwyn y gwely a dagrau'n powlio i lawr fy wyneb innau. Roeddwn i ar goll heb Duncan a'i allu i redeg cegin fel petai ganddo gymaint o freichiau ag octopws. Y ffordd y roedd o'n medru tawelu fy ngorbryder a gwneud i mi chwerthin pan deimlwn fel crio, a mwytho gwadnau fy nhraed gyda'i fodiau cryf ar ddiwedd noson hir yn y gegin. Ro'n i'n hiraethu am ei chwyrnu, hyd yn oed. Roedd y fflat fach yn annaturiol o dawel hebddo fo. Yswn i rannu fy mhryderon, dweud wrtho fy mod i wedi blino a 'mod i'n poeni'n arw am John, ond ro'n i wedi addo peidio felly sychais fy nagrau a dweud wrtho fy mod i newydd apwyntio Chef de Partie newydd ar gytundeb dros dro. Dywedais fy mod i'n cadw'n iawn, er fy mod i, mewn gwirionedd, wedi blino hyd at fer fy esgyrn, ac wedi cael hen ddigon ar ruthro o gwmpas yn gwneud gwaith dau neu dri chogydd, glanhau, golchi, tacluso, trefnu, bwydo cathod anniolchgar, cysgu ac yna dechrau ar y cyfan eto, fel bochdew ar olwyn blastig.

Ond yn hytrach na chwyno wrth Duncan, holais am ei raglen, y cystadleuwyr, y bwydydd newydd y bu'n eu blasu, gan siarad nes bod y ddau ohonom yn dylyfu gên bob yn ail frawddeg. Hyd yn oed wedyn, roedd y ddau ohonom yn anfodlon dwyn y sgwrs i ben. Am ddwy awr cefais y profiad o deithio yng nghwmni Duncan, o weld Portiwgal a Sbaen a Ffrainc a'r Eidal drwy ei lygaid o. Biti mai i'r Alban y byddwn i'n mynd gyda John yr wythnos ganlynol, yn hytrach nag i Sweden gyda Duncan.

10

Ddeuddydd wedyn, yn syth ar ôl i ni orffen gweini'r cinio Sul, teithiodd John a minnau i'r Rhyl i ddal y trên i Glasgow. Ro'n i ychydig yn bryderus ynglŷn â gadael car Duncan mewn maes parcio cyhoeddus dros nos, felly cynigiodd Bobby y gallwn i ei barcio o flaen tŷ ei fam, lle byddai'n fwy diogel.

Yn ffodus dim ond dwywaith y bu'n rhaid i ni newid trên, yng Nghaer ac yn Warrington. Ar ôl hynny roedd taith o deirawr drwy ogledd Lloegr a'r Alban yng ngherbyd tawel y trên.

'Ti'n edrych fel taset ti 'di blino, Al,' meddai John. 'Dos di i gysgu. Wna i dy ddeffro pan fyddwn ni wedi cyrraedd.' Doeddwn i ddim angen mwy o anogaeth, felly tynnais fy siaced a'i defnyddio fel clustog, a gadael i'r trên fy siglo i gysgu.

Roedd hi'n dywyll pan ddeffrais rai oriau'n ddiweddarach, a dim byd o gwbl i'w weld drwy'r ffenest heblaw ambell olau bychan yn y pellter. Dychmygais fryniau llwm yn amgylchynu'r trên.

'Fyddwn ni yno ymhen rhyw hanner awr,' meddai John, ac aeth i'r cerbyd bwffe i nôl paned. Dadebrais wrth lowcio'r coffi a'r bar o siocled brynodd o i mi, ac erbyn i ni gyrraedd gorsaf drenau Glasgow ro'n i'n hollol effro, ac yn barod am antur yn yr Alban. Aeth tacsi du â ni drwy ganol y ddinas i westy cadwyn digysur, ac ar ôl cawod sydyn ymunais â John yn y lobi. Aethon ni ddim pellach na phen draw'r maes parcio, lle'r oedd bwyty bach mewn hen adeilad diwydiannol ar lannau afon Clyde.

'Roedd fy nhaid yn adeiladu cychod ar yr afon hon,' eglurodd yn falch.

Roedd hi'n tynnu at ddeg o'r gloch y nos, a heblaw am y bar

siocled ar y trên doeddwn i ddim wedi bwyta ers hanner dydd, felly ro'n i'n ddiolchgar i John am archebu gwledd Tsieineaidd bum cwrs i ni. Gwrthododd fy nghynnig i dalu hanner y bil.

Yn ôl yn y gwesty, archebais ddiodydd meddal i'r ddau ohonom. Erbyn i mi gyrraedd yn ôl o'r bar roedd John wedi suddo i glustogau meddal y soffa gydag ochenaid fodlon, gan rwbio'i fol. Edrychodd o gwmpas y bar di-liw a diflas.

'Y tro diwethaf i mi fod yma oedd gyda Duncan.'

'O?'

'Roeddet ti yn Llundain ar y pryd, a ninnau'n ffilmio rhaglen deledu i BBC Alba. Aethon ni allan i'r dre ac yfed nes ein bod ni'n chwil ulw, y ddau ohonon ni, a siarad tan oriau mân y bore. Roedd y ddau ohonon ni'n drewi o alcohol pan aethon ni i ffilmio y bore wedyn – doedd y cynhyrchydd ddim yn hapus efo ni. Ond weithiau mae'n haws siarad o'r galon pan wyt ti wedi cael llond bol o gwrw.' Cymerodd lymaid o'i leim a soda. 'Mae arna i ymddiheuriad i ti, Al.'

'Pam?'

'Achos mai amdanat ti oedd y sgwrs honno. Ddywedais i wrtho am roi'r gorau i freuddwydio amdanat ti, a phenderfynu oedd o am faddau i Lydia a rhoi cynnig ar fyw fel gŵr a gwraig eto, neu wahanu oddi wrthi.' Cymerodd lymaid arall o'i ddiod. 'Petawn i heb stwffio 'mhig i mewn a'i annog i roi cyfle arall i'w briodas, fyddai'r holl helynt efo'r babi ddim wedi digwydd. Falle, yn y pen draw, y bydden nhw wedi ysgaru, ond fyddai Lydia ddim wedi ceisio'i ddinistrio a'i adael mewn dyled...'

'Paid â bod mor galed arnat ti dy hun, John,' atebais. 'Bob dydd rydyn ni'n cymryd cannoedd o benderfyniadau allai ein harwain i lawr cannoedd o drywyddau gwahanol. Fedri di ddim newid yr hyn sydd wedi digwydd. Dyma'r trywydd rydyn ni arno fo ar hyn o bryd, a'r unig ddewis ydi gwneud y gorau o'r sefyllfa. A dyna be wnawn ni.' Cododd John ei wydr yn uchel a'i daro'n erbyn fy un i fel rhyw fath o gydnabyddiaeth o ddilysrwydd fy mhwynt; ond roedd crychau'n dal i fod ar ei dalcen fel petai'n parhau i ystyried yn ddwfn.

'Dwi'n derbyn dy bwynt di, Al. Mae gen ti ben aeddfed iawn ar ysgwyddau mor ifanc. Ond dwi'n dal i feio fy hun am annog Duncan i geisio arbed y briodas.' Roedd yr olwg bell yn ôl yn ei lygaid. 'Dwi'n cofio sut oedden nhw ar y dechrau, ti'n gweld... roedden nhw'n caru ei gilydd yn angerddol. Falle i mi fod yn naïf, yn meddwl y gallen nhw fynd yn ôl i sut oedd pethau'n arfer bod ar ôl i ti adael...'

Syndod i mi oedd clywed bod John yn adnabod Duncan a Lydia ar ddechrau eu perthynas. Gwyddwn eu bod nhw'n hen ffrindiau, ond bu Duncan a Lydia yn briod am bron i ugain mlynedd. Aeth John yn ei flaen, fel petai o'n meddwl yn uchel yn hytrach na siarad gyda fi.

'Ers i Lydia adael dwi 'di bod yn meddwl sut y galla i wella pethau i Duncan. Dwi 'di talu ambell un o'r dyledion, ond mae o'n mynnu fy nhalu i'n ôl bob tro..'

Torrais ar ei draws. 'Tydi Duncan ddim yn disgwyl i ti wella dim byd, John. Tydi o ddim yn dy feio di am yr hyn wnaeth Lydia, a tydw innau ddim chwaith.'

'Ond *dwi'n* beio fy hun. Fi sy'n gyfrifol am bopeth. Dwi'n gorwedd yn fy ngwely bob nos, Al, yn meddwl sut i gau pen y mwdwl cyn i mi farw.'

'Paid â meddwl am hynny eto, John. Falle fod gen ti ddegawdau cyn i hynny ddigwydd...'

'Neu falle ga' i fy nharo gan fws fory.'

Eisteddon ni'n dawel am ychydig, yn gwylio criw parti plu, yn frith o secwins a hetiau cowboi pinc a phidynnau plastig, yn llowcio siots wrth y bar a chanu (neu'n ceisio canu) 'Y Viva Espana'. Roedd pentwr o gesys wrth eu traed, ond doeddwn i ddim yn siŵr ai cychwyn ar daith i Sbaen oedden nhw, neu wedi dychwelyd. Pa ffordd bynnag roedden nhw'n teithio, byddai gan bob un ohonyn nhw gur pen uffernol yn y bore.

Trodd sylw John at waelod ei wydr fel petai'n chwilio am atebion i ddirgelion y bydysawd.

'Dwi 'di gwneud cymaint o smonach o fy mywyd, Al – wedi brifo pobl eraill trwy fod yn hunanol ac yn ddifeddwl, wedi siomi fy nheulu droeon.' Llyncodd y darn olaf o rew a gwthio'r gwydr o'r neilltu. 'Mae'n rhy hwyr i mi wneud iawn am y rhan fwyaf o fy nghamgymeriadau, ond mae gen i gyfle i dy helpu di a Duncan, felly plis, gad i mi wneud hynny. Mae cyn lleied o bethau y medra i eu rheoli ar hyn o bryd, a dwi angen rhywbeth positif i ganolbwyntio arno.'

'Wrth gwrs.' Gwyddwn na ddylwn gloddio'n ddyfnach. Doedd John byth wedi egluro'r rheswm am ein taith i'r Alban, ond bellach ro'n i'n deall mai'r rheswm, nid o reidrwydd y weithred ei hun, oedd yn bwysig iddo.

11

Am hanner awr wedi saith deffrais i ganfod neges gan John ar fy ffôn lôn:

Sori Al ond rhaid i ti fwyta brecwast ar ben dy hun. 'Nôl am 9.

Eisteddais ar fy mhen fy hun yn y stafell frecwast, yn cnoi ar *croissant* yn syth o'r microdon ac yfed paned siomedig o goffi. Daeth dyn yn ei bumdegau heibio, dyn llond ei groen mewn siwt, a gofyn a oedd rhywun yn eistedd ar yr un bwrdd â fi.

Nag oedd, atebais, gan edrych o gwmpas y stafell fwyta hanner gwag. Gwenodd arna i ond wnes i ddim gwenu'n ôl, ac ar ôl eiliad hir ac anghyfforddus, aeth i eistedd wrth fwrdd arall. Ar ôl hynny cedwais fy llygaid ar sgrin fy ffôn, yn gyrru negeseuon i Duncan a phori'n araf drwy'r newyddion ar-lein. Ro'n i'n falch iawn pan gyrhaeddodd John.

'Barod i fynd? Mae tipyn o daith o'n blaenau ni.'

Ar ôl i mi orffen pacio a dychwelyd i lawr i gyntedd y gwesty, cymerodd John fy nghês a f'arwain allan i'r maes parcio. Agorodd bŵt Hyundai glas tywyll a gosod y bag ynddo. Felly mynd i logi car wnaeth o mor gynnar yn y bore, meddyliais.

'Wyt ti am ddweud wrtha i rŵan i ble 'den ni'n mynd?' gofynnais, gan glymu fy ngwregys yn dynn amdanaf.

'Mynd i weld Mam a 'Nhad,' atebodd yn enigmatig. Edrychais dros fy ysgwydd – roedd tusw mawr o flodau ar y sedd gefn. Oedd o wedi dod yr holl ffordd o Gymru er mwyn eu gosod ar fedd ei rieni? Ac os felly, pam roedd o angen fy nghwmni i?

Gyrrodd John i gyfeiriad y gogledd, gan lywio'r car drwy'r strydoedd heb fap na llyw lloeren. Cyn pen dim roedden ni wedi gadael y ddinas. Wnes i ddim gofyn i ble roedden ni'n mynd, ond cofiais iddo ddweud bod ei fam yn gweithio mewn gwesty, a bod ei llwch wedi'i wasgaru yno.

Am awr a hanner teithiodd y ddau ohonom drwy ardaloedd gwledig godidog, gan stopio unwaith yn unig er mwyn defnyddio'r tŷ bach a phrynu brechdan i ginio. O'r diwedd, trodd John y car i mewn i faes parcio ger llyn llonydd a ddisgleiriai fel drych yng ngolau'r haul. Camodd John allan o'r car, gan gymryd y blodau o'r cefn. Ro'n i'n ysu i gael ymestyn fy nghoesau, ond do'n i ddim yn siŵr a oedd o am fod ar ei ben ei hun ai peidio, felly arhosais ger y car a syllu allan dros y dŵr gloyw. Gallwn weld John yn cerdded ar hyd glan y llyn. Oedodd pan gyrhaeddodd goeden enfawr, ac o dan ei changhennau tynnodd y blodau o'r plastig a gosod y tusw yn ofalus ymysg y gwreiddiau. Safodd am eiliad gyda'i gefn ata i, a phan ddychwelodd i'r car roedd ei lygaid yn wlyb.

Wrth i ni yrru allan o'r maes parcio, sylwais arno'n chwythu cusan slei i gyfeiriad y goeden.

'Sut ddynes oedd dy fam?' gofynnais.

Ysgwyd ei ben wnaeth o, ac roedd cryndod o gwmpas ei geg.

'Ffŵl oedd hi, am garu rhywun nad oedd yn ei charu'n ôl fel roedd hi'n ei haeddu.'

O fewn llai nag ugain munud roedden ni wedi cyrraedd pen ein taith: gwesty ar ochr arall y llyn. Gwelais arwydd crand du ac aur yn dangos enw'r lle, ond i mi roedd yr ysgrifen yn llanast o ddolenni a sgwigls annarllenadwy. Neidiodd y car dros grid gwartheg ac ar hyd lôn hir a throellog a arweiniai at blasty a edrychai'n debyg i gastell Rhuthun neu Blas Rhianfa. Dyfalais mai dyma'r gwesty y bu mam John yn gweithio ynddo, ond ai dyma ble oedd tad John yn dal i fyw?

Parciodd John y car y tu allan i'r adeilad. Oedais i syllu i fyny ar yr arfbais uwchben y drws, a edrychai'n gyfarwydd i mi, er na allwn i gofio'n union ble ro'n i wedi ei gweld o'r blaen, a chefais fy siomi pan arweiniodd John fi rownd i gefn yr adeilad yn hytrach na thrwy'r drws ffrynt mawreddog.

Roedd adeilad arall ar wahân i weddill y gwesty yno, gyda sawl car moethus wedi'u parcio y tu allan. Llety'r perchennog, mwy na thebyg. Brasgamodd John yn benderfynol at y drws a chanu'r gloch cyn i mi hyd yn oed gael cyfle i groesi'r maes parcio. Ni welais pwy atebodd y drws, ond clywais lais benywaidd yn ei gyfarch yn syn.

'John! Beth wyt ti'n wneud yma?'

Oedais a chadw fy mhellter, rhag ofn i'r ferch gau'r drws yn wyneb John. Cariai ei llais hi'n gliriach na llais isel John ar yr awel, a chlywais i hi'n dweud wrtho, 'Mae Dad mewn cyfarfod ar hyn o bryd, ond mi ffonia i'r swyddfa a gofyn iddo ddod draw cyn gynted â phosib...'

Dad. Oedd o'n dad i'r ddau ohonyn nhw? Oedd gan John chwaer? Doedd eu hacenion nhw'n ddim byd tebyg i'w gilydd.

Daeth yr atgof i fy nharo fel mellten. Cofiais ble gwelais yr arfbais uwchben drws y gwesty: ar gês yn stafell fwyta'r Fleur-de-Lis. A chofiais hefyd pwy oedd perchennog y cês – hen gwpl a'm llanwodd ag atgasedd ac ofn.

Cerddais yn nes at y drws er mwyn edrych dros ysgwydd John, a gwelais ei chwaer... y person olaf yn y byd ro'n i am ei gweld.

12

‘Helô, Alys,’ meddai Lydia. Gwelais fflach sydyn o sioc yn ei llygaid enfawr, ond disgynnodd ei mwgwd i’w le mewn amrantiad, a’r eiliad nesaf roedd hi’n wen i gyd – ymateb eitha od o dan yr amgylchiadau.

‘Helô, Lydia,’ atebais gyda chryn drafferth, fy nhafod yn baglu dros ei henw. Llyncais yn galed ac edrych i gyfeiriad John, a edrychai yr un mor chwithig ag yr oeddwn i’n teimlo.

‘Do’n i ddim yn gwybod y byddet ti yma, Lyds,’ meddai. ‘Neu fel arall fyddwn i byth wedi dod ag Alys efo fi.’

‘Fi sy’n rhedeg y lle rŵan,’ meddai, yn dal i wenu’n gwrtais. Dyna pam roedd hi wedi ei gwisgo fel petai hi’n perthyn i ddechrau’r ganrif ddiwethaf felly, yn ei siwt o frethyn cartref a’i blows wen hen ffasiwn. Roedd ei gwallt du wedi ei glymu ar dop ei phen fel gwallt y Dywysoges Anne, a wnâi iddi edrych rai blynyddoedd yn hŷn nag yr oedd hi. Dim ond pâr o Hunters a gwn Browning 12 roedd hi ei angen i edrych fel gwraig i un o’r tirfeddianwyr lleol. Yr unig arwydd o’r hen Lydia oedd fflach o goch ar wadnau ei hesgidiau Louboutin wrth iddi droi ar ei sawdl a’n harwain i lolfa’r tŷ.

‘Eisteddwch, plis,’ meddai, gan amneidio at soffa binc lychlyd. Ystafell fach oedd hi, a oedd edrych yn llai gan ei bod wedi ei haddurno yn yr arddull Rococo (dwi’n meddwl mai Rococo yw’r enw cywir: gormod o aur, gormod o gerfluniau a phatrymau ar bob arwyneb, gormod o ffws a ffwdan ym mhobman). Teimlwn fel petawn yn eistedd mewn amgueddfa.

‘Pam ydych chi yma?’ gofynnodd i John, gyda’r pwyslais ar

y *chi*. Edrychais ar John, yn awyddus i wybod pam ei fod o wedi fy rhoi yn y sefyllfa hynod annifyr o fod yn yr un ystafell â dynes oedd wedi gwneud ei gorau i ddifetha ein bywydau.

'Sori,' meddai John. 'Do'n i wirioneddol ddim yn gwybod dy fod di'n gweithio yma, Lyds. Rhaid 'mod i wedi drysu – ro'n i'n meddwl mai'r lle yng Nghernyw oeddet ti'n ei redeg. Yma i weld Dad ydw i, a daeth Alys gyda fi rhag ofn i mi gael fy nharo'n wael, i gadw golwg arna i.' Rhoddodd ochenaid. 'Afiechyd Mam... mae o yn y gwaed, yn amlwg.' Ddywedodd Lydia ddim byd, ond roedd ei braw a'i thristwch yn ddiffuant. Gwasgodd law John yn dyner. 'Mi fydda i'n dechrau cael radiotherapi ymhen rhyw bythefnos, Lyds, a'r llawdriniaeth yn fuan ar ôl hynny. Maen nhw wedi ei ddal o'n gynnar, ac mae 'na siawns dda, meddai'r doctor... ond dyna be ddywedon nhw am Mam hefyd.'

Rhwbiodd Lydia ei ysgwydd yn dyner. 'Ti'n rhy styfnig i adael i rywbeth bach fel canser dy stopio di, John,' meddai, gan godi llaw ei brawd a'i chusanu'n dyner. Pwy oedd y ddynes estron yma o 'mlaen i? Roedd ei thynerwch a'i gofid yn amlwg yn ddiffuant, ond ni fedrwn gofio iddi erioed siarad â John mewn ffordd mor garedig o'r blaen. Yn wir, pan oedd Lydia'n dal i fod yn briod â Duncan roedd y ddau ohonyn nhw'n paffio fel ci a chath.

'Fyddi di'n iawn, Johnny,' meddai'n garedig, 'gei di weld. Mi wna i helpu os alla i, a Dad hefyd. Dim ond gofyn sydd raid.'

'A dweud y gwir, dyma pam dwi yma heddiw...' meddai John yn lletchwith.

'Wrth gwrs. Mi wna i ffonio Dad rŵan a gofyn iddo ddod draw. Ydych chi'ch dau wedi cael cinio? Mi ofynna i i Chef baratoi plataid o frechdanau a chacennau...' Cododd at y ffôn ar ochr bellaf yr ystafell i wneud y galwadau. Pan drodd ei chefn arnon ni, sibrydodd John ei ymddiheuriad llawn embaras.

'Ti a Lydia... yn frawd a chwaer?' sibrydais yn ôl. Nodiodd John ei ben. 'Na, John, dwi ddim yn credu hynna. Ro'n i'n gweithio ochr yn ochr â'r ddau ohonoch chi am dros flwyddyn a welais i erioed...'

'Mae'n wir,' meddai Lydia. Pwysodd ei chlun yn erbyn cefn uchel y soffa ac edrych i lawr ar John a minnau gyda gwên slei. 'Fyddai neb yn gweld tebygrwydd, a diolch byth am hynny, ddweda i, ond rydyn ni'n bendant yn perthyn i'n gilydd.'

'Hanner brawd a chwaer,' eglurodd John. Eisteddodd Lydia wrth ei ochr.

'Yr un tad,' ychwanegodd hi. 'Roedd Dad a mam John yn hen gariadon, ymhell cyn i'r ddau ohonon ni gael ein geni. Ond roedd Dad dan bwysau i briodi rhywun o'r cefndir cywir, felly mi briododd fy mam i, a daliodd Ms Mitchell i weithio yma iddo, er mwyn iddyn nhw allu parhau â'r berthynas.' Swniai fel plot drama gyfnod. Edrychais ar wyneb John er mwyn gweld ei ymateb i eiriau Lydia, ond doedd o ddim wedi cymryd sylw Lydia am 'y cefndir cywir' fel sarhad i'w fam. Efallai ei o wedi arfer gyda diffyg tact Lydia, neu efallai ei bod hi'n dweud y gwir a bod disgwyl i'w tad briodi un o'r bonedd.

'Mi oeddwn i'n cael fy magu yma yn y gwesty dros y gaeaf,' eglurodd John, 'ac yn mynd at fy nain yn Glasgow dros yr haf, pan oedd Mam yn rhy brysur i weithio yma a gofalu amdana i ar yr un pryd. Roedd fy modolaeth yn rhyw fath o gyfrinach agored – roedd pawb yn gwybod pwy oedd fy nhad i, ond doedd neb yn cyfeirio at y peth. Yn amlwg, pan oedd o'n dod i 'ngweld i do'n i ddim yn cael ei alw fo'n "Dad".'

'Oedd mam Lydia yn gwybod hefyd?'

Nodiodd Lydia ei phen. 'Nid bod hynny'n gwneud gwahaniaeth o gwbl,' meddai'n ddifater. Trodd at y ffenest ac amneidio at y castell y tu allan i'r ffenest. 'Fyddet ti'n gofyn am ysgariad a mentro colli hyn i gyd? A mwy hefyd – erbyn i mi gael fy ngeni roedd Dad wedi troi'r hen adfail hynafol yn westy ac wedi prynu tri arall. Roedd ganddi ormod i'w golli.' Rhaid bod Lydia ei hun wedi etifeddu'r un agwedd at briodas – doedd dim ots ganddi hithau chwaith os oedd ei gŵr yn cysgu gyda'r staff. Dyna pam y gwnaeth hi fy annog i gael perthynas gyda Duncan, a chymryd y byddai Duncan yn fy nhrin i fel y gwnaeth ei thad drin ei feistres o. Wnaeth hi ddim dychmygu y byddai Duncan a finnau'n syrthio mewn cariad, nac y byddwn i'n gwrthod bod yn feistres iddo.

Parhaodd John â'r stori. 'Roedd Lyds yn byw yn Llundain gyda'i mam y rhan fwyaf o'r flwyddyn, ond yn ystod gwyliau'r ysgol byddai hi'n dod yma gyda'i thad ac yn aros am rai wythnosau. Sylwais arni'n mynd a dod – geneth fach unig ar ei phen ei hun – a dechreuais siarad efo hi, fel mae plant yn wneud. Er 'mod i sawl blwyddyn yn hŷn na hi, daethon ni'n ffrindiau. Ac un diwrnod, penderfynais rannu cyfrinach gyda hi: mai'r dyn yr oedd ei lun yn hongian uwchben y lle tân yn y gwesty oedd fy nhad i. Safodd Lyds yn gegrwth, cyn datgan yn y llais mwyaf snotlyd, "Fy nhad *i* ydi hwnna. Plentyn yr *help* wyt ti." Felly mi estynnais fy nhystysgrif geni o ddesg Mam fel prawf, ac ar ôl hynny doedd hi na fi ddim yn unig blant. Am fisoedd mi lwyddon ni i gadw'r gyfrinach, ond o'r diwedd clywodd Dad ein bod ni'n gwybod am fodolaeth ein gilydd.'

'A daeth fy ymweliadau â'r gwesty i ben,' meddai Lydia gyda mymryn o dristwch. 'Ro'n i'n caru ymweld â'r fan hyn. Anfonwyd y ddau ohonon ni i ysgolion preswyl – fi yn Lloegr a John i ysgol uwchradd yn yr Alban – ac aeth blynyddoedd heibio heb i ni weld ein gilydd. Ond pan oedden ni'n hŷn, ddechreuon ni ysgrifennu at ein gilydd.'

Nodiodd John i gadarnhau hynny.

'Mae'r cyfan yn swnio fel stori tylwyth teg,' dywedais, yn ymwybodol fy mod i wedi eistedd yn gegrwth am y pum munud diwethaf. Teimlwn yn arw dros John, a dechreuais ddeall pam roedd Duncan yn llawn atgasedd at rieni Lydia, a pham y ceisiai eu hosgoi nhw. 'Druan ohonot ti, John. Roeddet ti'n haeddu gwell.'

'Chafodd o erioed ei drin yn llai ffafriol na fi,' meddai Lydia'n amddiffynnol. 'Na, doedd o ddim yn bosib i Dad ei gydnabod yn fab iddo, ond mi gafodd yr addysg orau a chynigiodd Dad dalu ffioedd prifysgol y ddau ohonom...'

'Ond gwrthododd gydnabod ei fab yn gyhoeddus!' ebychais. 'Cofia, dwi wedi bod yn yr un ystafell â'r tri ohonoch chi. Dwi ddim yn meddwl i'ch tad edrych i gyfeiriad John, heb sôn am ei gyfarch. Roedden nhw fel dieithriaid.'

'A, wel...' meddai John, gan symud yn anghyfforddus yn ei gadair. 'Doedd hynny'n ddim byd i wneud â'r ffaith 'mod i'n anghyfreithlon. Fi wnaeth bechu yn erbyn Dad.' Oedodd wrth i weinyddes gario hambwrdd i'r stafell, ac arno debot a phlatiau'n llawn danteithion cain. Disgwyliodd John nes yr oedd wedi gadael y stafell cyn bwrw ymlaen gyda'i stori. Doedd o ddim wedi arfer anwybyddu staff fel y gwnâi Lydia. Dechreuodd hi dywallt ein paneidiau wrth i John barhau â'i stori.

'Mi wnes i ddechrau cwestiynu fy rhywioldeb pan o'n i yn fy arddegau, ond bryd hynny roedd bod yn hoyw yn tabŵ. Do'n i ddim yn adnabod yr un person oedd yn hoyw ac yn agored am y peth, nes i mi gyfarfod Fred. Am flynyddoedd wnes i esgus bod 'run fath â phawb arall – es i mor bell â pherswadio fy hun 'mod i mewn cariad â geneth... geneth lyfli oedd yn haeddu llawer gwell na fi. Ond mi briodon ni, am mai dyna beth oedd hi eisiau, a thalodd Dad am y cyfan a hyd yn oed prynu fflat i ni yng nghanol Glasgow.' Dechreuodd lwytho'i blât â'r brechdanau bach heb grystiau, heb godi'i ben i edrych arna i. 'Yna, syrthiais mewn cariad go iawn, gyda Fred, a gadael fy ngwraig i fod gyda fo. Bryd hynny dywedodd Dad na fyddai'n siarad efo fi byth eto. Hen homoffôb ydi o. Roedd Mam wedi'i siomi yndda i hefyd, ond roedd hi'n fwy blin 'mod i wedi camarwain fy ngwraig na dim arall. Roedd hi'n iawn. Ddylwn i byth fod wedi priodi yn y lle cyntaf. Dros nos, trodd pawb eu cefnau arna i. Lyds oedd un o'r unig bobl ddywedodd wrtha i am ddilyn fy nghalon.' Estynodd allan a gafael yn llaw ei chwaer. Gwenodd y ddau ar ei gilydd, a gwelais yr hanes yn eu llygaid – perthynas y bu'r ddau yn ofalus i'w chelu rhag pawb am flynyddoedd. 'Mae'r ddau ohonon ni'n ffraeo fel ci a chath. Dydyn ni'n ddim byd tebyg o ran cymeriad, ond rargian, pan o'n i ar waelod y domen roedd hi yno'n gefn i mi, a dim ots faint o bethau twp mae hi'n ddweud, mi fydda i wastad yn cofio am ei charedigrwydd pan aeth pethau'n drech na fi.'

'Yr alcohol?' mentrais. Nodiodd John ei ben ac edrych i lawr ar ei draed.

'Mi gollodd o Fred,' meddai Lydia'n dawel. 'A hwythau ddim ond yn gwpl ers rhyw dair blynedd. Roedden nhw newydd symud i Lundain am fod Fred wedi cael swydd yno. Damwain car angheuol.'

'Bu Fred farw yn y car,' meddai John yn gryg. 'Ond wnes i oroesi. Cael a chael oedd hi am ddyddiau, a phan ddeffrais, ro'n i'n melltithio pawb am achub fy mywyd. Dechreuais yfed yn drwm i ymdopi â'r euogrwydd. Yn fuan wedi hynny y cafodd Mam y diagnosis o ganser, a chuddiodd y peth oddi wrtha i am nad oedd hi am ychwanegu at fy maich. Ond un diwrnod daeth Lydia ata i a dweud wrtha i am beidio â bod mor blydi hunanol, bod Mam yn yr ysbyty a'i bod fy angen i. Prynodd docyn trên i mi i deithio i Glasgow, a diolch i Lydia mi ges i'r cyfle i dreulio misoedd olaf Mam wrth ei hochr hi.'

'Ti 'di bod trwy gymaint, John,' meddwn, yn llawn cydymdeimlad.

'Dim mwy na'r rhan fwyaf o bobl,' meddai'n ddiymhongar. 'Ond yn fy achos i, ddigwyddodd popeth drwg o fewn rhyw dair blynedd. Ysgariad, y ddamwain, colli Fred, colli Mam a Dad 'run pryd...' Colli Dad? Ond cyn i mi fedru gofyn y cwestiwn, eglurodd John. 'Y tro olaf i mi siarad efo Dad oedd yn angladd Mam. Ro'n i'n chwil ulw yn ystod gwasanaeth a dywedodd yr hen ddyn fy mod i'n warthus, ei fod o'n difaru i mi gael fy ngeni, fy mod i wedi dwyn anfri ar y teulu a gwastraffu'r holl gyfleoedd a roddwyd i mi er mwyn bod gyda rhyw *shirtlifter*. Felly, achos fy mod i'n chwil, ac am ei fod o'n ddinosor allan o'r arch, wnes i ei daro fo yn ei wyneb. A bryd hynny y dywedodd o na fyddai byth, byth yn cydnabod fy modolaeth yn gyhoeddus. Ac mae o wedi cadw at ei air. Ar ôl yr angladd es i'n ôl i Lundain, ond ro'n i wedi colli rheolaeth ar fy yfed erbyn hynny. O fewn chydig fisoedd ro'n i'n ddigartref ac yn mynd o ddrws i ddrws i ofyn am waith. Roedd Lydia'n byw yn y brifddinas hefyd, ond roedd hi'n rhannu fflat gyda chriw o ferched, felly doedd hi ddim yn bosib iddi gynnig soffa i mi. Ond bob tro y byddai'n derbyn ei siec lwfans gan Dad byddai'n dod i chwilio amdana i ac yn rhoi hynny allai hi ei sbario i mi. Doedd gen i ddim cartref sefydlog, felly byddai'n dod i 'ngweld i yn y gwaith. Un diwrnod, pan aeth hi at ddrws cefn y bwyty, Duncan agorodd y drws a'i gweld hi am y tro cyntaf...'

'Felly ti ddaeth â nhw at ei gilydd...' Er mai fi oedd partner Duncan bellach, teimlais drywaniad hollol afresymol o genfigen wrth ddychmygu'r olygfa yn fy mhen: Duncan yn agor drws cefn y bwyty ac yn gweld Lydia yn sefyll yno, yn odidog o brydferth ac yn gwenu'n swil, yn ddigon hyfryd i fachu ei galon ar yr olwg gyntaf.

Eglurodd Lydia, 'Ro'n i newydd orffen perthynas gyda gŵr priod. Un o fy nhiwtoriaid yn y coleg. Gorffennodd pethau'n... flêr.' Cofiais Duncan yn sôn fod rhieni Lydia wedi rhoi pwysau arni i derfynu beichiogrwydd pan oedd hi yn y coleg. 'O dan amgylchiadau arferol fyddwn i ddim wedi edrych arno ddwywaith, ond ro'n i'n teimlo'n fregus, roedd o'n fonheddig ac yn garedig...' Cododd ei hysgwyddau. 'Wel, ti'n gwybod gweddill y stori, Alys.'

'Heblaw un peth – pam na wnaethoch chi sôn wrth neb eich bod chi'n frawd a chwaer? Dwi'n ei chael hi'n anodd credu i chi fod drwy gymaint o brofiadau anodd gyda'ch gilydd, a bod gan neb yn y Fleur-de-Lis glem eich bod chi'n perthyn!'

'Ti'n cofio ble roedd Duncan yn gweithio cyn iddo brynu'r Fleur-de-Lis?' gofynnodd Lydia. 'Un o westai 'Nhad lawr yn Sir Benfro. Dywedodd Duncan ei fod o'n meddwl gadael y ddinas a symud i'r wlad un diwrnod. Roedd Dad ar fin agor gwesty pum seren newydd ac yn chwilio am gogydd, a chafodd Duncan y swydd. Mynnodd fod John yn mynd hefyd fel Sous Chef, a chytunodd Dad ar yr amod na fydden ni'n cydnabod y berthynas yn gyhoeddus. Fel y dywedodd John, hen homoffôb ydi Dad. Yn amlwg, wnaeth Duncan ddim gweithio iddo am hir – roedden nhw'n cyd-fynd fel matsys a phetrol – ond pan symudon ni i Santes-Fair-tanrallt roedden ni'n gwybod y byse

Mam a Dad yn dod i aros o bryd i'w gilydd, felly roedd yn haws parhau â'r twyll yn hytrach na gorfod egluro'r sefyllfa i bawb.'

'Haws, ac yn llai chwithig i mi,' meddai John yn sych. Disgynnodd tawelwch arnom wrth i ni yfed ein te o'r cwpanau tsieni cain a bwyta'r brechdanau bach. Wnes i ddim bwyta fawr ddim. Roedd ciwcymber ar bopeth sawrus, ac am ryw reswm gwnâi'r arogl i fy stumog gorddi. Sylweddolodd Lydia ar hyn a chynnig sgon i mi, yn llwythog o jam a hufen. Roedd hi'n sgon hyfryd, yn dal i fod yn gynnes o'r popty, ond ni lwyddais i'w mwynhau ryw lawer gan fod fy mol yn gwlwm o nerfau o fod yng nghwmni Lydia. Yn ogystal, roedd teimlad arall yn dechrau crafu y tu mewn i mi. Nid cenfigen, ond rhywbeth tebyg... siom fy mod i wedi cael fy eithrio o'r gyfrinach. Fy mod i'n gariad i Duncan ac yn ffrind i John, ond yn dal i fod ar y tu allan i'r triongl. A phryder hefyd, gan fy mod yn gwybod bellach na fyddai Lydia byth yn diflannu o'n bywydau'n gyfan gwbl. Rhaid bod fy anesmwythdra yn amlwg ar fy wyneb, oherwydd trodd Lydia ata i.

'Mae'n lot i'w brosesu ar unwaith, yn tydi, Alys?' meddai'n garedig.

'Fedra i jest dim dirnad pam y gwnaethoch chi gadw'n dawel am hyn,' dywedais yn araf. 'Dwi'n deall pam fod rhaid celu'r gwir rhag gweddill y staff, ond dwi'n gariad i Duncan a wnaeth o erioed sôn...'

'Nid ei gyfrinach o oedd hi i'w datgelu,' meddai John yn syml. 'A dweud y gwir dwi'n synnu na wnest ti amau rhywbeth. Hyd yn oed fel ffrind gorau i Duncan, roedd yn amlwg fy mod i'n gwybod gormod o lawer am ei briodas.' Edrychais arno, heb wybod sut i'w ateb. 'Diniwed wyt ti, Al, ddim yn gweld beth sydd reit dan dy drwyn. Nid bod unrhyw beth o'i le ar hynny...' Diniwed. Gair arall am naïf, neu dwp. 'Os ydi o'n unrhyw gysur,' ychwanegodd John, 'roedd Duncan eisiau dweud wrthat ti. Fi benderfynodd gadw'n dawel, felly os wyt ti am fod yn flin, bydda'n flin efo fi.'

Penderfynais anwybyddu fy nheimladau, gan fod amser yn dechrau mynd yn brin.

'Mae 'na bethau pwysicach i'w trafod ar hyn o bryd, does?' dywedais, a nodiodd Lydia ei phen.

'Dylai cyfarfod Dad fod wedi gorffen bellach. Mi ffonia i'r gwesty eto...'

Pan aeth hi at y ffôn trodd John ata i. 'Dwi mor sori, Al,' meddai'n dawel, 'do'n i ddim yn bwriadu dy luchio di i'r cawl 'ma. Jest eisiau gweld fy nhad o'n i, nid ailagor hen glwyfau.'

'Paid â phoeni,' ceisiais ei gysuro. 'Canolbwyntia ar yr hyn rwyt ti am ei ddweud wrth dy dad. Dyna pam ddest ti'r holl ffordd yma, a dyna be sy'n bwysig.' Gwenodd arna i, ond gallwn weld ei ofn drwyddi. Dyma ddyn a wrthododd gydnabod ei fab yn gyhoeddus – roedd siawns y byddai'n cau'r drws yn glep yn wyneb John.

Daeth Lydia atom a'r ffôn yn ei llaw. 'Fydd o'n barod i dy weld di mewn rhyw ddeng munud,' meddai, gyda golwg yr un mor nerfus ar ei hwyneb hithau. 'Awn ni draw i'w swyddfa efo'n gilydd?'

Wrth i ni groesi'r maes parcio, trodd Lydia ataf. 'Mae'n ddrwg gen i, Alys, ond o dan yr amgylchiadau dwi'n credu y byddai'n well i ti beidio â dod i mewn. Mae Mam yn crwydro o gwmpas y lle gyda'r dirprwy reolwr. Bydd gweld John yn sioc iddi, a phetai hi'n dy weld di hefyd...'

'Dwi'n deall yn iawn,' atebais; ac a dweud y gwir roeddwn i'n falch o gael osgoi dod wyneb yn wyneb â dynes oedd wedi edrych i lawr ei thrwyn arnaf ers y tro cyntaf i ni gyfarfod. 'A' i i eistedd yn y car.'

'Beth am i ti fynd am dro yn y gerddi?' awgrymodd, felly dyna be wnes i. Crwydrais drwy erddi'r gwesty gan ddilyn llwybrau cul y gerddi ffurfiol a cherdded drwy goedlan gyda deildy cudd yn ei chanol, nes i mi gyrraedd llyn – ro'n i'n sicr mai hwn oedd y llyn yr oedd John wedi ymweld ag o'n gynharach er mwyn gosod blodau i'w fam. Ro'n i hanner milltir a mwy oddi wrth brif adeilad y gwesty, ond yn rhyfeddol roedd gen i signal ffôn go dda. Eisteddais ar garreg fawr ger y dŵr i ddarllen fy negeseuon – roedd un gan Catrin yn dweud iddi fwydo cathod Mam i mi, neges fideo gan Duncan na fentrais ei hagor rhag ofn i mi ddefnyddio fy lwfans data i gyd, lluniau gan Lee o fy nai bach hyfryd, Hywel Henry Ryder, ac e-bost hir gan Lech. Darllenais hwnnw'n olaf er mwyn i mi gael mwynhau dawn ysgrifennu Lech. Roedd o'n ddigrifwr naturiol, llawn cystal â Rhod Gilbert a Tudur Owen yn fy marn i, a chwarddais yn uchel sawl tro ar ddarllen hynt a helynt wythnosau cyntaf yr ysgol goginio. Gwyddai Lech fy mod i'n ei chael hi'n anodd darllen paragraffau mawr o destun, felly bob hyn a hyn byddai'n gosod cartŵn doniol roedd o wedi'i fraslunio ei hun yn y neges.

Yna, wedi pori drwy fy ngohebiaeth, codais fy mhen o'r ffôn i edmygu harddwch yr ardal, gan geisio peidio ag edrych ar fy oriawr bob pum munud. Cytunais i ddod ar y daith gyda John ar y ddealltwriaeth y bydden ni'n ôl adref yng Nghymru erbyn bore Mawrth, fan bellaf. Byddai'n rhaid i ni adael yn reit fuan os oedden ni am gyrraedd gorsaf Glasgow am chwech yr hwyr i ddal y trên yn ôl i Gymru. Tybed oedd John wedi cymryd yn ganiataol y byddai ei dad yn gwrthod ei weld, a threfnu'r amserlen ar y sail honno? Ro'n i wedi bod yn crwydro'r gerddi am ddwyawr a mwy, felly roedd yn amlwg ei fod wedi cael croeso yn y stydi. Dim ond siaced ysgafn oedd gen i amdanaf, a doedd yr haf Albanaidd ddim yn arbennig o gynnes.

Hanner awr yn ddiweddarach, daeth John allan ata i.

'Sut mae pethau'n mynd?' gofynnais.

'Yn well na'r disgwyl. Ro'n i wedi perswadio fy hun y byddai un noson yn ddigon, ac y byddai'n gwrthod siarad gyda fi.' Rhwbiodd gefn ei ben moel â'i law. 'Tydw i ddim yn obeithiol y gwnawn ni lwyddo i roi Wil i'w wely, ond o leia mae o'n agored i wrando...' Edrychodd i fyw fy llygaid. 'Dwi'n gwybod bod angen i ni ddal y trên adre, Al, ond falle mai dyma'r unig gyfle ga' i.'

'Mae angen i ti aros yma. Dwi'n deall.'

'Dwi mor, mor sori am dy focha di o gwmpas fel hyn...'

'Paid â phoeni. Gwna'r hyn sy'n rhaid i ti wneud. Os ga' i fap, siawns y medra i yrru'n ôl i Glasgow mewn pryd i ddal y trên.' Er i mi gytuno i fynd hebddo, roedd John wedi cynhyrfu.

'Dwi'n teimlo'n ofnadwy am dy lusgo di'r holl ffordd yma ac yna dy anfon di adre ar dy ben dy hun, a dy adael di i redeg y bwyty dy hun am noson arall, ond...'

'John, *cool it*, iawn? Un noson ydi hi, a bydd Bobby yno i helpu. Plis, paid â phoeni. Mae gen ti lot ar dy blât ar hyn o bryd, a lot o bethau i'w trafod. Paid â brysio'n ôl. Os ydi dy dad yn fodlon i ti aros am wythnos, arhosa di. Wna i ymdopi.'

Yn sydyn ac yn annisgwyl, taflodd ei freichiau o amgylch fy ysgwyddau (oedd ddim yn hawdd iddo, am fy mod i bron i chwe modfedd yn dalach na fo) a 'nghofleidio'n dynn.

'Ti'n seren, Al. Wna i ddim anghofio hyn.'

'*No biggie*,' atebais. 'Cyn belled â 'mod i'n medru darllen y map neu'n cael benthyg llyw lloeren...' Tynnodd John yn rhydd, a gwyddwn yn syth na fyddwn i'n hoffi ei eiriau nesaf.

'Does gen ti ddim yswiriant i yrru'r car. Mae Lyds yn fodlon mynd â ti'n ôl i Glasgow, ac mae hi'n disgwyl amdanat ti yn y dderbynfa.'

Dwy awr o daith mewn car efo Lydia. *For fish cakes*, John! Petai'r siwrnai yn un fyrrach byddwn wedi bod yn barod i dalu crocbris am dacsi er mwyn osgoi treulio cyfnod estynedig mewn gofod cyfyng efo'r gyn-Mrs Stuart. Es i nôl fy mag o'r car a phicied i'r tŷ bach yn lobi'r gwesty, er mwyn paratoi fy hun am daith fwyaf anghyfforddus fy mywyd. Gydag anadl ddofn i dawelu fy nerfau, camais allan o'r stafell ymolchi a cherdded at Lydia, oedd yn ffidlan ag allwedd y car.

Rhoddodd John gwtsh iddi hi, ac un arall i mi. 'Chi ydi fy hoff fenywod yn y byd. Peidiwch â lladd eich gilydd ar y daith!' Cerydd ysgafn, ond gwelais rybudd yn ei lygaid wrth iddo giledrych ar Lydia.

Gyrrodd Lydia mewn tawelwch am chwarter awr gyntaf y daith, ac roedd yr awyrgylch yn mynd yn fwy lletchwith gyda phob munud a basiai. Trodd Lydia'r radio ymlaen a lleddfodd hynny rywfaint ar y tensiwn, ond wrth i ni fynd drwy ardal arbennig o fynyddog diflannodd y signal gan adael distawrwydd llethol. O'r diwedd, siaradodd Lydia.

'Ddywedodd John fod Duncan yn ffilmio cyfres deledu ar hyn o bryd?'

'Ydi. Mi fydd o dramor am y chwe wythnos nesaf.' Yna, gan fod Lydia wedi gwneud yr ymdrech i fod yn gwrtais, gofynnais, 'Ers faint wyt ti wedi bod yn rhedeg y gwesty?'

'Pedwar mis,' atebodd. 'Roedd angen lot o waith adnewyddu ar y lle. Pan aeth y rheolwraig bresennol ar ei chyfnod mamolaeth mi gymerais i'r awenau. Dwi'n gobeithio y byddwn ni wedi gorffen yr ailwampio cyn iddi ddychwelyd... a dweud y gwir dwi'n gobeithio y gwnaiff hi benderfynu peidio dod yn ôl o gwbl, er mwyn i mi gael aros. Mae hi'n swydd *full on* – dwi byth yn stopio gweithio, ond dwi'n hoffi cadw'n brysur.' Cofiais sut roedd Lydia wastad yn mwydro ac yn cynllwynio yn y Fleur-de-Lis – meddyliais ar y pryd ei bod yn bechod nad oedd ganddi waith neu brosiect i ganolbwyntio arno yn hytrach na busnesu o hyd. 'Beth amdanat ti? Sut wyt ti'n ymdopi gyda rhedeg y bwyty heb Duncan?'

'Iawn,' atebais yn swta. Roedd yr wythnosau diwethaf wedi bod yn hunllef, ond do'n i ddim am ddangos fy ngwendid trwy drafod fy mhryderon gyda hi, o bawb. Dechreuais droelli botwm y radio mewn ymgais i ganfod sianel amgen.

'Alys?' gofynnodd Lydia'n sydyn.

'Ie?'

'Tybed fedri di estyn i'r sedd gefn...' Troais ac edrych dros fy ysgwydd dde. Roedd y sedd gefn yn wag. '...a gafael yn yr eliffant 'na a'i luchio allan o'r car?'

Do'n i ddim yn deall am eiliad, ac edrychais arni mewn penbleth. Roedd hi'n gwenu. Gwneud jôc oedd hi.

'Gwranda, Alys, os oes gen ti rywbeth i'w ddweud, wel, dyma'n cyfle i glirio'r aer. Fyse'n well gen i gael ffrae nag eistedd mewn tawelwch am awr arall.'

Edrychais allan drwy'r ffenest ar y perthi a'r coed yn gwibio heibio. Ffrae gyda Lydia oedd y peth olaf un ro'n i am ei gael. Gwyddwn o brofiad pa mor hawdd y gallai golli ei thymer, a chofiwn pa mor ddinistriol o sbeitlyd y gallai fod. Petawn i'n ei phechu hi roedd siawns go lew y byddwn i'n cael fy ngadael ar ochr y ffordd gyda fy mag wrth fy nhraed. Gwyddwn yn well nag ymddiried ynddi, er iddi chwerthin yn ysgafn a dweud,

'Paid ag edrych mor ofnus! Rydyn ni'n ddwy ferch aeddfed, broffesiynol. Dwi'n addo na wna i dy frathu. Agora'r bocs, Pandora!'

Un arall o'i jôcs bach do'n i ddim yn ei deall. Er ei bod hi'n glên ar hyn o bryd ro'n i'n ei hofni, am i mi gael profiad o weld y dinistr roedd yn bosib iddi ei achosi pan gollai ei thymer. Ond er mwyn Duncan, er mwyn ein dyfodol, roedd yn rhaid i mi geisio dod i ddeall pam roedd hi'n gwneud hyn a wnâi. Os oedd ei chynnig o 'glirio'r aer' yn un diffuant, doedd gen i ddim byd i'w golli drwy drafod.

'Un peth dwi'n methu ei ddeall, Lydia,' mentrais, 'roedd yn amlwg dy fod di'n caru Duncan, felly pam wnest ti ein gwthio ni at ein gilydd?'

'Ro'n i *yn* ei garu o, oeddwn, ond os rhywbeth ro'n i'n ei licio fo'n well pan oedd o'n teimlo'n euog. Bob tro y bydden ni'n ffraeo byddwn yn cael fy sbwylio'n rhacs ganddo'r diwrnod wedyn. Roedd o'n well dyn ar ôl iddo fod yn ŵr gwael.'

'Felly doeddet ti ddim yn ei annog i dwyllo er mwyn cael ysgariad?'

'Na. Ro'n i'n ei garu o.'

'Ond roedd y ddau ohonoch chi'n ffraeo byth a beunydd...'

'Am ein bod ni'n caru ein gilydd! Dwyt ti ddim yn berson tanbaid, Alys. Fysen i ddim yn disgwyl i ti ddeall natur angerdd.'

Llyncais y sarhad nawddoglyd, gan gofio'r diflastod a'r dagrau tawel a griodd Lydia pan drodd Duncan ei gefn arni a'i hanwybyddu am ei fod o'n rhy brysur i ddelio efo'i chynllwynio a'i gemau. Ai dyna oedd cymhelliant Lydia – y rheswm am y pwdu a'i hymddygiad ystrywgar – dim byd ond ymdrech i gael sylw gan ei gŵr? Cymerais anadl ddofn. Roedd gen i ofn ei phryfocio hi, ond roedd yn rhaid i mi ofyn y cwestiwn na chafodd Duncan ateb iddo, er mwyn deall y gwir reswm pam y daeth y briodas i ben.

'Mae'n ddrwg gen i am ofyn hyn, ond os oeddech chi'n caru'ch gilydd, pam gest ti wared ar blentyn Duncan? Dwi'n deall iddo dy frifo di, ond doedd o ddim yn haeddu colli ei blentyn fel y gwnaeth o.' Sylwais ei bod yn gwasgu'r llyw nes bod ei migyrnau'n wyn.

'Ai dyna be mae o'n ddweud wrth bawb?' gofynnodd yn dawel. 'Y bastard. Y bastard!' Ochneidiodd yn ddwfn, fel petai'n ffrwyno'i thymer. 'Wnes i ddim cael gwared ar y babi, Alys. Dyna be mae o'n ei gredu, ond wir, nid dyna ddigwyddodd!' Roedd ei cheg yn dynn a'i llais yn grynedig. 'Ti'n gwybod, yn dwyt Alys, po hynaf rwyt ti'n beichiogi, y mwyaf y tebygolrwydd y bydd problemau neu rywbeth yn bod ar y babi. Ro'n i'n dri deg wyth y tro diwethaf i mi ganfod fy mod i'n disgwyl. Roedd Duncan wrth ei fodd gyda'r newyddion, ond ro'n i'n teimlo'i fod o'n diystyru fy mhryderon. Ro'n i wedi bod yn feichiog sawl gwaith o'r blaen, ac mi ges i'r teimlad fod rhywbeth o'i le y tro hwn. Fedra i ddim disgrifio sut... rhyw reddf yn fy atal rhag cyffroi na disgwyl gormod... Os oeddwn i am gael newyddion drwg yn ystod y sgan cyntaf, ro'n i eisiau amser i baratoi am hynny o flaen llaw, i mi gael bod yn gryf, gan 'mod i'n gwybod y byddai unrhyw newyddion drwg yn chwalu Duncan. Felly es i i glinig preifat i gael prawf gwaed a chael fy sgrinio am gyflyrau genetig, ond deuddydd ar ôl y prawf wnes i golli'r babi. Ges i alwad ffôn gan y clinig yn dweud bod canlyniadau'r prawf yn negyddol a bod popeth yn edrych yn iawn, a dyna lle o'n i, yn eistedd gyda thywel rhwng fy nghoesau yn gwaedu! Doedd 'run cyflwr ar fai: "Un o'r pethe 'na" meddai'r fydwraig. Doedd dim ffordd o stopio'r golled.'

Cofiais fy mol fy hun yn gwegian gyda'r sioc o weld y gwaed llachar yn fy nillad isaf, a'r rhwystredigaeth nad oedd dim byd o gwbl y medrwn i ei wneud i arafu'r llif na chadw'r babi yn ddiogel yn fy nghroth. Teimlwn dros Lydia – roedd hi'n hŷn na fi a gyda'i cholled hi deuai'r sylweddoliad fod ei chyfle i feichiogi eto yn diflannu fesul mis.

'Mae'n wir ddrwg gen i glywed hynny,' dywedais yn llawn cydymdeimlad, ond wnes i ddim sôn am fy ngholled fy hun. Gwyddwn nad oedd yn ddoeth ymddiried ynddi.

Tarodd Lydia ochr y llyw gyda chledr ei llaw, gan wneud i mi neidio. 'Ac yna ffeindiodd Duncan gofnod o'r apwyntiad yn fy nyddiadur ac aeth o'n wyllt. Roedd o'n meddwl 'mod i wedi cael erthyliad jest er mwyn ei frifo fo! Pam fysen i'n gwneud hynny? Rhoddodd Duncan ail gyfle i'n priodas. Ro'n i'n ddiolchgar iddo. Pam ar y ddaear fysen i wedi cael gwared ar ein plentyn, *lladd* ein plentyn yn fwriadol, ar ôl i ni dreulio blynyddoedd yn ceisio beichiogi? "Dyna'r math o beth sbeitlyd rwyt ti'n 'neud pan wyt ti mewn tymer," – dyna ddywedodd o. Malu platiau, dinistrio'i ddillad, ei gau o allan o'r tŷ, taflu *paint stripper* dros ei gar... dwi'n derbyn 'mod i'n gwneud pethau gwirion pan dwi'n gynddeiriog. Ond lladd ein plentyn? Fysen i byth, byth bythoedd yn gwneud hynny!' Arafodd Lydia y car a thynnu i mewn i encilfa ar ochr y ffordd er mwyn iddi gael cyfle i dawelu ei hun, gan ei bod wedi cynhyrfu gormod i ganolbwyntio ar y lonydd troellog.

'Roedd o'n benderfynol o fy meio i am y golled. Wyt ti'n gwybod sut deimlad ydi cael dy gyhuddo ar gam?' Gostyngodd ei llais er mwyn dynwared Duncan yn ei dymer. '"Ai fy mhlentyn i oedd o, Lydia? Sut alla i gredu gair wyt ti'n ddweud, ar ôl yr holl gelwyddau?" O'n, ro'n i wedi rhaffu celwyddau a chelu pethau rhagddo yn y gorffennol,' cyfaddefodd, gan ddal i syllu'n syth ymlaen yn hytrach na throi i edrych arna i. 'A do, ges i erthyliadau pan o'n i'n ifanc, a gadawodd y tripiau hynny i'r clinig greithiau arna i, creda fi, Alys. Dwyt ti byth yn anghofio. Roedd Duncan yn gwybod 'mod i'n difaru. Dywedais i wrtho na fysen i byth wedi cael gwared ar ei blentyn o. Ond erbyn hynny, roedd o'n benderfynol 'mod i'n fwystfil. A ti'n gwybod beth oedd y peth anoddaf? Fod pawb, fy mrawd hyd yn oed, yn ochri gyda fo. Druan o Duncan, meddai pawb, a doedd dim ots gan neb fy mod i'n galaru. Doedd neb yno i fy nghysuro i, a Catrin ar bigau'r drain eisiau lledaenu straeon amdana i i'r byd a'r betws... pawb yn credu mai Duncan oedd y dioddefwr a finnau'r ast hunanol...'

'Dwi'n dy goelio di,' dywedais. Do, bu Lydia yn ast hunanol sawl tro o'r blaen, ond yn yr achos hwn roedd ei phoendod a'i rhwystredigaeth amlwg yn arwyddion clir ei bod yn dweud y gwir. 'Mae'n ddrwg gen i dy fod wedi dioddef ar dy ben dy hun. Dwi'n gwybod na fydd o'n fawr o gysur i ti, ond tydi Duncan ddim yn trafod y golled gyda neb y tu allan i'r bwyty. Na John, chwaith. Dydi Catrin ddim yn wych am gadw cyfrinachau, mae hynny'n wir, ond creda fi, dydi Duncan ddim yn pardduo dy enw i neb.' Meddalodd ei hwyneb rywfaint o glywed hynny, a gwelais fflach sydyn o gynhesrwydd a rhywbeth tebyg i ddiolchgarwch ar ei hwyneb. Ond erbyn i mi orffen fy mrawddeg roedd yr arfwisg amddiffynnol o sinigiaeth yn ôl, a'i cheg yn fwa o wên na chyrhaeddodd ei llygaid. Ddylen i ddim bod wedi amddiffyn Duncan, achos doedd o ddim yn haeddu hynny.

'Ti'n iawn, Alys,' meddai Lydia'n sych, 'tydi hynny'n fawr o gysur. Mi wn i'n iawn fod pawb yn cefnogi Duncan ac yn meddwl fy mod i'n hen ast ddialgar, felly dyna be fues i. Penderfynais 'mod i am adael smonach go iawn ar fy ôl, ac mi wn i na cha' i fawr o groeso pan a' i i weld John ar ôl ei lawdriniaeth. Ond dwi am ddod yn ôl i ofalu amdano 'run fath.'

'O leia gei di aros yn y tŷ yn Heritage Square... er bod Duncan wedi gwerthu'r dodrefn i gyd.'

'Ddo' i â fy sach gysgu,' meddai, gan edrych yn y drych ôl er mwyn twtio'r colur o amgylch ei llygaid. 'Mae'n amhosib i mi ddod i'w weld o am sbel, felly dwi'n ymddiried ynot ti i gadw llygad ar John i mi. Gwna'n siŵr ei fod o'n gofalu amdano'i hun.'

'Mi wna i,' addewais.

Ysgydwodd ei phen yn drist wrth danio'r car. 'John druan. Pan ddywedodd ei fod o'n mynd i gael profion ro'n i'n amau mai canser oedd o. Rhyw deimlad oedd gen i, jest fel ro'n i'n gwybod na fyse fy mabi yn gweld golau dydd. Anaml iawn dwi'n anghywir.'

Wnaeth hi ddim dweud sut deimlad oedd ganddi am ddyfodol John, a wnes innau ddim gofyn. Teithiodd y ddwy ohonon ni mewn tawelwch am amser go hir, ond y tro hwn doedd dim tensiwn. Fydden ni byth yn hoffi'n gilydd, ond o leia rŵan roedd rhywfaint o gydymdeimlad a dealltwriaeth rhyngddon ni.

Ar gyrion dinas Glasgow, pan oedd yr arwyddion ar gyfer yr orsaf yn dechrau ymddangos, mentrais ofyn y cwestiwn allweddol.

'Oes pwynt i mi ofyn a wyt ti'n mynd i wneud y peth iawn a chymryd cyfrifoldeb am dy ddyledion?' gofynnais, heb fawr o obaith. Ar ôl clywed ei hochr hi o'r stori gwyddwn na fyddai hi'n gwneud unrhyw beth o gwbl i wneud bywyd yn haws i Duncan.

'Paid â gwastraffu dy anadl,' atebodd Lydia'n swta. 'Fy nghyfoeth i, neu gyfoeth Dad, a bod yn fanwl gywir, ariannodd y Fleur-de-Lis. Y bwyty oedd yr unig beth o bwys yn ei fywyd, felly gadewais gymaint o ddifrod a llanast ar fy ôl â phosib, a ti'n gwybod beth, Alys? Dydw i ddim yn teimlo mymryn o gywilydd am be wnes i. Gwyddwn y byddai o'n debygol o gropian yn ôl atat ti, felly mi wnes i fy ngorau i sicrhau na fyddech chi'n medru chwarae tŷ bach gyda'ch gilydd. Dim byd yn dy erbyn di'n bersonol, ond tydi o ddim yn haeddu diweddglo hapus.'

'Dwi'n deall pam rwyt ti'n flin, Lydia, wir. Ond nid Duncan yn unig wnest ti frifo – collodd pobl eu swyddi o dy herwydd di. Cafodd y cyfan effaith ar John a Catrin a Tom a Julia, ac arna innau hefyd.' Ches i ddim ateb ganddi, ond doeddwn i ddim yn disgwyl un, gan y byddai hynny wedi golygu ei bod yn cydnabod ei chamgymeriadau ei hun – a doedd Lydia erioed wedi bod yn un dda am wneud hynny.

13

Mi ges i ddigonedd o amser ar y daith adref o'r Alban i brosesu datguddiadau'r deuddydd cynt. Syllais allan drwy'r ffenest a gadael i sgyrsiau'r blynyddoedd diwethaf chwarae yn fy mhen fel petawn i'n gwylio ffilm o fy nghyfnod yn y Fleur-de-Lis. Fel y dywedodd John, roedd arwyddion o'r berthynas rhyngddo fo a Lydia yno o'r dechrau: y ffaith mai at John y byddwn i'n troi am wybodaeth ynglŷn â chymhlethdodau priodasol Duncan a bod ganddo wastad ateb parod; yr achlysuron niferus i mi gael sgwrs gyda Lydia a darganfod bod John yn gwybod cymaint â fi am ei chynnwys, a'r ffaith na cheisiodd Duncan na Lydia gael gwared ar John, hyd yn oed pan oedd ei ymddygiad ar ei waethaf. Mynnodd Lydia sawl gwaith y dylai Julia a Catrin golli eu swyddi am bethau llawer llai difrifol na dod i'r gweithle wedi meddwi, ond eto doedd gen i ddim cof iddi annog Duncan i ddiswyddo John. Wel, roedd y cwbl yn glir rŵan. Roedd gan John gerdyn *get out of jail free* am ei fod o'n hanner brawd iddi.

Gan geisio fy ngorau i anghofio fy siom fod Duncan a John wedi celu'r gwir oddi wrtha i mor hir, dechreuais feddwl am oblygiadau eraill y berthynas. Gwelais, o'r diwedd, na fyddai ad-dalu holl ddyledion Lydia yn lleddfu poendod Duncan. Hyd yn oed petai o byth yn clywed enw Lydia eto, byddai ei dylanwad arno'n barhaus.

Er ein bod ni ferched wedi dod i gadoediad anesmwyth, byddai'n anodd ei chroesawu'n ôl i'n bywydau er lles John. Roedd gen i deimlad y byddai ei dychweliad yn agor hen friwiau ac yn ysgogi pwl arall o iselder yn Duncan – a dyna oedd y peth olaf oedd ei angen arnom.

Ffoniodd Duncan sawl gwaith wrth i mi yrru'n ôl trwy ganol tref Dyserth, ond wnes i ddim derbyn yr alwad tra oeddwn i y tu ôl i'r llyw. Roedd y ffyrdd troellog a chul o amgylch pentref Santes-Fair-tanrallt yn ddigon peryglus heb i mi yrru'n ddiofal.

Es i'n syth i dŷ Mam i fwydo'r cathod. Lluchiais ddwy bowlen o gig drewllyd a phowlen o ddŵr atyn nhw, a rhoi'r tegell i ferwi. Penderfynais beidio mynd i'r Fleur-de-Lis – byddai pentwr o lythyrau a swp o negeseuon ffôn yno'n aros amdana i, ac mi fyddwn yn cael fy nhemtio i ddelio â nhw yn lle mynd i gysgu. Gwyddwn hefyd y byddai cant a mil o jobsys yn disgwyl amdanaf y bore wedyn: cylchdroi'r stoc, y gyflogres, ateb negeseuon e-bost, gwneud archebion, cadarnhau rota Bobby, Hannah a Ryan, hysbysebu (eto) am rywun i gymryd lle Catrin, paratoi cytundeb gwaith a'i bostio at Craig, cynllunio bwydlen y pythefnos nesaf – a hynny i gyd ar ben y glanhau, y paratoi a'r coginio. Ond tra oeddwn i yn nhŷ twt a thaclus Mam, heb fynediad i ddogfennau'r swyddfa na fy rhestr waith, gallwn ymlacio rhywfaint. Byddwn yn cael swper, ffonio Duncan ac yna'n mynd i'r gwely'n gynnar i er mwyn bod yn ffres at y bore.

Rhoddais lasagne o'r rhewgell yn y popty a rhedeg i fyny'r grisiau i gael cawod, gan dynnu gŵn nos amdanaf. Ffoniodd Duncan trwy Skype tra oeddwn i'n cribo fy ngwallt.

'Duncan, ti'n edrych yn anhygoel. Y lliw haul 'na!'

'Wel, gawson ni gwpl o ddyddiau o orffwys ar gyrraedd, ac mae'r gwesty ar lan y môr... hoffwn i ddweud dy fod tithau'n edrych yn anhygoel hefyd, ond mae golwg 'di blino arnat ti. Ydi popeth yn iawn?'

Roedd cymaint wedi digwydd yn y pedair awr ar hugain ddiwethaf, cymaint o bethau yr hoffwn eu trafod gyda Duncan er mwyn cael ei ochr o o'r stori, a'i gyngor ar sut orau i gefnogi John, ond ro'n i wedi addo cadw'n dawel. Gwenais arno.

'Dwi'n brysur, fel arfer. Dwi ar fin cael swper a mynd i'r gwely'n gynnar. Mae deugain wedi bwcio at fory...'

'Wyt ti'n iawn, Alys? Nid am y busnes dwi'n poeni, ond ti.'

Ysgydwais fy mhen. 'Dwi'n meddwl i mi golli babi,'

dywedais yn dawel. Tan yr eiliad honno doeddwn i ddim wedi bwriadu sôn wrth Duncan – rhaid bod fy isymwybod wedi penderfynu manteisio ar fy meddwl a fy nghorff blinedig, a chipio'r llyw.

'O, 'nghariad i... Pryd?'

'Jest cyn i ti fynd dramor.'

'Alys! Pam na ddwedaist ti ddim byd? Taset ti wedi sôn, fysen i byth wedi dy adael...'

'A dyna pam na ddwedais i ddim byd. Roedd angen i ti fynd, er mwyn y busnes. Doedd dim byd y gallet ti fod wedi'i wneud i fy helpu. Doedd dim byd y gallai neb fod wedi'i wneud.'

'Pa mor... ers faint?'

'Cynnar. Ddechreuais i deimlo'n sâl, yna sylweddoli fod fy mislif ryw wythnos yn hwyr. Ches i ddim cyfle i wneud prawf, ond ti'n gwybod pa mor rheolaidd ydw i fel arfer...'

'Est ti at y doctor?'

'Naddo. Doedd o ddim yn rhy boenus. Fel ddwedais i, dyddiau cynnar. Y peth anoddaf ydi gwybod fy mod i wedi dy siomi di...' Dechreuais igian crio, gan orchuddio fy llygaid gyda fy nwylo.

'Alys... Alys, 'drycha arna i.' Codais fy llygaid i gwrdd â'i rai o drwy'r sgrin. Syllais i ddyfnderoedd ei lygaid gleision, a theimlo'r un pili-pala rhyfedd yn fy mherfedd ag y gwnes i ei deimlo yn y bwyty ffansi yn Llundain, pan edrychais i fyw ei lygaid am y tro cyntaf a sylwi eu bod nhw'r un lliw â phlatiau Wedgewood. Welais i ddim byd ond cariad, a gwnaeth hynny i mi deimlo'n waeth.

'Dwyt ti ddim yn fy meio i?'

'Na! Pam fyddet ti'n meddwl hynny?' Wnes i ddim sôn wrtho am Lydia a'r ffaith iddi gael bai ar gam, nac am yr ofn y byddai o'n fy meio i am fy ngholled yn yr un modd.

Ochneidiodd Duncan, a theimlais ei rwystredigaeth. 'Alys, petawn i'n medru neidio mewn awyren a hedfan adref yr eiliad hon, mi fysen i'n gwneud. Dwi eisiau rhoi cwtsh i ti yn fwy na dim byd arall...' Ro'n i'n dal i grio, ac roedd yn rhyddhad medru rhannu baich fy nhristwch gyda pherson arall, o'r diwedd. Siaradai Duncan yn ei lais awdurdodol, ei lais 'Fi 'di'r Bòs'. 'Alys, gwranda arna i rŵan. Wyt ti'n gwrando arna i?' Nodiais fy mhen a sychu fy llygaid gyda chledr fy llaw er mwyn i mi fedri ei weld yn glir unwaith eto. 'Os wyt ti am i mi ddod adre, dim ond dweud sydd angen, ac mi ddo' i adre ar unwaith.' Ysgydwais fy mhen yn benderfynol. 'Beth alla i wneud felly i wneud i ti deimlo'n well?'

Ysgydwais fy mhen eto. 'Does dim byd fedri di ei wneud, ond dwi'n teimlo'n well rŵan 'mod i wedi dweud wrthat ti.'

'Dwi'n falch o glywed hynny. Mae'n anodd i mi hefyd achos dwi'n gwybod nad oes fawr ddim fedra i ei ddweud na'i wneud i leddfu dy boen, ac mae gen i ofn dweud gormod rhag ofn i mi ddweud y peth anghywir. *Not my first rodeo*, fel maen nhw'n dweud. Ond dydw i ddim am i ti boeni sut effaith gaiff hyn arna i. Paid â phoeni amdana i o gwbl.' Synnais pa mor gyflym roedd o wedi dod dros ei sioc a'i siom.

'Ro'n i'n poeni cymaint am ddweud wrthat ti, yn meddwl y byset ti'n torri dy galon. Dwi'n gwybod faint rwyt ti eisiau plant...'

'Hoffwn i fod yn dad, ond mae ganddon ni ddigonedd o amser o'n blaenau.'

Eisteddodd yn ôl ac edrych i fyny. Rhoddodd ochenaid ddiamynedd a oedd yn dweud cyfrolau am ei rwystredigaeth.

'Dwi'n ysu i roi cwtsh i ti. Mae bod ar wahân fel hyn yn uffernol.'

'Ydi,' cytunais.

'Ar ôl i mi orffen ffilmio dwi'n addo mai dyma'r tro olaf i mi fynd dramor hebddat ti. Dwi eisiau i ni fod yn un o'r hen gyplau 'na sy'n gwisgo anoracs lliw dim byd ac yn mynd i bobman gyda'i gilydd. Cwblhau brawddegau ein gilydd. Gwybod sut mae'r llall yn hoffi ei baned...'

'Dwi'n gwybod hynny'n barod – mymryn o laeth a dim siwgr. Coffi: du, un siwgr. Stêc *medium rare*, pymtheng eiliad yn hirach yn y badell na *rare*. Peint o gwrw Wrecsam...' Gyda hynny, clywais gloch y popty, yn nodi bod fy lasagne yn barod.

'Ai dyna dy swper? Cer di i fwyta. Rhaid i mi fynd i recordio pwt am fwyd stryd mewn munud.' Ochenaid arall. Rhaid ei fod o'n diflasu ar fod o flaen camera o hyd. Roedd ei awch i fod yn seren deledu yn pylu, mae'n rhaid. 'Ond ddylwn i fod yn ôl yn y gwesty ymhen rhyw dair awr, felly os wyt ti am siarad ar ôl swper, ffonia. Hyd yn oed os ydw i'n brysur yn ffilmio, anfona neges a wna i dy ffonio'n ôl y cyfle cyntaf ga' i. Dwyt ti ddim ar ben dy hun, Alys. Unrhyw adeg, dydd neu nos...'

Gwenais arno – nid gwên ddewr y tro hwn ond gwên ddiolchgar, lawn rhyddhad. Roedd bwystfil euogrwydd wedi rhoi'r gorau i lercian yn y cysgodion. Doedd Duncan ddim yn flin gyda fi. Doeddwn i ddim wedi ei siomi. Doeddwn i ddim ar fy mhen fy hun.

Feddyliais i erioed y byddwn i'n ddiolchgar i Lydia, ond roedd yn rhaid i mi gydnabod bod ein sgwrs gynharach yn fuddiol. Es i gysgu'r noson honno wedi dysgu dwy reol bwysig am gariad: yn gyntaf, mae gonestrwydd a chyfathrebu'n agored yn hollol allweddol os ydi perthynas am lwyddo. Yn ail, mae gan Duncan dueddiad i roi dau a dau at ei gilydd a gwneud pump. Ac am y rheswm hwnnw, roedd y rheol gyntaf yn allweddol os oedden ni am oroesi yn ddigon hir i brynu hetiau ac anoracs unlliw a pholion cerdded Nordig a mynd i grwydro'r byd law yn llaw.

RHAN 2

14

'Ti'n edrych fel taset ti 'di blino, Al,' meddai John wrth iddo ollwng ei hun yn ofalus i sedd deithiwr Volvo Duncan.

'Dwi *wedi* blino, dyna pam,' atebais, a theimlo'n euog yn syth am ei ateb mor swta.

'Fedra i gael tacsi i'r sbyty os fyse hynny'n help...'

'Ddwedais i y byddwn i'n mynd â ti i dy apwyntiadau, yn do?' Dyna fi eto – yn bwriadu swnio'n gefnogol ac yn arthio arno yn lle hynny. Ochneidiais. 'Sori John. Dwi ddim am i ti boeni am y bwyty o gwbl, ond mae pethau'n brysur iawn acw. Ond bydd Craig yn dechrau efo ni yn fuan, diolch byth.'

Prysur – tanddatganiad y flwyddyn. Soniais i ddim wrth John pa mor heriol fu pethau ers iddo ddechrau cael triniaeth radiotherapi; ond ro'n i'n effro ers chwech y bore hwnnw, yn manteisio ar y tawelwch er mwyn delio â rhywfaint o'r problemau niferus a gododd y diwrnod cynt. Swnian ar gyflenwr, talu anfonebau, cynllunio ar gyfer anghenion diet amrywiol gwsmeriaid, trwsio peiriant anwadal, argraffu bwydlenni, adnewyddu'r yswiriant ar yr adeilad... a doedd pethau ddim llawer gwell yn y gegin. Er i mi fanteisio ar rai o'r technegau ddysgais i gan Duncan i leihau'r straen, fel coginio'r cig yn y popty pwyllog, hepgor garnais ffwdanus a gweini tatws newydd gyda phopeth gan nad oedd angen eu plicio, roedd Bobby a finnau'n dal i wneud gwaith tri neu bedwar person, gan orffen pob gwasanaeth yn chwys domen ac yn benysgafn o flinedig. Weithiau ro'n i'n rhy flinedig i fwyta neu neidio i'r gawod ar ddiwedd y noson, ond yr un peth ro'n i'n cofio'i wneud bob nos, yn ddi-ffael, oedd gosod y larwm ar fy ffôn. Heb hwnnw, yn bendant, mi fyddwn i wedi cysgu tan hanner dydd y diwrnod wedyn.

Doedd *espresso* cryfaf y peiriant coffi ddim yn ddigon i leihau'r blinder aruthrol a deimlwn. Roedd fy ysgwyddau a 'nghefn yn barhaol boenus am fy mod i'n sefyll dros gownter am oriau ar y tro. Erbyn diwedd pob dydd roedd fy nhraed a fy mreichiau'n drwm, a llusgwn fy nghlocsiau gwaith dros deils y llawr fel petaen nhw wedi eu llenwi â phlwm. Dechreuodd siarad fod yn ormod o ymdrech, ac roedd Bobby'n haeddu gwell na'r rhoch o gydnabyddiaeth gawsai gen i wrth iddo hongian ei ffedog ar y bachyn ar ddiwedd pob noson.

Dewisais beidio sôn wrth John pa mor flinedig oeddwn i o hyd, gan fy mod yn ymwybodol ei fod o'n teimlo felly ei hun o ganlyniad i'r driniaeth radiotherapi. Roedd yn rhaid iddo gael cyfres o sesiynau cyn y câi lawdriniaeth i waredu'r tiwmor, a mynnais ei nôl a'i ddanfon i'r ysbyty bob dydd gan nad oedd o wastad yn ddigon cryf i yrru yno ei hun.

'Paid ag aros yn hwyrach na deg o'r gloch,' meddai un diwrnod, yn ôl ei arfer. 'Os oes angen i ti fynd cyn hynny i sortio rhywbeth yn y bwyty, gyrra decst i mi ac mi ga' i dacsi adre.' Gollyngais o wrth ddrws yr uned ganser, a gyrru o amgylch y maes parcio nes i mi ddod o hyd i lecyn parcio gwag. Gwthiais sedd y car yn ôl er mwyn i mi allu ymestyn fy nghoesau, a gollwng y cefn mor bell ag yr âi. Codais gwfl fy hwdi i orchuddio'r rhan fwyaf o fy wyneb cyn gorwedd yn ôl, cau fy llygaid a syrthio i gysgu.

Ddwyawr yn ddiweddarach roedd John yn dathlu gan ei fod wedi llwyddo i gyrraedd adref heb i mi orfod stopio'r car iddo gyfogi ar ochr y ffordd – y tro cyntaf iddo lwyddo i wneud hynny'r wythnos honno. Ond gwelwodd ei wyneb wrth i mi ddod â'r car i stop y tu allan i'w gartref. Wedi ei barcio y tu allan i'r fflat roedd car moethus, y paent du yn ddisglair fel croen wylys.

'Ti'n iawn, John?'

'Ddoi di i mewn i'r fflat efo fi?'

Roedd angen i mi fynd i ddechrau paratoi at y gwasanaeth cinio yn y Fleur-de-Lis, ond pan welais y pryder ar ei wyneb allwn i ddim gwrthod. Byddai'n rhaid i'r ciniawyr ddisgwyl ychydig yn hirach nag arfer i fwyta.

'Wrth gwrs. Ond pam?'

Pwyntiodd John at y dyn oedd newydd gamu o'r car. Ei dad. Dywedodd John iddyn nhw adael pethau mewn cyflwr 'gweddol' yn yr Alban, felly roedd y gofid ar ei wyneb yn achos pryder. Dringodd John allan o'r car ac aeth i gyfarch ei dad – allwn i ddim clywed eu sgwrs, ond agorodd John ddrws ffrynt y fflat a'i ddal yn agored er mwyn i'w dad fynd i mewn o'i flaen. Yna trodd i edrych dros ei ysgwydd arna i ac amneidio â'i ben fel arwydd y dylwn i ei ddilyn. Felly, ar ôl cloi car Duncan, dringais y grisiau. Edrychodd tad John yn amheus arna i, a throdd John ato i'n cyflwyno i'n gilydd.

'Alys, dyma fy nhad, Harold. Dad, dyma Alys, sy'n g...'

'Dwi'n gwybod yn iawn pwy ydi hi,' atebodd Harold yn oeraidd.

'Paned?' gofynnais, yn awyddus i ddianc i'r gegin.

'Coffi,' galwodd Harold ar fy ôl i.

'Dŵr i mi, diolch i ti, Al.' Arhosais yn y gegin tra oeddwn yn aros i'r dŵr ferwi, gan sefyll wrth y drws er mwyn clywed eu sgwrs dros sŵn y tegell.

'Sut wyt ti?'

'Gweddol. Newydd ddechrau ar y radiotherapi, felly dwi ddim yn teimlo gant y cant ar hyn o bryd.'

'Drwg gen i glywed. Ond o leia gei di roi'r gorau i weithio a rhoi dy draed i fyny am sbel... does dim rhaid i ti weithio nes dy fod di'n holliach eto...'

'Dwi wedi dweud, dwi ddim eisiau dy bres di.'

'Paid â'i wario fo, felly. Ond mae o yn dy gyfrif di, rhag ofn y byddi di ei angen at driniaeth breifat.'

Cariais y gwpan a'r soser i'r lolfa fechan lle eisteddai John ar y soffa. Safai Harold wrth y ffenest, yn edrych allan i gyfeiriad Moel Hiraddug. Ni symudodd i dderbyn y coffi gen i, a gan nad oedd gan John y fath beth â bwrdd yn ei lolfa, gosodais y coffi yn ofalus ar y silff ffenest. Wedi i mi gamu'n ôl cododd Harold y gwpan ac edrych yn ddirmygus ar yr hylif, fel petawn i newydd weini gwenwyn iddo. Wnaeth o ddim mwy na gwlychu ei wefusau.

'Coffi parod?' gofynnodd i John yn hytrach nag i mi.

'Dwi'n cadw'r stwff da at fy *soiree* wythnosol,' oedd ateb gwawdlyd John. Tawelwch. 'Pam ddest ti yma?' gofynnodd John yn sydyn ac yn ddiamynedd. 'Yn amlwg, ti ddim awydd bod yma.'

'Ddois i yma am i ti adael ar gymaint o hast. Dydw i ddim yn hapus ynglŷn â sut y gorffennodd ein sgwrs.'

Codi ei ysgwyddau wnaeth John, a throi ei ben i osgoi llygaid ei dad. 'Wel, gwastraff amser oedd dod i dy weld di yn y lle cyntaf. Ddylwn i fod wedi gwybod hynny. Be ydi'r dywediad 'na? "Insanity is doing the same thing over and over again and expecting different results." O'n i'n dwp i feddwl y byset ti'n medru newid ar ôl yr holl flynyddoedd.'

Rhoddodd Harold ei gwpan i lawr ac aeth i eistedd ar fraich y soffa, yn nes at ei fab. Roedd rhyw gryndod a chynnwrf yn ei lais, a chododd fy ngobeithion y byddai'r ddau yn medru dod i ddealltwriaeth o ryw fath.

'Ddywedais i wrthat ti, John, dwi'n fodlon anghofio'r gorffennol ac edrych i'r dyfodol. Dwi'n fodlon talu am y driniaeth orau bosib i ti, gofalu amdanat ti os wyt ti'n mynd yn rhy wael i weithio, agor drysau fy nghartrefi i ti. Dwi wedi cynnig swydd prif gogydd yn un o fy ngwestai i ti – car, tŷ, beth bynnag sydd ei angen i dy helpu di i oresgyn dy drafferthion. Tydw i ddim yn siŵr beth arall alla i ei gynnig i ti, John. Beth wyt ti eisiau?' Drwy gydol araith ei dad, roedd John yn syllu i'r pellter. Roedd yr olwg bell yn ei lygaid gwydrog yn f'atgoffa o bysgodyn marw ar y bwrdd torri.

Arhosodd yr hen ddyn am ateb, gan syllu'n ddwys ar wyneb ei fab. Pan na chafodd ateb, cododd ar ei draed a rhoi ei siaced frethyn yn daclus dros ei fraich chwith, yn amlwg yn paratoi i adael. Ochneidiodd yn ddwfn.

'Beth wyt ti eisiau gen i, John?' gofynnodd eto. Arhosodd John mor llonydd â delw, ond pan edrychais yn fwy manwl, gwelais y dagrau'n disgleirio yn ei lygaid. Dim ond wrth i Harold gamu allan i'r cyntedd cul y galwodd John ar ei ôl.

'Dwi eisiau tad sy'n barod i 'nghydnabod yn fab iddo. Tad sydd ddim â chywilydd ohona i. Dyna'r cwbl.'

Daeth ochenaid oedd yn siomedig ac yn ddiamynedd o enau Harold, fel petai John yn blentyn anfoddog yn gofyn am rywbeth amhosib. Petai Duncan yno, gwyddwn y byddai wedi gwthio'r coc oen yn syth i lawr y grisiau a chau'r drws yn glep ar ei ôl.

'John, rydyn ni wedi trafod hyn o'r blaen... dy ddewisiadau personol – fedra i ddim derbyn y rheiny...'

'Tydi rhywioldeb ddim yn ddewis!' chwyrnodd John.

'Yn dy farn di. Ond fedra i ddim cael fy ngweld yn cefnogi ffordd o fyw sy'n mynd yn groes i fy nghredoau. Petaet ti ond wedi bod yn fwy cynnil, wedi cadw'n dawel a bod yn fwy gweddus...' Ffrwydrodd John ar glywed hynny.

'Fel y gwnest ti? Cynnil a gweddus, gyda meistres wahanol ym mhob gwesty? Bastards bach fel fi ar wasgar ar hyd y lle, ffwcio pawb heblaw dy wraig, trin Mam a gweddill y merched fel baw... ond roedd hynny'n iawn, roedd hynny'n dderbyniol achos roeddet ti'n "gynnil", a phopeth yn digwydd y tu ôl i ddrysau caeedig, ac roeddet ti'n strêt ac yn gyfoethog. Ydi o'n bechod gadael merch yn feichiog, neu dorri calon rhywun? Na, dim os oes gen ti arian i dalu am erthyliad neu i brynu ei thawelwch, fel y gwnest ti efo Mam...'

'Dyna ddigon,' meddai Harold mewn llais isel ond cynddeiriog. Llais dyn oedd wedi arfer cael ei ffordd ei hun. Ond roedd John wedi etifeddu rhywfaint o'i natur, ac yn benderfynol o gael dweud ei ddweud o'r diwedd.

'Ti'n fy ngwneud i'n sâl efo dy ragrith! Taswn i'n siofinist fel ti, taswn i 'di gadael fy ngwraig am ddynes arall neu gael affêr, fyset ti wedi derbyn hynny, wedi parhau i 'nghydnabod i'n fab i ti, yn byset ti? Ond achos mai dyn dwi'n ei garu, dwi ddim yn ffit i fod yn rhan o dy ffycin deulu di, nac'dw?' Doedd gan ei dad ddim ateb. Safodd yn gegrwth wrth i John refru a rhuo – doeddwn i ddim wedi ei weld o mor gynddeiriog erioed o'r blaen. 'Ro'n i'n ffŵl i feddwl fod gen ti un gronyn o gariad go iawn yn dy gorff, i feddwl fod siawns i ni wella'n perthynas. Does gen ti ddim syniad beth mae cariad yn ei olygu. Diolch byth nad ydw i'n debyg i ti. Ti'n rhagrithiwr, yn homoffôb ffiaidd, a na, dwi ddim eisiau dy arian budr di. Chei di ddim taflu pres ata i i leddfu dy gydwybod a gwneud iawn am flynyddoedd o esgeulustod a diffyg cariad. Wnei di byth newid, alla i weld hynny rŵan.' Cododd John ar ei draed ac wynebu ei dad yn herfeiddiol. 'Dad, dwi'n hoyw, ac os na fedri di fy nerbyn i fel rydw i, cer drwy'r drws a phaid â dod yn ôl.'

Syllodd y ddau i fyw llygaid ei gilydd am eiliad ofnadwy o hir, ond o'r diwedd trodd Harold a mynd at y drws. Cyn iddo gau'r drws yn dawel ar ei ôl, galwodd, 'Dim ond picied draw wnes i, ar fy ffordd i'r gwesty yn Sir Benfro. Wna i ddim trafferthu eto.'

Neidiodd John oddi ar y soffa a rhuthro i dop y grisiau. 'Cer yn ôl i'r arch, yr homoffôb rhagrithiol!' galwodd yn uchel. 'Allan o 'ngolwg i!'

Safodd yno nes iddo glywed injan car ei dad yn tanio, yna eisteddodd ar y gris uchaf â'i ben yn ei ddwylo a rhoi cri arswydus o rwystredigaeth a thymer na chlywais ei thebyg o'r blaen. Cyrcydais wrth ei ymyl a rhoi fy mreichiau'n dynn am ei wddw. Pwysodd yn fy erbyn fy ysgwydd ac udo ei boen.

'Tydi o ddim yn haeddu cystal mab â ti,' sibrydais, gan ei wasgu'n dynn.

'Mi wn i hynny rŵan. Ond roedd rhan ohona i'n gobeithio… Mae'n anodd rhoi'r gorau i obeithio, ond ar ôl i mi fynd i'r Alban sylweddolais i na wnaiff o byth newid. Mae ganddo gywilydd ohona i.' Cododd John gyda chryn drafferth, a mynd i'r tŷ bach i olchi ei wyneb. Pan ddaeth allan tarodd olwg ar y cloc ar y landin. 'Mae'n amser cinio. 'Sdim eisiau i ti aros efo fi, Alys.'

'Wyt ti'n siŵr? Ti newydd gael dipyn o ergyd...'

'Dwi'n siŵr. Dwi am fod ar fy mhen fy hun am sbel.'

'Os wyt ti'n siŵr...'

Rhoddais gwtsh sydyn iddo wrth adael, a theimlais ei gorff yn tynhau, fel petai'n ceisio gwrthsefyll y goflaid. Efallai fod ganddo gywilydd ar ôl crio o 'mlaen i.

Brysiais yn ôl i'r Fleur-de-Lis, i stafell fwyta oedd yn hanner llawn.

'Roedden ni'n poeni amdanat ti!' meddai Ryan. 'Mae Bobby yn rîli *stressed out*!' Oedd, roedd Bobby yn *stressed out*, ond roedd o wedi llwyddo i ymdopi hebdda i. Hanner ffordd drwy'r gwasanaeth, pan oedd y prif gyrsiau olaf wedi mynd allan a phan gawson ni bum munud o hoe i lowcio diod o ddŵr, cefais gyfle i droi ato.

'Cer di'n gynnar, Bobby,' cynigiais ar fympwy. 'Mi fedra i weini'r pwdinau a llnau ar fy mhen fy hun. Dwi'n meddwl fod John dy angen di'n fwy nag yr ydw i, ar hyn o bryd.'

15

Drannoeth, cefais fy neffro am hanner awr wedi wyth gan gnocio trwm ar y drws ffrynt – roedd gan y postmon barsel i mi, yr un maint â llyfr ffôn. Agorais yr amlen a gweld llawysgrifen drawiadol Lech ar y cerdyn cyfarch. Y tro diwethaf i ni sgwrsio ar y ffôn ro'n i'n gysglyd dros ben, ond roedd gen i ryw atgof o gytuno i'w helpu drwy fwrw golwg ar adnoddau dysgu myfyrwyr yr ysgol goginio. Roedd o'n awyddus i wneud pethau mor hylaw â phosib i fyfyrwyr oedd â dyslecsia, ac er ei fod wedi derbyn cyngor gan arbenigwyr addysgiadol, roedd o'n awyddus i gael sylwadau ac adborth gan bobl fel fi oedd yn byw â'r cyflwr. Pan gytunais i ddarllen y dogfennau wnes i ddim rhag-weld y byddai'n gofyn i mi ddarllen gwerth blwyddyn gyfan o adnoddau ar unwaith. Rhoddais y gwerslyfr mewn drôr am y tro – byddai'n rhaid i Lech ddisgwyl am fy adborth. Roedd gen i domen o dasgau i'w cwblhau cyn i'r bwyty agor am ginio, ac ro'n i newydd golli bron i dair awr am i mi gysgu'n hwyr. Yn gyntaf, cyn i mi hyd yn oed feddwl am gael brecwast fy hun, roedd yn rhaid i mi fwydo'r cathod.

Eisteddai Kate a Caradog wrth y drws yn disgwyl amdana i. Am nad oeddwn i wedi treulio cymaint o amser â hynny yn nhŷ Mam roedden nhw wedi dechrau byw y tu allan a chysgu yn y tŷ gwydr, ac erbyn hyn edrychai'r ddwy yn debycach i gathod gwyllt nag i anifeiliaid anwes. Ceisiodd Kate fy nghripio wrth i mi godi ei phowlen.

'Hei!' gwaeddais arni'n flin. 'Rho'r gorau i hynna – ro'n i'n byw yma ymhell cyn i ti gyrraedd!' Rhedodd y gath i guddio o dan gar Mam gan hisian arna i.

Yn ôl yn y bwyty, doedd dim golwg o Bobby, a doedd o ddim yn ateb ei ffôn. Ffoniais ei rif argyfwng (ei fam) a hyd yn oed ffôn lôn John, ond doedd ei fam ddim wedi clywed ganddo, a ches i ddim ateb gan John. Doedd dim amdani heblaw bwrw ymlaen ar fy mhen fy hun, ond roedd cymaint o waith i'w wneud roedd yn anodd i mi ddewis pa dasgau i'w blaenoriaethu. Ceisiais restru'r holl elfennau y byddai gofyn i mi eu paratoi, er mwyn i mi eu gosod mewn rhyw fath o drefn yn ôl amser coginio. 'Cig wedi'i stiwio... tatws Dauphinoise... draenog y môr... cawl madarch... ' Yn gyflym iawn, sylweddolais y byddai'n amhosib i mi baratoi popeth roedden ni'n arfer ei gynnig, ac mai'r peth gorau i'w wneud fyddai tynnu rhywfaint o'r seigiau oddi ar y fwydlen er mwyn symleiddio pethau.

Wrth i Hannah a minnau wneud hynny cawsom ymwelydd annisgwyl – Catrin, gyda Martha yn ei phram. Doeddwn i ddim wedi ei gweld hi ers rhai wythnosau a byddwn wedi bod wrth fy modd yn cael paned a chwtsh, ond roedd gen i gant a mil o bethau i'w gwneud felly bu'n rhaid i Catrin fodloni ar sefyll yn nrws y gegin i siarad efo fi tra oeddwn i wrth fy ngwaith. Roedd hi adref ar ei phen ei hun drwy'r dydd gyda'r babi ac yn awchu am gwmni oedolyn arall, ond doedd hi ddim fel petai'n sylwi fod gen i ormod ar fy mhlât i stopio i siarad.

Brathais fy ngwefus a llwyddo i wrthsefyll y temtasiwn i ofyn iddi ddod yn ôl drannoeth, ond ar ôl iddi fynd bu'n rhaid i mi guddio yn y toiled a chrio'n dawel. Roedd clywed holl fanylion ei bywyd yn fam, a gweld Martha fach yn syllu i fyny'n gariadus arni gyda'i llygaid mawr glas, wedi bod yn ormod i mi. Ro'n i wedi meddwl bod y cyfnod gwaethaf ar ôl fy ngholled wedi pasio, felly cefais fy nychryn gan rym y tristwch a'm llethodd. Er nad oeddwn i wedi crio ers bron i wythnos, chwyddodd yr hiraeth yn fy mron unwaith eto wrth i mi sylweddoli mai glas fyddai llygaid ein plentyn ni wedi bod.

Dychwelais i'r gegin yn dal i deimlo'n fregus, ond ceisiais fy ngorau i ganolbwyntio ar fy ngwaith. Byddai Duncan yn honni fod coginio yn medru bod fel myfyrio neu ymarfer meddylgarwch – efallai y byddwn wedi llwyddo i ganfod heddwch wrth fy ngwaith petawn i ddim yn gallu clywed Mrs Egan o fwthyn Awelon yn cwyno'n uchel a pharhaus nad oedd y bwydlenni wedi'u cyfieithu i'r Gymraeg yn ôl yr arfer. Clywais Hannah yn egluro fy mod i'n rhedeg y lle ar ben fy hun, a'n bod yn brysurach nag arfer, ond trodd sylwadau Mrs Egan at sut roedd safonau wedi llithro'n ddiweddar, gan honni fod y bwyd bellach yn debycach i *pub grub*. Cytunodd ei chymar yn uchel ac yn frwdfrydig, y ddau ohonyn nhw'n amlwg am i mi glywed am eu hanfodlonrwydd. Rhoddais ochenaid o ryddhad pan glywais i nhw'n gofyn am eu cotiau.

'Gwynt teg ar ei hôl hi,' mwmialais dan fy ngwynt, gan ryfeddu pa mor debyg i Mam ro'n i'n swnio. (Doedd Mam ddim yn or-hoff ohoni chwaith.)

'Gwylia di, mi fydd hi ar Facebook yn cwyno yn syth ar ôl cyrraedd adref,' meddai Hannah wrth gario'r llestri budron i'r gegin.

Yn ystod y saib rhwng y gwasanaeth cinio a'r gwasanaeth swper, llenwais y peiriant golchi llestri a thywallt diod o ddŵr i mi fy hun. Wrth wneud hynny clywais fy ffôn lôn yn canu yn y swyddfa, a brysiais i'w ateb gan obeithio clywed llais Bobby yn rhoi rhyw fath o eglurhad am ei absenoldeb, ond na. Lech oedd yno. Unrhyw ddiwrnod arall mi fyddwn i wedi bod yn hapus iawn i glywed ganddo, ond nid heddiw, pan oeddwn i'n boddi dan bwysau gwaith.

'Alys! Sori 'mod i'n ffonio rŵan, ti'n siŵr o fod yn brysur, ond ro'n i'n poeni y byddet ti'n derbyn y llawlyfr ac yn meddwl 'mod i'n disgwyl i ti ddarllen y cyfan. Dim ond pennod neu ddwy o'n i am i ti eu gweld, ond mi wnaeth fy nghynorthwyydd anfon y llyfr cyfan.'

'Dwi'n falch iawn o glywed hynny,' dywedais gydag ochenaid o ryddhad.

'Wyt ti'n meddwl y galli di ddarllen pennod erbyn diwedd yr wythnos?'

'Wna i drio 'ngorau, ond fedra i ddim addo dim byd. Mae

John ffwrdd yn sâl ar hyn o bryd, Bobby wedi diflannu, a dwi'n rhedeg y lle ar ben fy hun heddiw...'

Clywais gnoc ar y drws cefn. Roedd Hannah a Ryan yn y stafell fwyta, yn rhy bell i glywed y curo, felly codais ar fy nhraed i ateb y drws. Yn sydyn, dechreuais weld goleuadau'n fflachio o flaen fy llygaid, a dechreuodd cwmwl llwyd gau amdana i. Cwympais i'r llawr cyn i mi fedru eistedd yn ôl yn y gadair, ond yn ffodus, glaniais ar fy mhengliniau (yn wahanol i'r tro y gwnes i daro fy mhen yn y llawr a deffro yn yr ysbyty). Caeais fy llygaid a disgwyl i'r niwl glirio ac i 'mhen stopio troelli fel chwyrligwgan. Clywais lais Lech yn dod o rywle oddi tanaf, yn galw fy enw. Yn grynedig, codais ar fy nhraed ac eistedd yn y gadair cyn codi'r ffôn at fy nghlust.

'Ti'n iawn?' gofynnodd Lech yn bryderus.

'Ydw. Mymryn yn benysgafn o'n i, a wnes i ollwng fy ffôn. *Occupational hazard* o fod mor dal.' Ceisiais ei gysuro fy mod i'n iawn, ac mai dim ond wedi blino oeddwn i. Bu'n rhaid i mi addo cymryd hanner awr fach i roi fy nhraed i fyny ac i wneud yn siŵr fy mod i'n bwyta cinio, a mynnodd Lech y byddai'n fy ffonio yn nes ymlaen, i wneud yn siŵr nad oeddwn i'n dal i weithio am hanner nos.

Ar ôl gorffen yr alwad es i nôl peth o'r bwyd oedd yn weddill o'r gwasanaeth cinio, a mynd i'r stafell fwyta i'w fwynhau mewn cadair gyfforddus. Tarais y copi o lawlyfr Lech o dan fy nghesail, er mwyn i mi gael dechrau ar y gwaith darllen, ond prin yr o'n i wedi codi'r fforcaid gyntaf at fy ngheg cyn y daeth Hannah draw a'i ffôn lôn yn ei llaw.

'Sori i darfu arnat ti, Alys, ond o'n i'n meddwl y dylet ti weld hwn...' Estynnodd ei ffôn i mi: tudalen TripAdvisor y Fleur-de-Lis oedd ar y sgrin. Gyda'r geiriau yn nofio o flaen fy llygaid, ceisiais ddarllen adolygiad Mrs Egan.

*Bechod bod ansawdd y bwyd a safon y staff wedi dirywio cymaint yn ddiweddar, a'r gofal cwsmer yn anfoddhaol iawn. 2**

'Mae 'na fwy...' meddai Hannah. Ddylen i fod wedi rhoi'r ffôn i un ochr a pheidio â darllen ymhellach, ond fel ffŵl gadewais i fy llygaid grwydro at yr adolygiadau diweddaraf:

Ro'n i'n meddwl unwaith fod y lle yma am gael seren Michelin. Bellach dydi o ddim yn haeddu un.

Ar un adeg dyma'r lle cyntaf bydden ni'n ei fwcio ar gyfer pryd o fwyd neu ddathliad arbennig. Ond ers tro mae safon y bwyd wedi gostwng. Mae'n iawn, ond ddim cweit mor dda ag yr oedd o'n arfer bod, ac mae'r fwydlen yn reit gyfyng.

Pam fod y lle ar gau ddeuddydd yr wythnos? Os wyt ti'n dathlu dy ben blwydd ar ddydd Llun, ar ddydd Llun rwyt ti am gael y parti – ond mae'r FDL ar gau ar ddyddiau Llun a Mawrth, sy'n niwsans hollol i'r rhai ohonom ni sydd am gael pryd o fwyd ar ddechrau'r wythnos.

Siomedig bod y bwyty wedi canslo gan roi llai na diwrnod o rybudd i ni.

Gadawyd yr adolygiadau yn ystod yr wythnos ddiwethaf, ers i John ddechrau ar ei driniaeth, ond yn anffodus mi fydden nhw'n dal ar y wefan ymhell ar ôl iddo fo a Duncan ddychwelyd i'r bwyty.

'Dwi ddim eisiau gweld mwy,' mwmialais, gan ddychwelyd y ffôn iddi.

Gosododd Hannah ei llaw yn ysgafn ar fy ysgwydd. 'Paid â chrio. Cofia, ti 'di bod yn rhedeg y lle ar dy ben dy hun.'

Sut allwn i anghofio? Yr eiliad honno, teimlwn fel cerdded allan, gadael i'r drws gau'n glep ar fy ôl a dychwelyd i weithio mewn cegin ysgol gynradd. Chwerw iawn oedd y sylweddoliad nad oedd fy ymdrech orau yn ddigon i'r cwsmeriaid. Faint ohonyn nhw fyddai'n cadw draw o ganlyniad i'r adolygiadau?

Gosododd Hannah wydraid o ddŵr ar y bwrdd o 'mlaen i.

'Ti'n gwneud job anhygoel, Alys, wir yr. Rwyt ti'n gweithio mor, mor galed. Unwaith y bydd Duncan a John yn ôl mi aiff pethau'n ôl i sut roedden nhw'n arfer bod – ond ar hyn o bryd mae'n amhosib i ti weithio i'r un safonau â Duncan. Mae o'n gweini bwyd *fine dining* achos bod ganddo fo fyddin o staff i wneud pethau drosto. Cadw'r lle i fynd, anfon pobl adre gyda boliau llawn a ffeindio ffordd i dalu'r biliau – dyna'r cwbl fedri di ei wneud tra wyt ti ar ben dy hun.'

'Diolch, Hannah. Ond wn i ddim pa mor hir y gallwn ni aros ar agor fel hyn.'

Er fy mod i'n dal i deimlo fel cerdded allan o'r gegin, llusgais fy hun drwy'r drysau dwbl ac ymolchi fy wyneb a fy nwylo, yn barod at y gwasanaeth swper. Dydd Gwener oedd hi, un o'r nosweithiau prysuraf, ac roedd yn agos i hanner cant o bobl wedi bwcio.

Am chwarter i bump, daeth Bobby drwy'r drws. Gwelais yn syth fod ôl crio ar ei wyneb. Arweiniais o i'r swyddfa ac estyn bocs o hancesi papur iddo, ac yn syth, dechreuodd y dagrau lifo. Rhaid i mi gyfaddef nad ydw i wedi arfer gweld dynion yn crio mor agored. Dim ond ers pedwar mis roedd Bobby'n rhan o dîm y Fleur-de-Lis, a do'n i ddim yn ei adnabod mor dda â hynny. Rhaid bod rhywbeth mawr yn bod iddo grio felly o 'mlaen i.

'Be sy'n bod, Bobby? Alla i helpu?'

'Es i draw i weld John yn gynharach a... a... a... wnaeth o orffen efo fi.'

'Ddywedodd o pam?' gofynnais.

Ysgydwodd Bobby ei ben. 'Doedd o ddim yn fodlon rhoi rheswm i mi, dim ond dweud y pethau mae pawb yn ei ddweud: *it's not you, it's me*, bla bla bla. Alla i ddim ei ddeall o gwbl... roedd popeth yn iawn tan echdoe, a'r mwya sydyn, tydi o ddim am fy ngweld i byth eto. Ddaw o ddim yn ôl i weithio yn y Fleur-de-Lis tra dwi yma, medde fo. Dwi'n methu deall y peth – dwi wedi bod yn ail-fyw ein sgyrsiau diweddar rhag ofn fy mod i wedi dweud rhywbeth twp neu ddi-dact. Ond na, y tro diwethaf i ni weld ein gilydd, roedden ni'n hapus. Yn fwy na hapus.

Roedden ni hyd yn oed yn trafod symud i fyw at ein gilydd er mwyn i mi allu gofalu amdano ar ôl ei lawdriniaeth. Dwi eisiau bod yno i'w gefnogi o. Pam ei fod o wedi newid dros nos?'

'Gad i mi gael gair gyda fo,' cynigiais, gan ofni fod gan y cyfan rywbeth i'w wneud â'r ffrae rhwng John a'i dad.

'Diolch,' meddai Bobby, gan gymryd llond dwrn o hancesi papur i sychu ei lygaid. 'Mae wedi bod yn gymaint o sioc, ti'n gwybod... Yli, dwi'n sori i adael ar gymaint o fyr rybudd, ond wna i bostio fy llythyr ymddiswyddo cyn gynted...'

'Ti ddim yn ein gadael ni?'

'Glywaist ti be ddwedodd John, do? Tydi o ddim am ddychwelyd i'r gwaith tra 'mod i yma. Fo ydi ffrind gorau Duncan, felly does 'na ddim pwynt i mi aros yma. Dwi am fynd i aros efo ffrindiau yn Lerpwl am gwpl o ddyddiau i sortio fy mhen allan, ac wedyn wna i ddechrau chwilio am swydd arall...'

'Ond sut wna i ymdopi hebddat ti yn y gegin?' gofynnais, fy llais yn wichlyd gyda phanig wrth i mi sylweddoli fy mod i ar fin colli'r unig gogydd oedd gen i, a hynny reit ar ddechrau gwasanaeth prysuraf yr wythnos. 'Does dim rhaid i ti adael nawr – fydd John ddim yn dychwelyd i'r gwaith am wythnosau os nad misoedd...'

'Sori, Alys, ond ar ôl y diwrnod dwi newydd ei gael, dwi rîli, rîli yn torri 'mol eisiau mynd adref ac anghofio pa mor afiach mae heddiw wedi bod.'

A dwinnau'n torri fy mol eisiau mynd i'r gwely cyn un o'r gloch y bore! Ro'n i'n ysu i sgrechian ar Bobby. Cymerodd fy holl hunanreolaeth i beidio ag arthio arno am fod mor amhroffesiynol, hunanol hyd yn oed.

'Be wna i hebddat ti, Bobby?' gofynnais. 'Mae hanner cant o bobl ar fin cyrraedd yma heno...' Ond codi ar ei draed wnaeth Bobby.

'Falle ddylet ti ofyn i John ddod draw. Fo achosodd hyn, wedi'r cwbl.'

Roeddwn i'n rhy flin i'w ateb o'n gall, a wnaeth o ddim disgwyl am fy ymateb beth bynnag. Gadawodd heb edrych yn ôl.

Mae'r diwydiant arlwyo yn dueddol o fod yn un lle mae pobl yn mynd ac yn dod, yn newid swyddi'n aml ac yn dod i arfer â chael eu trin fel llafur rhad, di-grefft. Dyna ydi'r realiti i nifer o weithwyr mewn bwytai, ond yn y Fleur-de-Lis cafodd Bobby barch, oriau rheolaidd a chyflog prydlon – ac yn bwysicach, roedd ganddo gytundeb gwaith cyfreithiol. Yn amlwg, doedd ganddo fawr o deyrngarwch i'w weithle, na llawer o broffesiynoldeb chwaith.

Llyncais ru o rwystredigaeth rhag ofn i'r ciniawyr fy nghlywed i, ond wrth i mi droi a gweld pentwr o bowlenni'n eistedd ar y cownter, mi wnes i rywbeth na wnes i erioed o'r blaen. Codais y llestri yn fy nwylo a'u hyrddio i'r llawr. Malodd y cyfan yn ddarnau mân wrth fy nhraed, a rhaid i mi gyfaddef, roedd sŵn y llestri'n dryllio yn foddhaol iawn. O'r diwedd, ro'n i'n deall pam fod Duncan a John mor hoff o daflu llestri yn eu tymer. Ond, yn wahanol iddyn nhw, doedd gen i ddim mintai o staff i glirio ar fy ôl. Eiliad yn unig barodd y catharsis, ac yna bu'n rhaid i mi lanhau fy llanast fy hun cyn i'r archebion cyntaf gyrraedd y gegin.

Deirawr yn ddiweddarach ro'n i'n barod i gwympo. Ar ôl gyrru'r plât olaf allan y cyfan allwn i wneud oedd cydio yn ochr y cownter rhag i mi ddisgyn yn swp i'r llawr. Teimlwn fel petai plwm yn pwmpio trwy fy ngwythiennau. Brifai pob cyhyr o fy ysgwyddau at fy fferau. Dawnsiai golau bach o flaen fy llygaid felly llusgais fy hun at y grisiau ac eistedd arnynt cyn i mi lewygu, gan wneud yn siŵr fy mod i allan o olwg pawb. Gadewais i'r dagrau bowlio i lawr fy mochau. Ro'n i'n methu'n lân â chodi er mwyn dechrau ar y gwaith clirio.

Ymhen sbel daeth Hannah drwodd i'r gegin i ddweud ei bod hi wedi gorffen clirio'r stafell fwyta, a'i bod yn cychwyn am adref.

'Paid â gwneud dim byd arall heno,' meddai'n garedig. 'Dos i'r gwely. Ddo' i draw awr yn gynharach fory i dy helpu i glirio'r gegin os na fydd Bobby yn gallu dod.'

'Dydi Bobby ddim yn dod yn ôl,' atebais yn swrth.

'O. Ond mi fydd Craig yma'n fuan, a Duncan yn ôl mewn chydig wythnosau.'

Ond beth oeddwn i am wneud, sut allwn i ymdopi yn y cyfamser?

Dilynais Hannah drwy'r stafell fwyta er mwyn cloi'r drws ffrynt ar ei hôl. Teimlai fy nghoesau mor grynedig â phetawn i'n gwisgo sodlau pum modfedd, a bu'n rhaid i mi afael yn dynn yn y canllaw wrth ddringo'r grisiau. Er fy mod i'n chwyslyd, teimlai cawod yn ormod o drafferth. Tynnais fy nillad a dringo'n syth i'r gwely.

Wrth i mi osod larwm fy ffôn gwelais fy mod i wedi methu tair galwad gan Duncan, a dwy arall gan Lech. Penderfynais ffonio'r ddau yn ôl yn y bore, ond wrth i mi osod y ffôn ar y bwrdd ger erchwyn y gwely, dechreuodd ganu. Lech, yn ffonio i weld sut siâp oedd arna i.

'Dwi 'di bod yn poeni amdanat ti drwy'r nos!' meddai. 'Plis dyweda wrtha i na wnest ti weithio heno, ar ôl i ti lewygu.'

'Pwy arall oedd yn mynd i redeg y gegin?' gofynnais yn ddiamynedd. 'Beth o'n i i fod i'w wneud – sefyll yn y drws a throi pobl i ffwrdd?'

'Gwell hynny na pheryglu dy iechyd!' meddai, ac yn ei ffordd awdurdodol garedig dechreuodd fy holi: sawl pryd oeddwn i'n fwyta bob dydd? Sawl egwyl o'n i'n eu cael yn y gwaith? Faint o gwsg bob nos? Faint o ddŵr o'n i'n yfed?

Wrth i mi ateb ei gwestiynau sylweddolais fy mod i wedi llwyr esgeuluso fy hun. Ro'n i wedi llwyddo i gadw'r bwyty ar agor, ond ar draul fy iechyd. Dyna pam ro'n i'n teimlo mor uffernol o wael o hyd. Bu Lech yn rheolwr arna i am sbel, a gwyddai'n well na neb fod gen i dueddiad i wthio fy hun i'r eithaf er mwyn profi fy hun.

'Rwyt ti fel Boxer yn *Animal Farm*, Alys,' dywedodd. 'Ond mae'n rhaid i ti sylweddoli nad ydi "*I will work harder!*" wastad yn datrys y sefyllfa.'

'Beth arall wna i?' gofynnais yn anobeithiol. 'Does neb arall yma i helpu! Mae Duncan ym mhen arall y byd, mae John yn rhy wael i weithio, mae Bobby wedi'i heglu hi o'ma a tydi Craig ddim yn medru dechrau yma am rai wythnosau eto... At bwy alla i droi, Lech?'

'Yr unig ddewis, hyd y gwela i, ydi cau'r bwyty nes i Duncan ddod yn ei ôl. Neu ofyn iddo ddod adre'n gynnar.'

'Alla i ddim gwneud hynny.'

'Pam? Fo sy'n gyfrifol am y bwyty.' A chyda hynny, cafodd Lech holl hanes dyledion Lydia a'r ffaith y byddai cau'r bwyty yn gadael Duncan a finnau'n ddi-waith ac yn ddigartref. Roedd taliadau o filoedd o bunnoedd yn mynd allan o gyfrif y bwyty yn fisol – byddai methu un o'r taliadau hynny'n golygu ymweliad gan y beili, a beth oedd yr eitemau mwyaf gwerthfawr yn y bwyty? Yr offer cegin. Pa iws fyddai bwyty heb gegin?

Na, ro'n i'n benderfynol fod yn rhaid i'r bwyty aros ar agor, ac roedd angen i Duncan gwblhau ei waith ffilmio er mwyn ennill ei gyflog llawn.

Ochneidiodd Lech yn ddwfn. 'Wel, mae un peth yn amlwg, Alys – alli di ddim parhau fel hyn. Gad i mi feddwl beth allwn ni wneud i sortio pethau. Mae 'na ddatrysiad i bob sefyllfa – ond tra wyt ti'n gweithio fel rheolwr, Prif Gogydd, Sous Chef, Chef de Partie a Plongeur fydd gen ti byth ddigon o amser nac egni i gynllunio. Dos i gysgu a phaid â phoeni rhagor. Bydd pethau'n well fory.'

Hawdd iddo fo ddweud hynny! Caeais fy llygaid, ac yn fy mreuddwydion gwelais blât gwyn ar ôl plât gwyn yn disgwyl i mi eu llenwi, a'r tu ôl i mi roedd platiau budron yn tyfu'n fynydd o'm cwmpas, yn bygwth cwympo ar fy mhen.

16

Y peth cyntaf wnes i drannoeth, ar ôl cael cawod a bwydo cathod Mam, oedd mynd i fflat John er mwyn dysgu mwy am gefndir ymadawiad Bobby. Doedd fy hwyliau ddim wedi gwella rhyw lawer ers y noson cynt, a rhaid bod fy nhymer a fy rhwystredigaeth yn dangos yn glir ar fy wyneb oherwydd cyn iddo hyd yn oed gynnig paned i mi, dywedodd John,

'Al, dwi'n gwybod be ti am ofyn ond gyda phob parch, tydi o ddim o dy fusnes di. Yr unig beth sydd angen i ti wybod ydi bod Bobby a finnau wedi rhoi'r gorau i'n perthynas. Does dim angen i ti wybod pam, a 'sgen i fawr o awydd trafod y mater a dweud y gwir.'

'Ond *mae* angen, achos ddoe mi ddaeth Bobby i'r bwyty a rhoi ei notis i mi. Mae o'n gwrthod gweithio'i gyfnod rhybudd a dwi'n styc yn y gegin yn trio gwneud popeth ar ben fy hun!'

'Ddrwg gen i glywed hynny, wir. Ond fo wnaeth dy adael di. Wnes i ddim gofyn iddo fo...'

'Roedd o 'di ypsetio gormod i aros. A rhaid i mi ddweud, dwi'n deall pam ei fod o mor ypset...'

'Mi ddwedodd ei fod o'n fy ngharu i,' atebodd John yn amddiffynnol. 'Roedd o fel blydi gelen, yn cynllunio'r dyfodol: lle oedden ni am fyw a gweithio gyda'n gilydd, fo'n gofalu amdana i ar ôl y driniaeth... Sut fyset ti wedi teimlo petai Duncan wedi trafod priodi a chael plant a thyfu'n hen efo'ch gilydd y tro cyntaf iddo ddweud ei fod o'n dy garu di?' Aeth i roi'r tegell ar y tân. 'Dwi'n sori ei fod o wedi dy adael di heb staff,' ychwanegodd, 'ond falle'i fod o'n fendith iddo adael cyn i bethau fynd yn rhy bell. Fyse pethau 'di dod i ben rywbryd beth bynnag. Geith o fy nghofio fi ar fy ngorau… neu fy nghasáu i.' Sylweddolodd John ei fod, yn ei gynnwrf, wedi rhannu mwy o wybodaeth nag yr oedd wedi'i fwriadu, a chaeodd ei geg. Ond gyda'i frawddeg olaf roedd o wedi datgelu'r gwir reswm iddo ddod â'r berthynas i ben, a thorrodd fy nghalon wrth sylweddoli fod John yn cadw Bobby hyd braich yn yr un modd ag y gwnâi â Duncan. Roedd arno ofn ymddangos yn fregus.

Arhosodd John yn dawel wrth baratoi paned i ni, ond yna dywedodd yn slei,

'Beth bynnag, fydda i 'mo'i angen o fel nyrs na *chauffeur*. Mae Lyds yn dod draw ymhen chydig ddyddiau, a tan hynny rwyt ti yma. Sy'n f'atgoffa… fyset ti'n meindio fy ngyrru i Lanelwy cyn cinio?'

'Heddiw?' Doeddwn i ddim hyd yn oed wedi llwytho peiriant golchi llestri y bwyty eto, ac roedd y gegin fel twlc.

'Plis. Mi wn i fod hyn yn fyr rybudd, ond mae Lydia ar ei ffordd i lawr o'r Alban a dwi angen sortio rhai pethau allan cyn iddi gyrraedd.' Ochneidiais, ond gwyddwn y byddai'n rhaid iddo dalu crocbris am dacsi. A phetai John yn holliach ac â'r gallu i wneud cymwynas i mi, gwyddwn y byddai'n gwneud hynny heb feddwl ddwywaith.

'Iawn, John. Rho hanner awr i mi dwtio pethau yn y Fleur-de-Lis ac mi ddo' i draw i dy nôl di.' Brysiais adref, stwffio pum siaced wen i'r peiriant golchi dillad, rhoi rhyw fath o drefn ar y gegin cyn i Meira, y lanhawraig, gyrraedd, ac yna'i heglu hi am y car. Byddai'n rhaid i mi fod adref erbyn unarddeg fan bellaf, felly doedd gen i ddim llawer o amser.

Dringodd John i'r car yn ofalus, gan osod clustog o dan ei din a gwingo.

'Teimlo'n arw?' gofynnais.

Rholiodd ei lygaid. 'Nac'dw Alys, dwi'n cock-a-effin-hoop. Blydi champion, er, am ryw reswm anesboniadwy, mae 'Ring of Fire' gan Johnny Cash 'di bod yn styc yn fy mhen i.'

'Iawn. Sori.'

Ochneidiodd John a thaflu ei ben yn ôl yn rhwystredig. 'Wyddost ti, dwi'n actiwali edrych ymlaen at gael Lydia yma. Ar hyn o bryd dwi'n teimlo'n shit ac yn ysu am ffrae go iawn gyda rhywun i wneud i mi fy hun deimlo'n well – neu o leia dynnu sylw oddi wrth pa mor wael dwi'n teimlo. A fedra i ddim cael ffrae efo ti, na fedraf? Ti'n rhy neis. Ond os ydw i'n galw Lydia'n hen ast hunanol, dwi'n gwybod y gwnaiff hi roi pryd o dafod i mi.'

Cofiais Lydia yn dweud wrtha i fod yn well ganddi ffrae na thawelwch annifyr. Wel, ffrae fyddai hi'n ei chael gyda John.

''Dych chi'n reit debyg i'ch gilydd, ti'n gwybod hynny?'

'Ddysgon ni gan y gorau. Dwyt ti ddim yn ennill miliynau, fel gwnaeth Dad, trwy fod yn neis. Ond mae Lydia yn ystrywgar hefyd, fel ei mam. Druan ohoni. Pa obaith oedd ganddi? O leia roedd fy mam i yn weddol normal.'

'Dwi'n teimlo drosti hefyd. Dwi'n meddwl iddi gael cam gan Duncan.'

Cododd John ei aeliau a chiledrych arna i. 'Wyt ti?'

'Glywaist ti ei hochr hi o'r stori? Colli'r babi wnaeth hi, nid cael erthyliad.'

Cododd aeliau John yn uwch fyth. 'Ti'n ei chredu hi?'

'Ydw. Dwi ddim yn meddwl y medri di ffugio'r torcalon welais i ynddi hi. Dwi'n meddwl i Duncan ei thrin hi mewn ffordd eitha siabi.' Clywais ryw gryndod yn fy llais. Ers i mi glywed ochr Lydia o'r stori teimlwn fel petawn wedi gweld ochr arall i gymeriad Duncan – rhywun a frifai yn fyrbwyll, rhywun oedd yn medru cau ei galon a gwrthod gwrando ar y gwir – ac yn llercian yng nghefn fy meddwl oedd yr ofn mai yn y pen draw, tynged Lydia fyddai fy nhynged innau.

Fel petai John wedi darllen fy meddwl, dywedodd, 'A rŵan ti'n poeni y bydd Duncan yn dy drin di yr un fath?' Gyda thrawiad o eglurder a ddaeth fel mellten, gwelais mai dyna pam y teimlais yr angen i ddweud wrtho am golli'r babi – i brofi i mi fy hun na fyddai o'n troi ei gefn arnaf.

‘Gwranda, cyw...’ meddai John, gan swnio fel tad gofalus, ‘efallai i Duncan wneud camgymeriad a’i beio hi ar gam. Neu efallai mai dweud celwydd oedd Lydia, eto fyth. Doedd neb arall yn dyst i’r hyn a digwyddodd. Yn bersonol, dwi’n dueddol o gredu Duncan – rwyt ti’n gwybod yn iawn pa mor ystrywgar oedd Lydia. Roedd hi wedi dweud cymaint o gelwyddau wrtho, teimlai nad oedd o’n ei hadnabod hi, nac yn medru ymddiried ynddi. Ond tydw i ddim yn meddwl y bydd hynny’n broblem i chi’ch dau.’

‘Ond dwyt ti byth yn gwybod, nag wyt?’ gofynnais, gan feddwl pa mor sydyn y daeth perthynas John a Bobby i ben.

‘Na – dwyt ti byth yn gwybod. Dyna pam fod gonestrwydd mor bwysig. Cael gwared ar amheuon cyn iddyn nhw dyfu’n rhywbeth mwy, rhywbeth gwaeth...’

‘Sôn am onestrwydd... wyt ti’n siŵr mai peidio â dweud wrth Duncan ydi’r peth iawn i’w wneud? Dwi ’di bod yn meddwl – petawn i’n canfod bod fy mrawd i’n dioddef o ganser a’i fod o heb ddweud wrtha i, wel, mi fyddwn i’n cwestiynu ein perthynas. Dwi’n meddwl y bydd Duncan wedi ei siomi, yn enwedig gan fod Lydia am ddod i dy weld di. Dwi’n meddwl y byddai o’n hoffi bod yma, i dy gefnogi di.’

Ond ysgwyd ei ben yn benderfynol a syllu allan drwy’r ffenest wnaeth John, heb gynnig eglurhad o unrhyw fath. Ar ôl iddo wthio Bobby oddi wrtho doeddwn i ddim yn bendant fy mod i’n credu mai stopio Duncan rhag torri ei gytundeb gwaith oedd y prif reswm am iddo beidio â dweud wrtho am ei salwch, ond roedd John yn gyndyn o drafod y gwir reswm.

At gyfreithiwr roedd John yn mynd. Bu’n rhaid i mi ei ollwng y tu allan i’r swyddfa ac yna gyrru o gwmpas canol y dref yn chwilio am le i barcio nes yr oedd wedi gorffen ei fusnes. Eisteddais mewn maes parcio yn cadw un llygad allan am warden (gan nad oedd gen i newid mân i dalu am docyn) a’r llall ar fy ffôn. Doedd fy ffôn ddim yn gweithio’n iawn ers i mi ei ollwng ar y llawr y diwrnod cynt, a dechreuais amau y byddai angen i mi brynu un newydd cyn bo hir. Diolch byth mai dim ond un talu-wrth-fynd rhad oedd gen i.

Dechreuais ddarllen neges hir gan Duncan. Ymddiheurodd am ysgrifennu cymaint drwy ddweud nad oedden ni wedi cael sgwrs iawn ers amser. A oedd cerydd yn y frawddeg, ynteu fi oedd yn bod yn or-sensitif am fy mod i wedi blino cymaint?

Ceisiais lunio ymateb iddo, ond methais am fod y darn o'r sgrin uwchben y bysellfwrdd wedi chwalu. Canodd y ffôn tra oeddwn i yng nghanol brawddeg, gan fy nychryn wrth iddo ddechrau dirgrynu yn fy llaw. Rhif anhysbys oedd ar y sgrin.

'Helô?' gofynnais yn betrusgar. Clywais sŵn llais yn bloeddio, fel petai'n dod o bell. 'Helô? Pwy sy 'na? Oes rhywbeth yn bod?' Anadlodd rhywun yn ddwfn i seinydd y ffôn, fel petaen nhw allan o wynt. 'Helô?'

'Alys? Siwan Tan y Bryn sy 'ma. Gwranda, dwi ddim am i ti boeni'n ormodol ond roedden ni yn y cae y tu ôl i'r bwyty a welon ni rywun yn busnesa y tu allan, yn sbecian drwy'r ffenestri ac yn trio'r drws cefn, felly dwi 'di anfon Leisa draw i weld be ydi'i fusnes o...' Chwythai'n galed – rhaid ei bod hi'n rhedeg wrth siarad. 'Dwi ym mhen draw'r cae ond dwi'n medru ei gweld hi'n cael ffrae o ryw fath efo fo. Os wyt ti'n agos i'r bwyty fyse'n beth da i ti ddod adre ar unwaith.'

Diolchais iddi, a ffonio John yn syth. Cytunodd i gael tacsi adref ar ôl iddo orffen, felly ffoniais Siwan yn ôl, ond ni chefais ateb. Doedd dim amdani ond cychwyn yn ôl adref. Gyrrais mor gyflym a diogel ag y gallwn, ond roedd y ffyrdd gwledig a arweiniai at y Fleur-de-Lis yn gul ac yn droellog felly allwn i ddim rhoi fy nhroed i lawr.

Rhedodd y posibiliadau drwy fy mhen: ai lleidr oedd yn ceisio torri i mewn, neu feili wedi dod i feddiannu'n holl eiddo? Gwyddwn, ar ôl gwylio rhaglenni teledu, y gallai beili o'r Uchel Lys fynd i mewn i'r bwyty a dechrau gwneud rhestr o'n heiddo heb ein caniatâd.

Neidiais o fy nghar, a chlywais sŵn yn dod o gefn yr adeilad. Rhedais rownd y gongl a gweld bod yr efeilliaid wedi dal pwy bynnag oedd yn sbecian drwy'r ffenestri. Gorweddai'r dyn ar ei fol, ei wyneb yn llwch i gyd a'i freichiau wedi eu plygu y tu ôl i'w gefn gan un o'r chwiorydd. Eisteddai'r chwaer arall ar ei goesau, i'w atal rhag codi. Roedden nhw wedi arfer lluchio byrnau gwellt o gwmpas – doedd un dyn fawr o her i'r ddwy ohonyn nhw.

'Plis!' llefodd y dieithryn, 'nid lleidr ydw i! Dwi'n chwilio am Alys!'

'Dyma fi,' datganais, a gyda chryn drafferth, trodd Lech ei ben i'r ochr er mwyn edrych arna i. Agorodd un llygad llychlyd – edrychai fel petai wedi cael cweir am beidio ag ufuddhau i'r chwiorydd.

'Helô, Alys,' meddai. 'Ti'n meddwl allet ti berswadio dy ffrindiau i beidio â phenlinio ar fy asgwrn cefn?' Cafodd ei ollwng yn rhydd a chododd ar ei draed yn araf. 'Diolch am y croeso,' meddai â gwên gam.

'Be ti'n wneud yma?' gofynnais yn syn. 'A sut wnest ti gyrraedd mewn cyn lleied o amser? Rhaid dy fod di wedi gadael cyn y wawr!'

'Oriau mân y bore ydi'r amser gorau i deithio. Llai o draffig. Dwi yma i dy helpu di.'

'Ond rwyt ti i fod yn rhedeg yr ysgol goginio...'

'Mae gen i ddirprwyon, gliniadur a ffôn symudol. Cyn belled â 'mod i'n cael cwpl o oriau o lonydd bob dydd, mi alla i gadw trefn ar bethau yno. Ro'n i'n bwriadu aros dros y penwythnos, ond siaradais efo Charles ar y ffordd yma, a dywedodd ei bod hi'n iawn i mi aros chydig yn hirach. Mae o'n deall y sefyllfa.'

Roeddwn i'n gegrwth. Ar ôl i Lech ddeall fy mod dan straen, neidiodd i'w gar a gyrru cannoedd o filltiroedd dros nos i fy helpu i. Roedd o'n rhedeg elusen, yn gyfrifol am ddegau o staff a chant o fyfyrwyr, a dewisodd frysio i Gymru fel na fyddwn i'n gorfod brwydro ar fy mhen fy hun am ddiwrnod arall. Doedd dim digon o eiriau i gyfleu fy ngwerthfawrogiad yr eiliad honno. Roedd o'n ffrind heb ei ail, a doeddwn i ddim yn haeddu'r fath gefnogaeth. Cuddiais fy wyneb yn fy nwylo a dechrau wylo'n uchel, a theimlais ei freichiau cryf yn fy ngwasgu mewn cwtsh. Gadawodd i mi grio am ychydig eiliadau cyn sibrwd, 'Does dim angen i ti ypsetio. Mae'r gwaethaf drosodd rŵan.'

Roedd fy nhrwyn yn rhedeg ac ro'n i'n igian yn arbennig o ddiurddas. 'D...d...dwi'm yn h...haeddu ti.'

'Alys, dwyt ti ddim yn gweld dy werth dy hun,' meddai'n drist. 'Rwyt ti'n haeddu pob cefnogaeth a phob cyfeillgarwch. Nawr, rho'r gorau i grio. Mae ganddon ni lot i'w wneud cyn agor am ginio... gan gynnwys paned. Mae 'ngheg i'n sych grimp. A fyse cwpl o dabledi lladd poen yn wych hefyd.' Pwyntiodd at ei lygaid, oedd wedi chwyddo.

Tra oeddwn i'n agor y drws cefn, aeth Lech i nôl ei fag o gist y car. Diflannodd yr efeilliaid cyn i mi fedru diolch iddyn nhw am gadw llygad ar y lle. Efallai fod ganddyn nhw gywilydd eu bod wedi neidio ar ben Lech druan yn hytrach na'i holi gyntaf.

Dros baned yn y stafell fwyta, gwrandawodd Lech ar fy nghŵyn, a nodi popeth gyda phwyntiau bwled ar damaid o bapur. Pan oeddwn yng nghanol fy helynt, a'r archebion a'r platiau budron a'r sosbenni'n pentyrru, teimlai fel petai bywyd yn fy llethu, ond ar ôl i Lech ysgrifennu'r cyfan i lawr yn daclus, gwelais mai diffyg amser oedd yr unig beth oedd yn fy atal rhag datrys y rhan fwyaf o'r problemau.

'Mae angen i ti fedru camu allan o'r gegin am ddiwrnod neu ddau a chael trefn ar bethau,' meddai Lech, gan ysgrifennu STWFF I'W WNEUD mewn llythrennau bras ar ddarn arall o bapur. 'Gyda phob parch, Alys, mae'n hurt bost dy fod di wedi ceisio gwneud hyn ar dy ben dy hun. Prif gogydd wyt ti, nid rheolwr bwyty. Dylai rhywun fod wedi trefnu i reolwr profiadol ddod i mewn dros dro i ymgymryd â'r gwaith gweinyddol a gadael i ti ganolbwyntio ar y gegin, lle rwyt ti gryfaf.' Roedd y tinc o wawd yn ei lais wrth iddo ynganu 'rhywun' yn awgrymu'n gryf mai at Duncan roedd o'n cyfeirio. Agorais fy ngheg i egluro bod Duncan yn gwneud yr holl waith o reoli'r bwyty a choginio ei hun, ond cofiais fod ganddo fo frigâd o dri neu bedwar yn gweithio oddi tano, a doedd gen i neb. Efallai fod gan Lech bwynt.

Aeth Lech yn ei flaen. 'Hyd y gwela i, dy unig broblem fawr di ydi staffio. Nawr, ddwedaist ti fod gen ti Sous Chef yn ymuno â'r tîm ymhen chydig wythnosau. Mi alla i aros am wythnos i helpu, a dwi'n meddwl y dylai cael Commis Chef neu Chef de Partie arall wneud y tro – rhywun i wneud y *grunt work* er mwyn dy ryddhau di i ganolbwyntio ar bethau eraill.' Pwniodd fi'n ysgafn ar fy ysgwydd. 'Dreuliaist ti flwyddyn gyfan yn plicio llysiau pan oeddet ti'n gweithio i Charles. Dwyt ti ddim i fod i gymryd cam yn ôl, Alys! Dydi prif gogydd ddim yn wastio'i hamser ar *prep*.'

Gofynnodd pa gamau roedden ni wedi eu cymryd i recriwtio, a chuddiodd wên pan soniais am ein hysbyseb yn y papur newydd leol. 'Does neb yn defnyddio'r papur newydd ar gyfer hysbysebion y dyddiau yma. Oes cyfrifon busnes i'r bwyty ar y cyfryngau cymdeithasol?' Agorodd ei liniadur ac aeth ati i lunio hysbyseb syml ar gyfer swydd dros dro gyda'r posibilrwydd o gytundeb parhaol ar gyfer cogydd brwdfrydig ac egnïol, ac un arall ar gyfer staff gweini rhan amser.

Yna, rhoddodd fi i eistedd o flaen ei liniadur gyda phaned arall a gorchymyn i mi ymuno â chymaint o grwpiau Facebook gwerthu a ffeirio lleol ag y gallwn i, ac i rannu'r hysbyseb ar bob un ohonyn nhw. Wrth i mi gopïo'r hysbysebion a'u rhannu dro ar ôl tro aeth Lech i'r gegin i chwilio am gopi o'r fwydlen a dechrau paratoi'r cynhwysion ar gyfer cinio a swper.

Erbyn i Hannah a Ryan gyrraedd i osod y byrddau roeddwn wedi dechrau derbyn ymatebion i'r hysbyseb. Cafodd Lech y syniad athrylithgar o gynnig rhagor o oriau i Meira, y lanhawraig, a ddeuai i mewn rhwng 8 a 10 bob bore. Cytunodd i ddod yn ôl gyda'r nos yn ystod yr wythnos er mwyn golchi'r llestri a llnau'r lloriau.

Am weddill y diwrnod gweithiais ochr yn ochr â Lech yn y gegin, oedd yn brofiad braf iawn – ro'n i wedi anghofio faint ro'n i'n mwynhau ei *banter* wrth weithio. Aeth pob plât allan ar amser a gorffennon ni cyn hanner nos – y tro cyntaf i ni lwyddo i wneud hynny ar nos Sadwrn ers i Duncan adael. Rhyngddon ni, roedden ni wedi llwyddo i fwydo a golchi llestri chwe deg o bobl. Am y tro cyntaf ers rhai wythnosau, gorffennais yn y gwaith heb deimlo fy mod i wedi ymlâdd. Newidiais y dillad gwely a gadael Lech yn feistr ar y fflat uwch ben y Fleur-de-Lis, ac es innau i dŷ Mam i gysgu. Ffoniais Duncan, yn awyddus i wneud iawn am yr holl achlysuron pan o'n i'n rhy flinedig i siarad. Fodd bynnag, roedd Duncan yn Siapan, lle'r oedd hi'n wyth o'r gloch y bore ac yntau ar gychwyn diwrnod llawn o ffilmio. Ychydig funudau o sgwrs gawson ni – dim ond digon i mi sôn am yr ail grŵp o ymgeiswyr fyddai'n dod draw am gyfweliad swydd yn fuan, ac i roi trosolwg o'r niferoedd a ddaeth drwy'r drysau. Adroddodd Duncan ychydig o'i hanes yntau – roedd y criw wedi cael eu tywys o amgylch rhai o fwytai Tokyo. Dim ond rhyw chwarter awr fyddai'r daith yn y rhaglen orffenedig, ond gorfodwyd nhw i dreulio deuddydd yn ei ffilmio mewn tywydd mor boeth a llaith, bu bron i un o'r ymgeiswyr lewygu. (Nabod y teimlad yn iawn, meddyliais, ond wnes i ddim dweud hynny wrth Duncan.) Erbyn iddyn nhw ddod at yr her goginio oedd yn rhan o'r gystadleuaeth roedd y criw wedi bod ar eu traed am bron i ddeuddeg awr, ac aeth y cyfan yn smonach. (Dwi'n nabod y teimlad hwnnw'n iawn hefyd, meddyliais eto.) Synhwyrais fod Duncan mewn hwyliau gwael – wedi blino ar yr holl deithio, y camerâu yn ei wyneb yn barhaol a'r tywydd poeth a gludiog. Roedden nhw'n hedfan i Wlad Thai y diwrnod canlynol, felly mwy na thebyg y byddai'n anodd iawn i ni siarad dros y ffôn.

'Anfona e-bost,' dywedais wrtho. 'Mae fy ffôn wedi torri – dwi ddim yn gallu teipio negeseuon heblaw ar gyfrifiadur y swyddfa.' Wnes i ddim sôn fod Lech yma, gan y byddai hynny wedi golygu rhoi gwybod iddo fod John yn absennol o'i waith. Teimlwn yn gynyddol anghyfforddus ynglŷn â chelu'r gwir rhagddo, ond mi wnes i addo John y byddwn i'n cadw'n dawel.

Roedd yn rhaid i mi gyfaddef fy mod i wedi dechrau diflasu ar holl gyfrinachau John. Doedd o ddim hyd yn oed wedi egluro i mi pam yr aeth i weld cyfreithiwr, na pham ei fod o mor awyddus i drafod ei fusnes cyn i'w chwaer gyrraedd.

Drannoeth, es i'n ôl i fflat John, gan ddechrau teimlo 'mod i'n treulio mwy o amser yn ei lolfa o na fy lolfa fy hun. Ond roedd gen i weddillion cyrri cyw iâr iddo, a pavlova gyda ffrwythau cymysg. Agorodd y drws i mi, ond safodd yn yr agoriad a sylweddolais nad oedd o am fy ngwahodd i mewn.

'Jest i ti gael gwybod, Al, mae Lyds ar fin cyrraedd. Dwi'n gwybod eich bod wedi cael cyfle i drafod pethau, ond dwi'n meddwl y byse'n well i ti gadw dy bellter, er lles pawb. Mi fydd hi'n *pissed off* go iawn pan sylweddolith hi fod Duncan wedi newid y cloeon ar ddrysau ei hen dŷ a'i bod hi'n styc yma yn cysgu ar fy soffa i am wythnos gyfan.' Gwenodd heb unrhyw hiwmor o gwbl. 'Ew, dwi'n teimlo'n wael heddiw. Ro'n i am fynd am dro bach, ond...' Ysgydwodd ei ben a gwelais ei fod wedi blino'n arw.

'Wyt ti am i mi nôl rhywbeth o'r siop i ti?' gofynnais. Ysgydwodd ei ben eto a dweud y byddai sbarion swper neithiwr yn gwneud y tro yn iawn, gan nad oedd arno fawr o chwant bwyd. Cymerodd y bocs o fy nwylo, agor y caead a'i godi at ei drwyn.

'Nid ti wnaeth goginio hwn, nage?' gofynnodd, yn gwybod yr ateb eisoes.

'Lech wnaeth. Ddaeth o draw ddoe i fy helpu nes y byddwn ni wedi cyflogi cogydd arall i helpu yn y gegin. 'Sdim rhaid i ti boeni am ddim byd rŵan...' Yn rhy hwyr, sylweddolais beth oeddwn i newydd ddweud.

'Na, ti'n iawn Alys, mae fy mhryderon i oll ar ben.'

Agorais fy ngheg i ymddiheuro, ond cyn i mi fedru gwneud hynny roedd o wedi cau'r drws yn fy wyneb.

Roedd John wedi arthio arnaf, wedi fy ngwawdio, wedi chwerthin am fy mhen, ond doedd o erioed wedi troi ei gefn arna i o'r blaen. Curais ar y drws a galw'n uchel,

'John, mae'n ddrwg gen i!'

‘Cer o ’ma, Alys!’ galwodd John, heb agor y drws. Ro’n i’n adnabod John yn ddigon da i wybod nad fy mrawddeg ddi-dact a difeddwl oedd yn gyfrifol am ei oerni sydyn. Roedd o wedi cadw ei gariad a’i ffrind gorau hyd braich rhag ofn iddyn nhw weld pa mor fregus ac ofnus oedd o, a nawr, am yr un rheswm, roedd o wedi penderfynu fy nghau innau allan hefyd.

17

Yn ddiweddarach, daeth dwy ferch ifanc draw am gyfweliad swydd. Cawson nhw dreial yn gweini'r cinio Sul o dan oruchwyliaeth graff Hannah, a ddywedodd ar ddiwedd y gwasanaeth fod y ddwy ohonyn nhw'n hen ddigon 'tebol ac y byddai hi'n berffaith hapus i groesawu'r ddwy i'r tîm. Cynigiwyd a derbyniwyd y swyddi yn y fan a'r lle, a theimlais bwys arall yn codi oddi ar fy ysgwyddau. Byddai Ryan yn medru cymryd ei wyliau heb adael Hannah ar ei phen ei hun ym mlaen y bwyty, ac yn bwysicach, roedd ganddon ni ddigon o staff i weithio dros gyfnodau o salwch neu absenoldebau byr rybudd. Mae'n wir nad oedden ni wedi canfod rhywun mor brofiadol â Catrin, ond dros yr wythnosau blaenorol bu Hannah yn llawer mwy parod i gamu i'r adwy, a dangos mwy o aeddfedrwydd, na Ryan. Ar fympwy, cynigiais ddyrchafiad dros dro iddi: 'arweinydd y tîm gweini' dros gyfnod mamolaeth Catrin, a derbyniodd y swydd gyda balchder amlwg.

Ar ôl cinio cyrhaeddodd dau ymgeisydd i gael eu cyfweld ar gyfer rôl y Commis Chef. Doedd yr ymgeisydd gwrywaidd ddim yn addas – roedd ei ddwylo a'i ddillad yn frwnt ac roedd yn drewi mor ddrwg o fwg canabis a hen chwys fel y bu bron i mi gyfogi wrth ysgwyd ei law. Doedd o ddim yn fodlon datgelu pam y bu iddo golli ei swydd ddiwethaf, a phwysleisiodd na ddylem gysylltu â'i gyn-gyflogwr ond bod ganddo 'ffrind' fyddai'n fodlon rhoi geirda iddo. Diolchais iddo am ddod draw, gan ddweud y bydden ni'n cysylltu â fo'n fuan. Ar ôl iddo adael, rhoddais ei ffurflen gais yn y bin.

Lynne oedd enw'r ail ymgeisydd. Dynes yn ei chwedegau oedd hi, mam i ddau o blant oedd wedi tyfu a gadael y nyth. Eglurodd sut y bu iddi adael ei gyrfa sawl blwyddyn yn ôl i ofalu am ei gŵr ar ôl iddo dderbyn diagnosis o glefyd Motor Neurone. Bu farw y llynedd.

'Alla i ddim mynd yn ôl i fy hen swydd, ond dwi'n ffed yp o fod adref drwy'r dydd,' meddai. 'Rhoddais gynnig ar wirfoddoli mewn siop elusen, ond dwi erioed wedi bod â fawr o ddiddordeb mewn dillad. Fues i'n *dinner lady* yn ysgol y plant pan oedden nhw'n ifanc – er bod hynny ugain mlynedd yn ôl, cofia – ond meddyliais nad oedd gen i ddim i'w golli trwy ymgeisio am y swydd yma.' Roedd hi'n drefnus ac yn daclus wrth ei gwaith, ac er nad oedd ganddi hithau eirda cyfredol, roedd Lech a finnau'n cytuno ei bod hi'n haeddu cyfle. Dywedodd Lech y byddai'n aros yn y Fleur-de-Lis nes y byddai Lynne yn gallu dechrau'r dydd Mawrth canlynol, ond y byddai'n gorfod mynd yn ôl i Lundain ar ôl hynny.

'Lech,' dywedais, yn llawn rhyddhad a mymryn yn ddagreuol, 'fedra i ddim dweud faint dwi'n gwerthfawrogi popeth rwyt ti wedi'i wneud i mi. Hebddat ti, fyddwn i wedi gorfod cau'r bwyty.'

'Y cwbl wnes i oedd gweithio cwpwl o shifts yn y gegin a dangos i ti sut i recriwtio dros Facebook,' atebodd yn ei ffordd ddiymhongar ei hun. 'Y cwbl oedd ei angen arnat ti oedd rhywun i ddelio â'r gwaith caib a rhaw a chario rhan o'r baich am ddiwrnod neu ddau. Dim ond hyn a hyn o oriau sydd mewn diwrnod, ac roeddet ti'n gwneud gwaith rheolwr, Prif Gogydd, Sous Chef, Chef de Partie a golchwr llestri ar dy ben dy hun. Paid ti â meiddio dweud 'mod i wedi dy "achub". Wnes i ddim byd o'r fath.'

'Wn i ddim am hynny... ond mi fydda i'n fythol diolchgar i ti beth bynnag.'

Roeddwn i'n gwybod nad oedd Lech yn disgwyl i mi ad-dalu ei garedigrwydd, fodd bynnag, teimlwn yn lletchwith na allwn i wneud unrhyw beth i ddangos pa mor ddiolchgar oeddwn i.

Treuliais ychydig dros flwyddyn yn gweithio ym mwyty Donoghue's yn Llundain, ond mynd yno i osgoi Duncan a Lydia wnes i yn hytrach na bod gen i unrhyw awydd i ddringo'r ysgol yrfa. Fydden i byth wedi bod yn gyfforddus nac yn awyddus i aros yno yn y tymor hir. Cyfeillgarwch Lech oedd yr unig beth a'm helpodd i oddef y profiad o weithio yn y brifddinas, a phan ges i fy ngwahodd (am resymau amheus ac annheg) i gystadlu ar gyfres newydd o *The Best of British Banquet*, ei gymorth a'i feirniadaeth o oedd yr unig beth a safodd rhyngof i ac embaras llwyr. Ac yna, ar ôl fy nghlywed yn crio ar y ffôn o ganlyniad i flinder a rhwystredigaeth, neidiodd yn ei gar a gyrru'r holl ffordd i Gymru er mwyn fy helpu. Er ei fod yn gwadu hynny, y gwir oedd ei fod o wedi fy achub rhag sefyllfa oedd ar fin fy llethu, fwy nag unwaith. Roedd o'n arwr.

Ar ddiwedd y noson aethon ni fyny'r grisiau, gan fynd â chwpl o boteli o gwrw o'r tu ôl i'r bar i ddathlu fod pethau'n ôl ar y trywydd iawn. Plygodd Lech ei ben wrth gamu i'r gegin/lolfa.

'Rhaid i mi ddweud, Alys, mae'r lle yma fel Tardis ffordd chwith. O'r tu allan mae'r adeilad yn edrych yn enfawr – mae'r llawr isaf yn iawn, ond y munud rwyt ti'n dringo'r grisiau mae'r llawr uchaf 'ma'n teimlo mor clawstroffobig.'

'Ydi. Y nenfydau isel ydi'r broblem. Adeiladwyd y ffermdy gwreiddiol dros ganrif yn ôl pan oedd pobl, yn gyffredinol, yn fyrrach nag y maen nhw heddiw. A dydi'r ffenestri bychain ddim yn helpu llawer, chwaith. 'Dyn ni ond yn byw yma achos mai dyma'r opsiwn rhataf...'

Stopiais siarad pan glywais sŵn injan car y tu allan i'r ffenest. Roedd Range Rover du sgleiniog wedi parcio o flaen y drws ffrynt. Ochneidiais a throi am y grisiau.

'Fydda i'n ôl mewn eiliad,' eglurais. Edrychodd Lech i lawr ar y car a chwibanu'n uchel.

'Car neis. Car drud,' meddai.

'Ydi,' atebais yn chwerw. 'Deng mil ar hugain, i fod yn fanwl gywir.'

Pan agorais y drws roedd Lydia yn sefyll o 'mlaen i, yn gwisgo sbectol haul er ei bod hi'n agosáu at ddeg yr hwyr, a dillad ffasiynol y gallwn weld eu bod yn rai drud. Syrthiai ei gwallt yn ddwy len o ddüwch llyfn o gwmpas ei hwyneb, ac roedd hi wedi amlygu ei llygaid gyda phensil du fel eu bod nhw'n ymdebygu i lygaid cath. Yn syth, cefais y teimlad fod ei hagwedd wedi newid – bu'n gwrtais ac yn gyfeillgar yn ei gweithle yn yr Alban, ond rŵan ei bod hi yn ôl yng Nghymru byddai'n rhaid i mi droedio'n ofalus iawn.

'Alys,' meddai, yn gwrtais ond yn amlwg ddiamynedd. 'Dwi newydd fod yn y tŷ yn Heritage Square, ac mae rhywun wedi newid y cloeon.' Daliai allwedd y tŷ rhwng ei bys a'i bawd. 'Tydi hwn yn dda i ddim, a tydw i ddim yn gwerthfawrogi cael fy nghloi allan o f'eiddo fy hun.'

Bu'n rhaid i mi lyncu'n galed cyn ei hateb, a chefais eiliad i feddwl am gyfiawnhad.

'Duncan newidiodd y cloeon, am fod rhywun wedi ceisio torri i mewn i'r tŷ un noson. Galwodd cymydog yr heddlu cyn iddyn nhw lwyddo, ond penderfynodd Duncan bryd hynny mai gwagio'r tŷ a newid y cloeon fyddai orau.' Celwydd noeth, ac roedd Lydia'n gwybod hynny'n iawn. Pan wrthododd hi ystyried rhoi'r tŷ ar y farchnad am bris rhesymol, ymateb Duncan oedd ei chloi hi allan a mynd â'r holl ddodrefn i'r ocsiwn lleol. Cafodd y nesa peth i ddim am y dodrefn, ond teimlai fel petai wedi cael buddugoliaeth fechan. I mi, byddai wedi gwneud mwy o synnwyr o lawer i ni'n dau symud i'r tŷ i fyw, ond doedd Duncan ddim yn gyfforddus yn gwneud hynny.

'A dwi'n cymryd nad wyt ti'n gwybod ble mae Duncan yn cadw'r allwedd newydd?' gofynnodd yn ddiamynedd.

'Dim syniad,' atebais, ac roedd hynny, o leiaf, yn wir. Caeodd llaw Lydia'n ddwrn am yr hen allwedd.

'Mi fydda i mewn sach gysgu ar soffa John, felly,' meddai gyda gwên fach ryfedd. 'Gofynna i Duncan y tro nesa y byddi di'n siarad efo fo, wnei di?' Trodd Lydia ar ei sawdl a dringo'n ôl i'w char, a gyrru o'r maes parcio gyda'r teiars yn sgrialu.

Chwarddodd Lech pan glywodd yr hanes. 'Waw, mae hynny'n *next level passive aggressive*,' meddai. 'Tŷ efo pum stafell wely yn un o ardaloedd prydferthaf Prydain. Mae hi'n gwrthod gwerthu am bris rhesymol, felly mae o'n gwagio'r tŷ ac yn ei chloi hi allan. A thrwy'r cyfan maen nhw'n dal i dalu'r morgais a'r dreth cyngor, a'r tŷ'n wag.'

Ro'n i'n cytuno â fo. Roedd yn hen bryd i Duncan eistedd i lawr gyda Lydia (neu ei chyfreithiwr, o leia) a chael sgwrs aeddfed am ddyfodol y tŷ yn Heritage Square. Petai hi'n fodlon gostwng y pris, byddai'r tŷ yn gwerthu'n syth.

Tra o'n i yn y stafell molchi yn tynnu fy siaced wen ac ymolchi fy wyneb, dechreuodd Lech gynhesu gweddillion cinio Sul y bwyty yn y microdon.

'Iechyd da!' meddai, gan ddal ei botel gwrw yn uchel yn yr awyr. 'Yn enwedig i John.' Gwagiodd y botel yn rhy sydyn o lawer, ond wnes i ddim yfed un arall am fy mod i'n gorfod gyrru i dŷ Mam yn nes ymlaen.

Yn ddiweddarach, daliais Lech yn syllu'n feirniadol ar ei adlewyrchiad yn y drych ar y wal, yn gwgu ac yn tynnu ar flew ei aeliau gyda'i fysedd.

'Wnes i fethu fy apwyntiad cwyro,' meddai, yn dal i ffaffian.

'Ti'n cwyro dy aeliau?' gofynnais yn anghrediniol.

'Ydw. A fy ysgwyddau hefyd. Dwi ddim wedi mynd mor bell â *back, sack and crack*, ond mae'n rhaid i mi gadw at fy apwyntiad misol er mwyn cadw'r *monobrow* draw.'

'Croeso i ti fenthyg fy mhlyciwr i,' cynigiais, gan ei nôl o'r stafell molchi. 'Gei di ei gadw – does gen i ddim amynedd plycio fy aeliau, a dwi'n diolch fod rhai trwchus yn ffasiynol!'

Trodd Lech ei ben i edrych arna i dros ei ysgwydd lydan. 'Mae'n iawn i ti, Alys,' meddai, 'ti'n un o'r bobl brin hynny sy'n medru gadael y tŷ heb smic o golur ac rwyt ti'n dal i edrych yn anhygoel.'

'Paid â siarad lol,' atebais, gan deimlo fy hun yn dechrau gwrido.

'Wir yr. Fyset ti'n medru cerddded i mewn i basiant

harddwch yn dy ddillad gwaith, wedi eillio dy ben, a fyset ti'n dal i hoelio sylw pawb.'

'Ti'n siŵr am hynny?' gofynnais, gan ddangos llun iddo ohona i a Duncan yng Ngŵyl Fwyd y Fenni, pan oeddwn i'n torri fy ngwallt yn fyr iawn. Erbyn hyn ro'n i'n ystyried fy nghyfnod *short hair, don't care* yn gamgymeriad, ac wrth edrych yn ôl gallwn ddeall pam fy mod i wedi cael fy nghamgymryd am fy mrawd drwy gydol fy ugeiniau cynnar.

'Mae gwallt byr yn dy siwtio ti,' anghytunodd Lech. 'Mae gen ti esgyrn da, ond mae'n rhaid i mi dreulio oriau yn y gampfa i gadw'r bloneg draw a chwyro fy hun fel nad ydw i'n edrych fel *sasquatch*, heb sôn am y driniaeth wrth-ffyngaidd ar fy nhraed...'

'Ych! Oedd raid i ti rannu'r ddelwedd olaf 'na?' chwarddais. 'Ty'd yma.' Gafaelais yn y plyciwr blew fel petai'n grafanc cranc. 'Dwi'n tacluso aeliau Duncan bob hyn a hyn.' Caeodd Lech ei lygaid a throi ei ben at olau'r ffenest yn ufudd. 'Fo sydd piau'r hufen *anti-ageing* yn y stafell molchi, gyda llaw. Dwi'n meddwl bod dynion yn fwy ansicr o sut maen nhw'n edrych na ni ferched... ond maen nhw'n well am guddio hynny!'

Gwichiodd Lech wrth i mi dynnu'r blew cyntaf. Gweithiais yn gyflym, gan ddal ei groen yn dynn gyda fy mawd i hwyluso'r gwaith. Ychydig iawn o flew tywyll oedd yno mewn gwirionedd, a munud gymerodd hi i mi dwtio'r croen rhwng ei aeliau.

'Dyna ti,' dywedais, gan chwythu'n ysgafn i gael gwared ar y blew rhydd, a rhwbio'r smotyn rhwng ei aeliau gyda fy mawd. Agorodd Lech ei lygaid, a gan mai ond modfeddi oedd rhyngon ni, ro'n i'n syllu'n syth i'w dyfnderoedd tywyll.

Daeth arogl ei bersawr i'm ffroenau, arogl mor wahanol i bersawr asidig a glân Duncan: un mor ffres â gwynt oer a'r llall yn dywyll, yn gynnes a sbeislyd ac yn fy atgoffa o addewid a themtasiwn clwb nos.

Roeddwn i'n rhy agos ato, mor agos fel y gallwn flasu ei anadl. Daeth atgof yn ôl i mi o'n cusan gyntaf, a thynerwch ac ysgafnder ei wefusau. Herciais yn ôl fel petawn i wedi cael sioc drydanol, a throdd Lech ei ben i edrych ar ei adlewyrchiad yng ngwydr y ffenest.

'Perffaith. Diolch i ti.' Cododd i nôl potel arall o gwrw o'r bocs ar ben y cownter.

'Wyt ti awydd un arall?' gofynnodd.

'Na, fyse'n well i mi fynd adref. Dwi ddim eisiau yfed a gyrru.'

'Mae gen innau dipyn o waith gweinyddol i'w wneud bore fory,' meddai.

'Wna i adael llonydd i ti felly. Mae Mam yn dod adref fory... mi fydda i angen rhoi trefn ar y tŷ.' Troais i adael, ond oedais ar dop y grisiau. 'Os fyse'n well gen ti fynd yn ôl i Lundain yn gynnar...'

Nodiodd ei ben, ond yna, pan o'n i hanner ffordd i lawr y grisiau, galwodd ar fy ôl i. 'Wyt ti am i mi fynd yn ôl i Lundain, Alys?'

Rhewais yn fy unfan. Pan na roddais ymateb, galwodd Lech o dop y grisiau, 'Eiliad yn ôl wnest ti feddwl am fy nghusanu fi, yn do?'

Er bod fy nghoesau'n wan, llwyddais i ddringo'n ôl i'r llawr uchaf er mwyn wynebu Lech.

'Fyset ti'n meddwl 'mod i'n berson ofnadwy petawn i'n dweud fy mod i?'

'Na. Achos ro'n innau'n meddwl am wneud yr un peth. Dy gusanu di, hynny yw.' Gwenodd arna i, ond wnes i ddim gwenu'n ôl. Arhosodd Lech ym mhen draw'r ystafell, gan godi potel gwrw at ei geg a llowcio hanner ei chynnwys.

'Oeddet ti'n gwybod bod John wedi galw yma ddoe i 'ngweld i?' Dechreuodd ddynwared John, gan wneud acen Albanaidd go lew. ' "Pa fath o gêm wyt ti'n ei chwarae, Lech? Trio dwyn Alys oddi wrth Duncan? Pam arall fyddet ti'n dod yma, heblaw dy fod di'n dal mewn cariad gyda hi?" '

'A be ddwedaist ti?' gofynnais, yn ymwybodol o guriad fy nghalon a rhyw gryndod annifyr yn fy mol.

'Ddywedais i wrtho 'mod i yma fel ffrind, ffrind sydd â'r profiad i dy gael di ar ben ffordd.'

'Ond eiliad yn ôl ddwedaist ti...'

'Fy mod i wedi ystyried dy gusanu di. Ond wnes i ddim, naddo? A wnest ti ddim trio dim byd chwaith, achos mae'r ddau ohonon ni'n gwybod na fyddai unrhyw dda yn dod o eiliad o wendid. Gwranda, dwyt ti ddim wedi rhannu gwely gyda Duncan ers wythnosau lawer, ac mae hi wedi bod yn sbel go lew ers i mi... Rydyn ni wedi cysgu gyda'n gilydd o'r blaen. Mae'n naturiol, yn anochel, fod ein meddyliau'n mynd i grwydro'r ffordd honno o bryd i'w gilydd. Ond mae gen ti gariad, a byddai'n anfaddeuol petawn i wedi cymryd mantais arnat ti, a tithau dan straen ac yn teimlo'n fregus.' Edrychodd ar ei draed yn swil. 'Mewn rhyw fydysawd arall, petai ein perthynas wedi medru datblygu'n ara deg, petawn i heb fynd i Warsaw, taset ti ddim yn caru Duncan... ti'n deall be dwi'n ddweud? Ti yw fy enaid hoff cytûn, Alys, ond mae'r bydysawd yn dweud nad ydyn ni i fod efo'n gilydd. Dwi ddim am dy frifo di na neb arall. Yma fel ffrind ydw i, a dim byd mwy.'

'Dwi'n hynod lwcus i gael ffrind fel ti,' atebais, yn llawn rhyddhad.

'Cyn belled â bod Duncan yn deall hynny,' meddai Lech. 'Dwi'n gwybod y bydda i wedi hen fynd adref erbyn iddo orffen ei daith ffilmio, ond mae John yn amlwg yn meddwl mai yma i wneud drygioni ydw i, a tydw i ddim yn hoffi meddwl amdano fo'n cario clecs i Duncan.'

'Ddywedith John ddim byd. Dwi ddim yn meddwl ei fod o'n cysylltu rhyw lawer gyda Duncan ar hyn o bryd. Tydi o ddim yn fodlon dweud wrtho ei fod o'n dioddef o ganser, hyd yn oed, tra mae Duncan yn methu dod adref. Ond unwaith y bydd Duncan adref mi wna i'n siŵr ei fod o'n gwybod am – ac yn gwerthfawrogi – dy gefnogaeth di. Mi fydd o'n gweld mai cadw'r busnes ar agor oedd yr unig reswm y dest ti yma.'

'Gobeithio wir.'

Y noson honno, pan oeddwn yn gorwedd yn fy ngwely ac yn methu cysgu, dywedais weddi fach o ddiolch fod Lech a finnau wedi medru trafod ein teimladau fel oedolion. Roedd Lech yn iawn – roedd o wedi camu'n ôl i fy mywyd pan oeddwn i'n hynod fregus, yn boddi dan lwyth gwaith, yn llesg, yn unig ac yn hiraethu am agosatrwydd corfforol ac emosiynol. Byddai wedi bod yn hawdd iawn i mi awchu amdano... wedi'r cyfan, roedd o wedi gweithio'n galed i droi ei hun yn dipyn o bishyn.

Mewn ffordd od ro'n i'n falch i mi brofi'r dyhead i gusanu Lech. Hwn oedd y tro cyntaf i mi gael fy nhemtio i dwyllo, a wnes i ddim ildio. Yn fwy na hynny, mi es i i'r afael â fy nheimladau dyrys yn hytrach na rhedeg i ffwrdd a chuddio, fel dwi wedi'i wneud droeon o'r blaen. O hyn allan gallwn ddweud a'm llaw ar fy nghalon fy mod i'n ffyddlon i Duncan, a doedd ganddo ddim rheswm, dim rheswm o gwbl, i fod yn genfigennus o Lech.

18

Deffrais yn y tywyllwch, ac am eiliad meddyliais fod llygoden yn rhedeg o gwmpas yr atig uwch fy mhen. Cymerodd ychydig eiliadau i mi ddadebru digon i sylweddoli mai oddi tanaf roedd y sŵn crafu, ac nad traed bach oedd yn gyfrifol am y sŵn ond allwedd yn crafu clo'r drws.

'Pwy sy 'na?' galwais mewn llais crynedig. Am eiliad meddyliais mai Duncan oedd yno, wedi dod adref yn gynnar. Ond na, byddai Duncan wedi mynd i'r Fleur-de-Lis gyntaf cyn fy ffonio er mwyn cael gwybod pam roedd fy nghyn-gariad yn cysgu yn ei wely o.

Roedd y sŵn wrth y drws ffrynt felly codais a sleifio i lawr y grisiau gyda sliper yn fy llaw – arf eitha di-werth yn erbyn popeth heblaw'r cathod. Rhoddais pob swits golau ymlaen a chyfnewid y sliper am ffôn y tŷ, yn barod i ffonio'r heddlu petai rhaid.

'Diolch byth!' Agorodd y drws a disgynnodd Mam drwyddo ymhlith mynydd o fagiau. 'Wnest ti ddim meddwl gadael y drws ar agor i mi, pwt? Neu hyd yn oed adael golau'r portsh ymlaen, i mi gael gweld twll y clo?'

''Dych chi ddim i fod i gyrraedd tan hanner dydd fory!' ebychais, gan edrych ar y calendar ger y drws ffrynt. '12AM sydd ar hwn.'

'AM ydi'r bore, y twpsyn,' meddai'n gariadus, gan gamu dros yr holl fagiau er mwyn fy nghofleidio'n dynn. 'PM ydi amser cinio.'

'Pam na wnaethoch chi sgwennu "hanner nos" fel unrhyw

berson synhwyrol?' gofynnais, gan ei gwasgu hi'n ôl a'i chusanu ar ei boch.

'Wwww, dwi wedi dy fethu di gymaint!' meddai, gan fwytho fy ngwallt. Camodd yn ôl a dal fy ysgwyddau yn ei dwylo. 'Wel, am unwaith mae'n dda gen i weld dy fod wedi bod yn bwyta'n iawn! Ond dwi'n siŵr dy fod wedi bod yn gweithio'n rhy galed o lawer, fel arfer. Mae golwg 'di blino arnat ti.'

'Ac arnoch chi hefyd, ond mae hi yn ganol nos. A' i i roi'r tegell ymlaen.'

'Na, does dim angen. Dwi wedi ymlâdd ar ôl y daith o'r maes awyr, ac am fynd yn syth i'r gwely. Gei di'r hanes gen i fory – a dwi'n edrych ymlaen i glywed am bopeth sydd wedi digwydd yma, 'nghariad i.'

Cysgais tan naw o'r gloch y bore wedyn, gan fwynhau diogi yn hytrach na gorfod mynd yn syth i'r bwyty. Roedd Mam yn paratoi brecwast i ni, ac eisoes wedi gosod ei gliniadur ar y bwrdd bwyd er mwyn rhedeg lluniau o'i gwyliau ar ddolen barhaus. Dros frecwast cefais hanes ei thaith – nosweithiau coctels, bwffes rhyngwladol, teithiau i ynysoedd prydferth a threfi glan-môr, gwylio'r haul yn machlud o'r twba twym ac yfed Buck's Fizz ar ei balconi preifat bob bore. Roedd yn rhaid i mi gyfaddef fy mod i'n genfigennus ohoni, yn enwedig ar ôl straen yr wythnosau diwethaf. Ond allwn i ddim cwyno, achos fy newis i oedd aros yma a rhedeg y bwyty.

'Sut mae pethau wedi bod efo ti? Wnest ti ddim ffonio, felly dwi'n cymryd bod pethau wedi bod yn dawel.'

'Dim cweit...' Chwarter awr yn ddiweddarach ro'n i'n dal i siarad, ac roedd paned Mam wedi oeri o'i blaen.

'Gad i mi weld os dwi'n deall hyn yn iawn: mae Lydia a John yn perthyn ac wedi celu hynny rhag pawb. Mae gan John ganser ac yn cael llawdriniaeth mewn llai nag wythnos, ond dydi o ddim wedi dweud wrth Duncan, a dydi Duncan ddim yn gwybod chwaith fod ei gyn-wraig yn ôl yn y pentref. Ac mae Lech yma hefyd, yn byw uwchben y bwyty ac yn dy helpu di i redeg y lle, ac unwaith eto, tydi Duncan ddim yn gwybod.'

'Cywir. Dwi wedi ceisio perswadio John i ddweud wrtho, ond mae o'n gyndyn o wneud ac yn anfodlon trafod pam, ac mi wyddoch chi pa mor styfnig ydi o.'

'Wel, mi wnaiff John ddifaru, a bydd Duncan yn torri ei galon.' Cymerodd Mam lymaid o'i choffi a chrychu ei gwefusau. 'Ac mae'n rhaid i mi ddweud, Alys – a tydi hyn ddim yn adlewyrchiad o dy allu di o gwbl – ond dwi'n meddwl fod John yn hollol hunanol wrth ddisgwyl i ti gelu'r gwir rhag Duncan. Yn un peth, tydi cyfrinachau rhwng cariadon byth yn syniad da. Ac yn ail, mae John wedi cymryd amser i ffwrdd o'r gwaith gan roi'r holl gyfrifoldeb ar dy ysgwyddau di. Os dwi'n cofio'n iawn, wnest ti gytuno i redeg y Fleur-de-Lis ar yr amod dy fod yn cael cefnogaeth John. Dwi'n deall ei fod o'n sâl, ond petai o ddim mewn sefyllfa i dy helpu di, ddylai o fod wedi gadael i ti gysylltu â Duncan i ofyn am gyngor ac arweiniad. Mae John a Duncan wedi gweithio yn y maes arlwyo am ugain mlynedd, a tithau am lai na phump. Doedd o ddim yn deg i ddisgwyl i ti ymdopi ar dy ben dy hun.'

Ar ôl wythnosau o deimlo'n anobeithiol, o deimlo'n ddiffygiol ac yn isel gan nad oedd fy ymdrechion gorau dim yn ddigon, roedd clywed barn Mam a Lech yn rhyddhad mawr i mi. Ro'n i'n dechrau sylweddoli fy mod yn ffôl – neu'n naïf, o leia – yn meddwl y byddwn i'n medru ymdopi â rhedeg y busnes ar ben fy hun. Doedd Lech ddim yn bell ohoni pan ddwedodd fod fy meddylfryd yn debyg i un Boxer o *Animal Farm*, ac er 'mod i'n ymwybodol nad oedd o'n bwriadu fy sarhau, roedd y gymhariaeth yn un addas tu hwnt. Troais fy mhen i gyfeiriad y ffenest i guddio'r dagrau o hunandosturi a lanwodd fy llygaid, ond roedd Mam yn f'adnabod yn rhy dda.

'Cariad, nid dy feirniadu di oedd fy mwriad i. Mi wnest ti dy orau glas, ond dwi'n gallu dweud fod gen ti fwy na llond dy blât. Mae golwg flinedig arnat ti. Ty'd â chwtsh i mi...'

Ond crio wnes i, crio dagrau o flinder yn hytrach na dim arall, a dwi'n meddwl bod Mam yn deall hynny achos wnaeth hi ddim siarad, dim ond gadael i mi feichio crio ar ei hysgwydd nes i'r poen y tu mewn i mi bylu. Ro'n i wedi crio mwy yn ystod y mis diwethaf nag ar unrhyw adeg arall yn fy mywyd.

'Ddylwn i ddim crio,' llefais, gan gymryd yr hances bapur gynigiodd hi i mi. 'Mae John yn wynebu llawdriniaeth a thriniaeth canser, mae Duncan at ei glustiau mewn dyled... bach iawn ydi fy mhroblemau i mewn cymhariaeth.'

'Ddylet ti ddim cymharu dy hun â phobl eraill,' meddai Mam yn ei llais prifathrawes. Eisteddodd wrth y bwrdd, gan fy nhynnu i eistedd gyferbyn â hi. 'Dwi'n meddwl fod pob menyw dwi'n ei hadnabod yn euog o'r un peth – mae ganddon ni ryddid i weithio neu i aros gartref, neu i wneud y ddau beth, ond rhywsut mae'r rhyddid hwnnw wedi datblygu'n ddisgwyliad y byddwn ni yn gwneud y ddau. Mae disgwyl i fenywod wneud popeth – rhedeg tŷ, ennill cyflog, magu plant a chael bywyd cymdeithasol o ryw fath ar ben hynny! Mae cymdeithas wedi'n cyflyru ni i ystyried amldasgio a phrysurdeb beunyddiol yn bethau cadarnhaol. Ond mae'n rhaid i ni ddechrau gwrando ar ein cyrff a thalu rhagor o sylw i'n hiechyd meddwl. Mi wn i 'mod i wedi bod yn esiampl wael i ti dros y blynyddoedd, yn gweithio pob awr o'r dydd a'r nos.' Plygodd dros y bwrdd, gan afael yn fy nwy law. 'Wyddost ti pam es i ar y fordaith? Am i'r doctor ddweud y byddwn i'n gwneud fy hun yn sâl petawn i'n parhau fel yr oeddwn i. Mae'n rhaid i mi arafu a dechrau meddwl am ymddeol. Dwi'n dal i deimlo'n euog bob tro y bydda i'n gyrru ymddiheuriad i gyfarfod, neu fethu gwirfoddoli efo'r capel, neu wrthod teithio i Gaer i warchod er mwyn i Lee a Dana gael noson allan. Ond ddylwn i ddim teimlo'n euog am ddweud "na", a ddylet tithe ddim chwaith. Mae'n rhaid i ni ddechrau dweud pan fyddwn ni angen help.'

Roedd fy nagrau wedi sychu erbyn hyn. Teimlwn yn well ar glywed bod Mam, y ddynes anorchfygol, gryfaf i mi ei hadnabod, weithiau'n teimlo fel petai bywyd yn ei gorchfygu hithau hefyd.

Cododd Mam er mwyn rhoi cwtsh nerthol i mi. 'Wyddost

ti be, Alys? Dwi'n meddwl y dylen ni fwcio gwyliau, jest ni'n dwy. Hanner tymor yr Hydref – ti a fi ar draeth yn ymlacio. Geith Duncan redeg ei fusnes ar ei ben ei hun – dwi'n meddwl y bydd o'n gwerthfawrogi'r holl waith rwyt ti'n ei wneud ar ei ran o dipyn bach yn fwy erbyn i ni ddod yn ein holau.'

'Syniad da. Diolch, Mam. Dwi'n teimlo'n gymaint gwell rŵan. Dwi am fynd i gael cawod.'

'Dos i gael bàth,' mynnodd. 'Ymlacia. Gwna'r mwyaf o dy ddiwrnod i ffwrdd. A phan ddoi di'n ôl i lawr, bydd swp o bresantau'n disgwyl amdanat ti!'

19

Cyn agor y pentwr o anrhegion a brynodd Mam i mi yn ystod ei mordaith, mynnais gerdded i fflat John er mwyn gweld sut hwyliau oedd arno fo, a galw yn y Fleur-de-Lis ar fy ffordd yn ôl.

'Ddo' i efo ti os lici di,' meddai Mam. 'Wna i bicied i'r siop i brynu llefrith a bara tra wyt ti'n ymweld â John.'

Llanwodd Mam y peiriant golchi gyda rhai o'r dillad budron a ddaeth allan o'i siwtces a rhoi cafftan lliwgar dros ei chrys. Edrychai fel glöyn byw anferthol gyda ffabrig ysgafn ei gwisg yn siffrwd yn yr awel.

Gan ei bod yn fore mor braf yn niwedd Awst mi gerddon ni i Santes-Fair-tanrallt ar hyd y llwybr cyhoeddus a redai heibio tŷ Mam ac ar draws caeau Tan y Bryn, gan gadw pellter parchus rhyngddon ni ac Esmor, Clwyd a Llew, y teirw, nes i ni gyrraedd y glwyd ger y gofeb ryfel.

Yn y pentref, aeth Mam i gyfeiriad y siop a cherddais innau draw i fflat John, oedd uwchben siop y fferyllydd. Doedd dim golwg o gar Lydia, a chroesais fy mysedd na fyddai hi yno. Cnociais ar ddrws y fflat a disgwyl.

'John?' galwais. 'Alys sy 'ma.'

O'r tu ôl i'r drws clywais sodlau miniog yn tap-tap-tapio ar y grisiau pren, a gwyddwn yn syth mai Lydia fyddai'n fy nghyfarch.

'Tydi John ddim am dy weld di,' meddai gyda gwên nawddoglyd. Nid 'mae o'n teimlo'n rhy wael' na'i fod o am gael llonydd nac yn brysur, dim ond 'ddim am fy ngweld i'. A finnau wedi treulio'r wythnosau diwethaf yn ei yrru i'r ysbyty ac yn ôl, yn ei fwydo ac yn siopa ar ei ran o pan oedd o'n rhy wael i wneud hynny drosto'i hun! Gorfodais fy hun i gymryd anadl ddofn ac atgoffa fy hun nad o enau John ei hun y daeth y geiriau, a'i bod yn bosib fod Lydia'n chwarae ei hen driciau ystrywgar unwaith eto.

'Dim problem. Ddo' i'n ôl fory,' atebais, gan wneud fy ngorau glas i swnio'n siriol. Wrth i mi gerdded yn ôl i gyfeiriad siop y pentref tynnais fy ffôn o fy mhoced ac anfon neges i John:

Haia J. Lydia webi beub nab wt ti ar gael. Gobeithio ti ddim yn ofnadwy o wael? Cofia, bwi yma i helpu, hyb yn oeb os mai bim ond cyfle i fwrw by fol neu bwd o hufen iâ sydd angen arnat ti. Poeni amdanat ti ac yn gobeithio tin cadwn iawn. Al xxx

Cymerais fag siopa o law Mam a dechreuon ni gerdded am adref. Wrth fynd heibio'r Fleur-de-Lis mi ddaethon ni ar draws Catrin, oedd yn gwthio Martha mewn pram. Roedd llaeth (neu boer llaethog) wedi sychu ar ei hysgwydd, ac roedd ei gwallt mor seimllyd, edrychai fel petai wedi bod yn nofio mewn olew siop tships. Roedd bag newid clwt yn hongian ar handlen y pram, a sach deithio arall ar ei chefn, ac roedd gwaelod y goets yn llawn teganau a dillad a hetiau haul a photeli o bob math. Doedd dim syndod ei bod hi wedi penderfynu prynu Vauxhall Zafira mawr yn lle'r Citroen C1 bach yr arferai ei yrru.

Ceisiodd wenu arnon ni, ond gwelais banig llwyr yn ei llygaid.

'Sori, fedra i ddim stopio,' meddai'n frysiog. 'Os dwi'n stopio mae *hi*...' amneidiodd tuag at y bwndel pinc a gwyn yn y pram, '...yn dechrau crio.'

'Wnawn ni gerdded i'r un cyfeiriad â ti,' meddai Mam. 'Mae golwg wedi blino arnat ti, pwt.' Roedd y cydymdeimlad yn llais Mam yn ddigon i gymell y dagrau.

'Dwi'n teimlo'n euog 'mod i'n crio, achos mae hi'n gorjys ac yn werth yr holl drafferth a dwi'n ei charu hi'n fwy na dim yn y byd... ond dwi ddim wedi cysgu mwy na dwy neu dair awr ar y tro ers iddi gael ei geni. Mae gen i ofn dweud ei henw hi achos os ydi hi'n deffro fydd hi'n crio eto, a wneith hi ddim stopio! Dwi 'di trio popeth dan haul, ond mae hi mor blydi *clingy*, a fedra i ddim stopio symud na'i rhoi hi i lawr am eiliad. Fedra i ddim gwneud y gwaith tŷ, achos os nad ydi hi mewn sling ar fy mron mae hi'n dechrau sgrechian. Wnes i drio'i rhoi hi i lawr am bum munud i gael cawod y bore 'ma ond roedd sŵn ei chrio'n ddigon i 'ngyrru fi'n wyllt...'

Ysgydwodd Catrin ei phen, a gwyliais ddeigryn mawr yn rhedeg i lawr ei boch. Er nad oedd fawr ddim ymarferol y gallwn ei wneud i'w helpu hi, dechreuais deimlo'n euog am beidio gwneud amser i siarad gyda hi, a gweld sut roedd hi'n ymdopi. Roedd ei rhieni wedi symud o'r ardal, eglurodd, felly doedden nhw ddim yn medru picio draw mor aml â hynny i'w helpu; doedd mam Jake ddim yn arbennig o gefnogol ac yn barod iawn ei beirniadaeth, ac roedd Jake ei hun yn ddifeddwl ar brydiau.

'Dwi 'di bod yn trio trefnu bedydd Martha,' igiodd Catrin yn druenus. 'Ddaeth o adre ddoe a gofyn beth o'n i wedi bod yn wneud drwy'r dydd, achos do'n i ddim wedi cael cyfle i dy ffonio di, Alys, i fwcio'r bwyty na gyrru'r gwahoddiadau, na rhoi ei ddillad gwaith yn y peiriant golchi na pharatoi swper... oedd, roedd y byngalo fel twlc, fedra i ddim gwadu hynny. Ond y peth frifodd fi oedd y ffaith fy mod i wedi trio, rîli trio fy ngorau, i gael y lle'n lân ac yn daclus ac i roi rhywbeth yn y popty, ond ches i ddim munud o lonydd achos fod *hon* eisiau bwydo o hyd. Ddaeth yr ymwelydd iechyd draw ac ro'n i'n teimlo'n *crap*, achos er ei bod hi'n hynod neis rhaid ei bod wedi sylwi ar gyflwr y tŷ...' Fel petai hi'n synhwyro ein bod yn siarad amdani, dechreuodd Martha droi a throsi, ac yna rhoddodd y gri fwyaf blin i mi ei chlywed yn dod o enau babi bach yn fy mywyd. Gwingodd Catrin. Heb ddweud gair, cymerodd Mam y pram allan o'i dwylo a cherdded yn gyflym ar hyd y lonydd cul nes i ni gyrraedd ei thŷ hi. Unwaith roedden ni o flaen y tŷ, cododd Martha o'r pram a'i dal hi ar ei hysgwydd, gan batio'i llaw yn ysgafn ar gefn Martha – pat-pat, pat-pat, pat-pat. Tawodd y fechan yn syth.

'Mae hyn yn efelychu curiad calon y fam,' eglurodd Mam. 'Mae'n gysur i rai babanod.' Amneidiodd at lawr uchaf y tŷ. 'Alys, dos i ddangos i Catrin ble mae'r ystafell ymolchi, er mwyn iddi gael cawod tra bydda i'n gwarchod Martha. Yna, dos di i wneud paned a thost i bawb, a gawn ni hanner awr fach dawel. Os wyt ti angen nap, Catrin, mae croeso i ti gael un.'

Dechreuodd Catrin barablu'n ddagreuol i geisio cyfleu pa mor ddiolchgar oedd hi am ein cymorth, ond meddai Mam yn gadarn, 'Does dim eisiau i ti ddiolch. Dwi'n cofio bod yr un oed â ti, 'nghariad i. Mam a Dad yn gweithio ar y fferm drwy'r dydd, dim ffrindiau'n agos a doedd dim grwpiau mam a babi yn yr ardal bryd hynny. Mae'r misoedd cyntaf yn medru bod yn gyfnod unig iawn, iawn. Dos di rŵan, mi wnei di deimlo'n well ar ôl cael cawod a rhywbeth i'w fwyta.'

Dangosais i Catrin lle'r oedd popeth, yna dychwelyd i lawr y grisiau i roi'r tegell i ferwi. Roedd Mam yn cerdded o amgylch bwrdd y gegin, yn dal i siglo a suo Martha.

'Shhh, pwt... bydd dy fam yn ôl mewn eiliad a gei di dy fwyd... does dim angen crio, nag oes? Si hei lwli...' Teimlais lwmp yn fy ngwddw wrth feddwl y byddai hi'n nain wych. Wel, mi *oedd* hi'n nain wych i fab Lee, ond wrth gwrs, ro'n i'n meddwl am fy mhlant i a Duncan.

Edrychai Catrin yn debycach iddi hi'i hun pan ddaeth i lawr y grisiau. Eisteddodd wrth y bwrdd a gosod Martha ar ei bron, a thra oedd ei merch yn bwydo llowciodd hithau dri darn o dost, un ar ôl y llall.

'Wyddost ti, Catrin,' meddai Mam wrthi, 'unwaith mi ddaeth tad Alys adref o'i waith a dweud union yr un peth ag a ddwedodd Jake wrthat ti – gofyn beth o'n i'n wneud drwy'r dydd. Y cwbl oedd raid i mi wneud, medde fo, oedd gofalu am ddau o blant, ac yn yr ysgol ro'n i wedi arfer efo dosbarth o ugain a mwy. Wel, y diwrnod wedyn, pan ddaeth o adref o'i waith, gwelodd yn union beth ro'n i'n wneud drwy'r dydd.

Rhoddais y gorau i olchi'r llestri, golchi'r dillad, llnau'r tŷ a thacluso ar ôl y plant. Dwi'n credu mai'r unig beth wnes i am wythnos oedd bwydo'r tri ohonon ni. Pan welodd o'r teganau a'r crefftau dros y lle, pan sylweddolodd nad oedd ei swper ar y bwrdd, nad oedd neb wedi anfon cerdyn pen blwydd i'w fam na mynd i siopa na gwneud ei frechdanau na smwddio'i ddillad gwaith... wel, ddysgodd o bryd hynny beth yn union o'n i'n wneud drwy'r dydd. A wnaeth o byth, byth fy nghyhuddo i o ddiogi ar ôl hynny!'

Gwenodd Catrin yn wan. 'Dwi'n teimlo mor pathetig weithiau, yn cyfaddef fy mod i'n stryglo i olchi'r llestri a rhoi basged o ddillad i sychu ar y lein, ond mae pethau gymaint yn waeth pan mae hi'n sgrechian yn barhaus a finne heb gysgu'n iawn ers dyddiau. Dwi ddim yn gallu meddwl yn glir, ddim yn gallu blaenoriaethu na chanolbwyntio. Dwi'n teimlo fel 'mod i'n gweithio'n ddi-stop, ond ar ddiwedd pob dydd mae'r lle'n dal i edrych fel twlc a finne heb gyflawni dim!'

'Dwi'n deall yn union sut wyt ti'n teimlo,' dywedais. 'Dyna sut dwi wedi bod yn teimlo ers i Duncan fynd dramor i ffilmio!'

'Ie, roeddet ti'n edrych braidd yn *frazzled* pan alwais i heibio,' meddai. Rhoddodd Martha yn fy mreichiau, gan daflu lliain yn ddiseremoni dros fy ysgwydd. Ymbalfalodd yn y bag newid clwt a thynnu dwy amlen ohono, gan roi un bob un i Mam a finne. Agorodd Mam ei hamlen, a gwelais mai gwahoddiad i fedydd Martha oedd y tu mewn.

Trodd Catrin yn ôl ata i . 'Ro'n i am ofyn i ti y tro diwethaf gawson ni sgwrs, ond roedd gen ti ddigon ar dy blât... a dwi'n gobeithio bod y bwyty ar gael ar ôl i mi lwyddo i sgwennu'r rhain!'

Cofiais sut y bu hi'n sefyll yn nrws y gegin, a finnau'n dymuno'n dawel fach iddi fynd er mwyn i mi gael gweithio mewn llonydd. Teimlwn yn euog am feddwl amdana i fy hun yn hytrach na sylweddoli fod ganddi hi rywbeth pwysig ar ei meddwl.

'Alys, fyset ti'n fodlon bod yn fam fedydd i Martha?' gofynnodd.

'Fi?' Edrychais i lawr ar wyneb Martha, ar ei llygaid bach yn symud o dan ei hamrannau a'i gwefusau oedd wedi'u cau'n dynn am ei bawd bach pinc. Teimlais ymchwydd o lawenydd chwerwfelys – ro'n i mor falch fod Catrin yn fy ystyried i'n addas i gyflawni'r dasg bwysig hon, ac yn hapus wrth feddwl am yr holl hwyl y byddai 'Anti Alys' yn siŵr o'i gael wrth wylio Martha yn tyfu. Ond ar ochr arall y geiniog roedd y ffaith na fyddwn i'n cael y profiad o fod yn rhiant fy hun am sbel go hir – os o gwbl. Daeth arogl melys a meddal Martha i'm ffroenau, a theimlais ddolur hiraethus yn fy mherfedd.

'Dwi ddim wedi pechu drwy ofyn, naddo?' gofynnodd Catrin yn bryderus. 'Roedd Jake yn poeni y byddai'n sefyllfa *weird* achos dy fod di'n arfer mynd allan efo fo...'

Roedd yn rhaid i mi chwerthin. 'Aethon ni i'r Arad am un ddiod,' dywedais. 'Wnes i erioed "fynd allan" go iawn efo Jake, ond byddai'n fraint i mi fod yn fam fedydd i Martha, ac mi wna i fy ngorau drosti.' Chwyddodd y lwmp yn fy ngwddw, ac roedd siarad yn anodd. Llyncais yn galed, ond roedd fy llais yn gryg. 'Mi fydd yr holl warchod yn ymarfer da, achos mae Duncan a finne'n gobeithio cael plant ein hunain ryw ddydd.' Oedais. 'A dweud y gwir, ro'n i'n meddwl fy mod i... ond...' Ysgydwais fy mhen, yn methu ynganu'r geiriau.

'Gest ti golled?' gofynnodd Mam. Nodiais fy mhen. Mewn chwinciad chwannen roedd Mam a Catrin ar eu traed, a rhywsut, heb ddeffro Martha, roedden nhw wedi fy nghofleidio'n dynn. 'Pryd?' sibrydodd Mam.

'Jest cyn i Duncan fynd dramor.'

'Jest cyn i mi fynd ar fy ngwyliau innau, felly,' meddai. 'Alys, pam na ddwedaist ti beth oedd wedi digwydd?'

'Achos do'n i ddim am i chi boeni amdana i. Roedd gen i ofn y bysech chi'n penderfynu aros adref, ac roedd angen y gwyliau arnoch chi.'

'Mi fyddwn i wedi mynd ar fy ngwyliau – a ffonio'n rheolaidd i weld sut oeddet ti. Fi ydi dy fam di. Paid byth ag oedi os oes angen cymorth arnat ti, neu rywun i wrando. Mae fy nrws i wastad ar agor, a wna i wastad ateb fy ffôn. Does dim rhaid i ti fynd drwy unrhyw brofiad anodd ar dy ben dy hun, tra bydda i byw.'

Llanwodd fy llygaid â dagrau, ond brwydrais i'w snwffio nhw'n ôl.

'Mae'n iawn i grio,' meddai Catrin yn glên, gan rwbio fy ysgwydd. 'Mae'r galar yn medru para misoedd os nad blynyddoedd.'

'Ydi,' cytunodd Mam. 'Gollais innau fabi, ac ar y pryd ddywedodd pawb 'mod i wedi ymdopi'n hynod dda – wnes i ddychwelyd i'r gwaith ar ôl tair wythnos. Ond pan o'n i'n feichiog efo ti, daeth atgofion poenus iawn i'r wyneb, a ges i feichiogrwydd go anodd. Roedd dy dad yn edrych ymlaen yn eiddgar i ti gael dy eni, ond wnes i ddim teimlo eiliad o lawenydd nes oeddet ti'n ddiogel yn fy mreichiau.' Dechreuodd Martha nadu, a chymerodd Mam hi. 'Yn ogystal â'r pryder, roedd y fydwraig yn dweud 'mod i'n galaru eto am dy chwaer. Ro'n i'r un fath pan o'n i'n disgwyl Lee hefyd – yn methu ymlacio, yn teimlo fy ngholled o'r newydd.' Cododd, a dechrau cerdded o amgylch y bwrdd gyda'r fechan yn ei breichiau.

'Dwi ddim wedi sôn wrth lawer o bobl, ond ges innau golled cyn i mi gael Martha,' cyfaddefodd Catrin. 'Ar y pryd ro'n i'n teimlo'n iawn – dim ond chydig o fisoedd oeddwn i wedi mynd, *no biggie*, ac mi fysen ni'n cael trio eto. Ond pan ddaeth fy mislif mi wnaeth y profiad fy nharo fi go iawn. *Back to square one*. Wnes i grio am ddyddiau. Mae pawb dwi'n nabod sydd wedi colli babi yn dweud bod y galar yn dy daro di yn y ffyrdd mwyaf annisgwyl. I mi, roedd fy mislif yn arwydd o fy methiant, ac ro'n i mewn hwyliau uffernol nes iddo orffen. Wnest ti brofi'r un peth, Alys?'

Agorais fy ngheg i ddweud nad dyna fy mhrofiad i, ond rhewodd y geiriau ar flaen fy nhafod wrth i mi ddechrau cyfri'r wythnosau. Faint o amser oedd wedi mynd heibio ers i mi gael mislif? Na, doeddwn i ddim wedi gwaedu ers smotiau coch y golled. Roedd yr wythnosau wedi gwibio heibio a finnau heb sylweddoli.... Cofiais John yn dweud fy mod i o hyd yn methu pethau oedd reit o dan fy nhrwyn – wel, dyma rywbeth ro'n i wedi ei fethu o leiaf ddwywaith a heb weld ei golli o gwbl!

Stopiodd Mam a throi i edrych arna i.

'Pryd oedd y tro diwethaf i ti gael mislif, Alys?' gofynnodd.

'Y golled oedd y tro diwethaf i mi waedu... ym mis Mai oedd hynny.

'Faint o waed oedd 'na?' gofynnodd Mam, ei hwyneb yn gwelwi rhyw ychydig.

'Smotiau. Dim llawer. Wnaeth o ddim brifo'n rhy ddrwg chwaith.'

'Ydi o'n bosib...' oedodd Mam, fel petai ganddi ofn codi fy ngobeithion. 'Ydi'n bosib dy fod di'n...'

'Ond y gwaedu?'

'*Implantation bleeding* efallai?' awgrymodd Catrin. 'Mae rhai pobl yn gwaedu o bryd i'w gilydd. Ges i gwpl o farciau coch. Ro'n i'n beichio crio yn meddwl fy mod i'n colli Martha, ond ddywedodd y fydwraig wrtha i am beidio mynd i banig, achos dydi o ddim wastad yn arwydd o golled.'

'Ydych chi'n meddwl felly fod pwynt i mi...' Roedd gen i ofn dweud y geiriau. 'Ddylwn i brynu prawf?'

Neidiodd Catrin ar ei thraed a rhedeg i'r cyntedd. Daeth yn ôl gydag un o'r bagiau o waelod y pram, oedd â STWFF BABI wedi'i brintio mewn llythrennau bras ar ei ochr. Heb ddweud gair, tywalltodd holl gynnwys y bag yn swnllyd ar draws y bwrdd nes i Martha ddechrau sgrechian yn ddig. Roedd gan Catrin lond fferyllfa o stwff yn y bag – poteli ffisig, plasteri a rhwymau, poteli fitaminau, teclynnau i dynnu Duw a ŵyr beth allan o glustiau a thrwynau plant bach, tybiau hufen, eli haul, diheintydd... a sawl paced hirsgwar gwyn. Cododd nhw a'u cynnig i mi.

'Un llinell – dim babi. Dwy linell – babi,' eglurodd. Codais ar fy nhraed, gan adael Martha yn dal i sgrechian ym mreichiau Mam. Teimlwn yn benysgafn, fel petai fy mhen yn falŵn oedd yn barod i dorri'n rhydd o fy ysgwyddau a tharo'r nenfwd. Es i'r ystafell molchi i fyny'r grisiau, a oedd yn dal yn llaith ar ôl cawod Catrin. Rhwygais y paced yn agored â dwylo crynedig a daliais y ffon fach rhwng fy nghoesau nes i mi lwyddo i bi-pi arni. Rhoddais y ffon i lawr tra oeddwn i'n golchi a sychu fy nwylo. Caeais fy llygaid a dweud gweddi fach dan fy ngwynt. Yna, codais y ffon i ddarllen y canlyniad.

Dwy linell – babi, meddai Catrin. Dim babi. Lluchiais y ffon i'r bin, a theimlais ruthr o siom. Roeddwn i'n flin gyda fy hun am gredu bod hyd yn oed llygedyn o obaith.

Golchais fy wyneb efo dŵr oer a'i sychu'n ofalus cyn dychwelyd i lawr y grisiau. Er bod Martha yn dal i grio, trodd sylw Mam a Catrin arna i'n syth, eu hwynebau'n obeithiol. Ysgydwais fy mhen, a phylodd y gobaith.

'Canlyniad negyddol?' gofynnodd Catrin yn syth.

'Dim canlyniad o gwbl,' atebais. 'Dim un llinell.'

'A!' sgrechiodd, ac aeth i dyrchu drwy ei bag hudol unwaith eto. Daliodd ddau baced yn uchel. Roedden nhw'r un maint a'r un lliw. Hyd y gwelwn i, yr unig wahaniaeth rhyngddyn nhw oedd bod yr ysgrifen ar un o'r pacedi yn las tywyllach na'r llall. 'Prynais swp o'r rhain yn rhad oddi ar Amazon...' Daliodd y paced efo'r sgrifen las golau i fyny. 'Prawf ofyliad. Ti 'mond yn cael canlyniad os wyt ti'n cynhyrchu wyau – ti'n cael wyneb bach hapus fel emoji ar ddiwedd y stribed.' Daliodd yr ail baced allan i mi ei gymryd. 'Dyma'r prawf beichiogrwydd. Ddylet ti gael o leiaf un llinell – y llinell brawf, a'r llinell canlyniad hefyd os ydi'r prawf yn bositif. Os na chei di ateb clir y tro hwn, a' i allan i'r fferyllfa i brynu un o'r profion stiwpid o ddrud i ti.'

Es yn ôl i'r tŷ bach a thynnu fy nhrowsus i lawr, ond gan fy mod i newydd basio dŵr doedd fy mhledren ddim yn fodlon cydweithio. Eisteddais ar y toiled yn darllen y cyfarwyddiadau ar y paced yn ofalus iawn, yn disgwyl ac yn disgwyl. Ar ôl rhyw bum munud o ddychmygu moroedd a llynnoedd a rhaeadrau'n taranu, llwyddais i wasgu ychydig ddafnau o wrin allan – diolch byth, roedd o'n ddigon i wlychu'r stribed tenau. Gwyliais yr hylif yn llifo ar hyd y stribed, a'r llinell gyntaf yn ymddangos ar yr ochr chwith – y llinell brawf, meddai'r paced, i ddangos bod y prawf wedi gweithio'n iawn. Yn ôl cefn y paced y dylwn weld canlyniad positif ar ôl rhyw funud, ond yr eiliad y cyrhaeddodd yr wrin dop y stribed gwelais ail linell yn ymddangos.

Dwy linell – babi, meddai Catrin. Ar y ffon yn fy llaw roedd dwy linell, a'r rheiny'n rhai tywyll a chlir.

'Alys?' galwodd Mam. 'Wyt ti'n iawn? Gest ti ganlyniad?'

Allwn i ddim ateb. Roeddwn i wedi fy syfrdanu gan y ffon fach yn fy llaw. Roedd yr hyn a gollais wedi ei ddychwelyd. Dychmygais lawenydd Duncan, oedd wedi disgwyl degawd a mwy i glywed y byddai o'n dad.

Clywais waedd nerthol arall o enau Martha, a theimlais fy mol yn gwegian, fel petawn i wedi methu stepen ar y grisiau ac ar fin plymio i'r gwaelod, wrth i mi sylweddoli y byddwn i yn yr un sefyllfa â Catrin ymhen rhai misoedd. Roedd gen i fabi yn tyfu y tu mewn i mi fyddai'r un mor swnllyd, a'r un mor barod i fy nghadw i'n effro drwy'r nos – ond byddai'n blentyn i Duncan a finnau. Ein babi bach ni. Meddyliais sut y byddai o neu hi yn edrych. Llygaid glas, yn bendant. Gwallt brown hefyd, mwy na thebyg, er bod fy ngwallt i'n felyn golau nes i mi droi'n dair oed. Ac wrth gwrs, gan fy mod i'n agos at chwe throedfedd a Duncan yn dalach fyth, roedd siawns dda y byddai'n plentyn ni hefyd yn dal. Ond o ran trwyn ac aeliau a cheg a chlustiau... na, allwn i ddim dychmygu cyfuniad o'n nodweddion ar wyneb plentyn. Roedd y darlun yn fy mhen yn debyg i un o'r apiau ffôn clyfar oedd yn medru gosod dy wyneb di ar gorff babi. Chwarddais yn uchel wrth ddychmygu wyneb barfog Duncan uwchben *babygrow* bach glas, a chuddiais fy wyneb mewn tywel i fygu'r sŵn, rhag ofn i Mam a Catrin feddwl mai crio oeddwn i.

Daeth Mam i waelod y grisiau a galw'n bryderus arna i. 'Alys, wyt ti'n iawn?'

Golchais fy nwylo'n frysiog a mynd i lawr ati. Rhaid bod fy mochau'n dal i fod ychydig yn wlyb, achos edrychodd arna i'n addfwyn.

‘Newyddion drwg unwaith eto, pwt?’

Daliais y prawf allan iddi gael gweld, a rhoddodd ei llaw dros ei cheg i fygu ebychiad a fyddai, mwy na thebyg, wedi codi braw ar Martha unwaith eto.

Daeth Catrin aton ni a rhywsut, er ei bod hi’n siglo Martha o un ochr i’r llall, llwyddodd i roi ei braich am fy ysgwydd.

‘Croeso i’r clwb,’ meddai, gan roi cusan i mi ar fy moch. ‘Mi wn i nad ydw i’n hysbyseb dda iawn ar gyfer bod yn fam ar hyn o bryd, ond coelia fi, dyma’r peth gorau dwi erioed wedi’i wneud yn fy mywyd.’

Aeth Mam i roi’r tegell i ferwi (‘Dim siampên yn dy gyflwr di!’) a dechreuodd Catrin fy holi’n dwll. O ddifri, doedd gen i ddim syniad o gwbl fy mod i’n feichiog? Wnaeth o erioed groesi fy meddwl nad oeddwn i wedi colli’r babi? Ches i ddim symptomau o gwbl?

Wrth edrych yn ôl, sylweddolais i mi brofi nifer o symptomau cynnar beichiogrwydd, ond nad oeddwn i wedi sylweddoli mai dyna oedden nhw. Nid byg oedd gen i, nid straen; nid diffyg bwyd oedd yn gyfrifol am y salwch a’r llewygu a’r blinder eithafol, ond babi.

‘Rhaid dy fod di wedi mynd ymhell dros dri mis,’ meddai Mam. ‘Ddylet ti ffonio’r clinig ar unwaith – bydd angen i ti gael dy fwcio i mewn a sgan cyn gynted â phosib.’

Brysiais adref, bron â byrstio eisiau dweud y newyddion da wrth Duncan, ond ffoniais y clinig yn Nyserth gyntaf.

‘Dwi’n ffonio i wneud apwyntiad gyda’r fydwraig,’ dywedais wrth y derbynnydd.

‘Ty’d draw i nôl ffurflen, a phan wyt ti’n cyrraedd 12 wythnos gei di lythyr yn dy wahodd di i apwyntiad gyda’r fydwraig,’ meddai hi.

‘Dwi wedi cyrraedd 12 wythnos.’

‘Wel, pam na ddest ti aton ni’n gynt?’ gofynnodd yn ddiamynedd.

‘Achos dim ond heddiw ges i wybod ’mod i’n disgwyl!’

'Rho dy rif ffôn i mi, ac mi wna i ofyn i un o'r bydwragedd dy ffonio di'n ôl,' meddai'n swta.

Ceisiais gysylltu â Duncan drwy Skype ar gyfrifiadur y swyddfa, ond er iddo ateb rhaid bod y signal yn wan, oherwydd rhewodd y sgrin cyn i'w lun ffrwydro'n llanast o bicseli. 'Duncan, wyt ti'n medru 'nghlywed i? Duncan, fedri di...?'

Goleuodd sgrin fy ffôn gyda neges destun ganddo: roedd o mewn ardal wledig rhywle yng Ngwlad Thai ac efallai y byddai'n rhaid i ni ddisgwyl diwrnod neu ddau i siarad. Go drapia. Wrth gwrs, byddwn wedi gallu anfon neges yn ôl ato, neu hyd yn oed lun o'r prawf beichiogrwydd, ond ro'n i am gael y profiad o weld ei wyneb pan glywai'r newyddion. Gallwn aros am ddiwrnod neu ddau eto, petai'n rhaid.

Ond roeddwn i'n ysu i gael rhannu fy llawenydd gyda rhywun arall. Pan gerddodd Lech i'r swyddfa allwn i ddim atal fy ngwên fwyaf rhag goleuo fy wyneb. Oedodd yn y drws ac edrych i lawr arna i.

'Ydi John wedi cael yr *all clear* trwy ryw wyrth?' gofynnodd. 'Neu ydi Duncan yn dod adre'n gynnar? Achos ar ôl ein sgwrs neithiwr, dwi'n gwybod nad fi sy'n gyfrifol am y wên 'na.'

'Na, dim un o'r rheina,' atebais yn gyffrous. 'Dwi'n feichiog!'

Agorodd ei freichiau a'm cofleidio'n dynn. 'Llongyfarchiadau Alys, mae hynna'n newyddion anhygoel! Dwi mor falch drosoch chi'ch dau. Mi fyddi di'n fam wych! Tydi o'n beth da na wnaethon ni ddisgyn i freichiau'n gilydd neithiwr? Byddai hynny wedi cymhlethu pethau gryn dipyn!'

Codais fy mhen oddi ar ei ysgwydd ac edrych i fyw ei lygaid. 'A fyddet ti'n ystyried bod yn dad bedydd i'r babi, Lech? Rwyt ti'n gymaint o graig i mi, mae'n anodd meddwl am unrhyw un arall fyddai'n medru ymgymryd â'r gwaith hanner cystal â ti.' Gwelais fflach yn ei lygaid: amheuaeth? Gofid? Camais yn ôl yn sydyn. 'Heblaw dy fod di'n meddwl y byddai hynny'n anaddas... o gofio'r holl hanes sy rhyngddon ni,' ychwanegais yn gyflym.

'Nid hynny sy'n fy mhoeni i,' atebodd Lech, 'er y bydd gan

Duncan ei farn ei hun am y peth, dwi'n siŵr. Falle y byse'n well i ti gynnig y rôl i John, oherwydd mae'n rhaid i mi wrthod yr anrhydedd. Cefais fy magu'n Gatholig, ond dwi'n anffyddiwr ers blynyddoedd. Fedra i ddim sefyll mewn capel nac eglwys a thyngu y byddwn i'n magu plentyn yn Gristion, achos byddai hynny'n rhagrithiol.'

'Dwi'n deall,' dywedais. Doedd o ddim wedi croesi fy meddwl na fyddai Lech yn derbyn. Roedd pob aelod o fy nheulu a fy ffrindiau oll yn disgrifio'i hunain yn grefyddol, hyd yn oed os nad oedden nhw'n mynychu'r capel yn rheolaidd. Rhoddodd Lech fraich o amgylch fy ysgwyddau a 'nhynnu'n agos ato.

'Mi fyddwn ni'n ffrindiau am byth, ti a fi,' meddai. 'Wna i ddim addo gwneud rhywbeth dydw i ddim yn credu ynddo, ond mi fydda i yna i ti a dy deulu 'run fath yn union.'

Clywais gnoc ysgafn ar wydr y drws, a neidiodd y ddau ohonon ni ar wahân, fel petaen ni'n gwneud rhywbeth o'i le. Gyda braw, sylweddolais mai Lydia oedd yn sefyll yno, yn ein gwylio ni.

'Mae John wedi colli ffurflen bresgripsiwn,' meddai, heb gyfarchiad o unrhyw fath, heb sôn am ymddiheuriad am dresmasu tra oedd y bwyty ar gau. 'Cyn i mi wastraffu hanner awr ar y ffôn yn ceisio cael un arall gan y feddygfa, mi ddywedais y byddwn i'n dy holi di, rhag ofn ei bod yn dy gar.'

Codais allwedd car Duncan oddi ar y bachyn. 'Ty'd. Gawn ni weld.'

Agorais ddrws y car a chwilota o dan y seddi, ym mhob poced a blwch, ond yn ofer. Rholiodd Lydia ei llygaid.

'Wel, diolch i ti am chwilio, ond yn amlwg mae hi wedi diflannu. Dim ond deuddydd o gyflenwad o dabledi sydd ganddo'n weddill.' Trodd Lydia at ei char ei hun, ond cyn iddi fynd gofynnais yn swil, 'Sut mae John? Dwi ddim wedi clywed ganddo ers dyddiau.'

Edrychodd arnaf dros ei hysgwydd. 'Tydi o ddim eisiau gweld neb ar hyn o bryd. Tydi o ddim am i neb ei weld o'n fregus cyn ei lawdriniaeth.'

Dyna oeddwn i wedi'i dybio.

'Ond dwi'n siŵr y byddai siarad efo rhywun am ei bryderon yn help,' dywedais.

'Byddai'n help i ti neu fi, siŵr iawn, ond ti'n gwybod sut un ydi John. Cafodd ei fagu mewn awyrgylch llawn *toxic masculinity*. "Tydi dynion ddim yn dangos eu teimladau" siŵr iawn,' meddai, a dwi'n meddwl mai dynwared ei thad oedd hi. 'Fyddai o byth, byth yn gadael i Duncan ei weld o'n ddagreuol. Ond trystia fi, Alys, dwi'n gwybod yn iawn sut i edrych ar ei ôl o. Dwi'n ceisio tynnu ei sylw'n ôl at y ffeithiau o hyd – mae'r siawns y gwnaiff o farw dan anaesthetig yn rhywbeth tebyg i 1 allan o 100,000. Hyd yn oed gyda chanser, mae o'n fwy tebygol o fyw na marw. Mae'r ystadegau o'i blaid o, ar hyn o bryd. Ond mae o'n cachu brics, achos bob tro mae rhywun mae o'n ei garu yn cael llawdriniaeth, maen nhw'n marw. Bu bron iddo fo farw'r un pryd â Fred. Mae ganddo ofn ysbytai, a dwi ddim yn ei feio fo.'

'Na finnau chwaith,' atebais. 'Ond dyweda wrtho fy mod i'n meddwl amdano o hyd, a dim ond codi'r ffôn sydd raid... A plis, Lydia, gwna dy orau i'w gael o i ffonio Duncan. Wnes i addo i John na fysen i'n dweud wrtho... ond mae Duncan yn haeddu cael y cyfle i ddod adref i gefnogi ei ffrind.' Nodiodd Lydia ei phen, ond doeddwn i ddim yn credu am eiliad y byddai hi'n gwneud ymdrech i ddwyn perswâd ar John.

Yr eiliad honno, daeth Lech allan o'r bwyty ac ystumio i mi ddod yn ôl i'r adeilad.

'Rhywun o'r clinig eisiau gair gyda ti,' dywedodd yn isel, fel na fyddai Lydia yn ein clywed. Cymerais y ffôn o'i law. Mari, un o'r bydwragedd lleol, oedd ar y lein, am gael gwybod pryd oedd fy mislif diwethaf a beth oedd fy symptomau. Clywais hi'n mewnbynnu ffigyrau i gyfrifiadur neu gyfrifiannell. Yna, tawelwch a wnaeth i mi deimlo'n hynod anesmwyth.

'Oes rhywbeth yn bod?' gofynnais. Roedd fy llais mor wichlyd nes i Lech roi'r gorau i beth bynnag roedd o ar ganol ei wneud a throi i edrych arna i.

'Os ydi fy nghyfri i'n gywir, rwyt ti bron i bum mis yn feichiog, Alys,' meddai, ac o dôn ei llais synhwyrais nad oedd hynny o reidrwydd yn newyddion da.

'Ydi hynny'n broblem?' gofynnais, mewn llais oedd yn dal i fod yn annaturiol o uchel.

'Na, na...' meddai hi'n sydyn, 'ond fel arfer byset ti wedi cael dy sgan a phrofion gwaed wythnosau'n ôl. Fyset ti'n medru dod draw i Ysbyty Alexandra yn y Rhyl am ddau o'r gloch bnawn fory? Ac mae un apwyntiad ar gael y peth cyntaf bore fory yn yr uned uwchsain yn Ysbyty Cymunedol Treffynnon, os fedri di gyrraedd yno erbyn hanner awr wedi wyth bore fory? Fel arall, bydd yn rhaid i ti ddisgwyl tan yr wythnos nesaf, a dwi am i ti gael dy weld cyn gynted â phosib...'

Roedd rhywbeth yn nhôn ei llais roddodd fi ar bigau'r drain. Teimlais guriad fy nghalon yn cyflymu. 'Fory? Ym... ga' i weld os fedra i...' Troais at Lech, gan deimlo crafangau panig yn cydio yn fy mrest.

'Wna i aros yma,' sibrydodd. 'Paid â phoeni am y bwyty.' Cododd feiro a phapur oddi ar y ddesg, yn barod i ysgrifennu manylion yr apwyntiadau.

Erbyn i'r alwad ddod i ben ro'n i'n ddagreuol unwaith eto. Edrychais i lawr ar fy nwylo – roedden nhw'n crynu. 'Soniodd hi am *fetal anomaly scan*,' dywedais yn grynedig. 'Tydi hynny ddim yn swnio'n beth da o gwbl.'

'Dwi'n meddwl mai dyna'r sgan mae pawb yn ei gael,' ceisiodd Lech fy nghysuro, 'i jecio fod popeth yn iawn gyda'r babi. Mi fyddi di'n ei gael fymryn yn hwyrach na phawb arall, dyna'r cwbl. Yli, dwi'n meddwl y dylai dy fam fynd gyda ti fory. Wna i aros am gwpl o ddyddiau'n ychwanegol er mwyn cadw golwg ar bethau. Paid â phoeni o gwbl am y bwyty. Pam na wnei di ffonio dy fam rŵan i weld ydi hi ar gael?'

Penderfynais gymryd ei gyngor, a chefais fy nghysuro gan Mam yn syth.

'*Fetal anomaly scan* ydi'r ail sgan, pan mae'r babi wedi tyfu i faint digonol iddyn nhw fedru ei fesur yn iawn a chwilio am unrhyw broblemau,' eglurodd. 'Dwi'n siŵr y bydd popeth yn iawn, Alys. Pum mis... wel, dyna sioc! Ymhen pedwar mis bydd gen i ŵyr neu wyres arall!' Er iddi wneud ei gorau i ysgafnhau'r sefyllfa, ro'n i'n dal i deimlo'n sâl gyda nerfau. Ceisiais ffonio Duncan, ond erbyn i mi ddeialu am y trydydd tro roedd ei ffôn wedi ei ddiffodd yn gyfan gwbl. Anfonais neges: '*ffonia fi cgap xxx*', ond rhaid ei fod o yng nghanol ffilmio. Ro'n i'n ysu am gael rhannu'r newyddion anhygoel, ond ches i ddim ateb ganddo. Y noson honno, teimlai Gwlad Thai mor bell â'r lleuad.

20

Drannoeth, am wyth o'r gloch y bore, roedd Mam a finnau'n eistedd yn ystafell aros Ysbyty Treffynnon. Roeddwn i mor nerfus teimlwn fel cyfogi, a dwi'n meddwl y byddwn i wedi picied i'r tŷ bach a rhoi cynnig ar wneud hynny heblaw 'mod i wedi gorfod yfed peint o ddŵr awr ynghynt, yn unol â chyfarwyddyd y fydwraig, a byddai plygu dros doiled neu sinc wedi achosi damwain anffodus.

Eisteddais yn aflonydd ac anghyfforddus ar un o'r cadeiriau caled, yn gwneud ymarferion anadlu cyfri-i-ddeg-yn-araf i geisio tawelu'r corddi yn fy mol.

'Alys,' meddai Mam yn dawel, gan afael yn fy llaw. 'Paid â gadael i'r gorbryder fynd yn drech na ti. Paid â mynd o flaen gofid. Does gen ti ddim rheswm i fod yn bryderus.'

'Heblaw mai yn y sgan pum mis y cawsoch chi wybod eich bod wedi colli fy chwaer, yntê,' dywedais, gan gadw fy llais yr un mor dawel, rhag ofn i mi godi ofn ar y fam ifanc arall oedd yn eistedd gyferbyn â ni. Allan o gornel fy llygad, gwelais Mam yn amneidio â'i phen.

'Ie, ond dydi hynny ddim yn golygu y bydd yr un peth yn digwydd i ti,' sibrydodd.

'Ond pam felly oedd y fydwraig mewn cymaint o frys i mi gael sgan? Dydw i ddim wedi cwrdd â hi wyneb yn wyneb eto. Y diwrnod ar ôl i mi ganfod fy mod i'n feichiog, dyma fi'n cael sgan... a dwi'n gwybod pam. Maen nhw'n fy rhuthro i mewn rŵan rhag ofn bod... rhag ofn bod rhywbeth o'i le.' Torrodd fy llais, a bu'n rhaid i mi oedi cyn i mi fedru parhau. 'Chwilio am bethau sydd o'i le ar y babi maen nhw heddiw, yntê?'

Gwasgodd Mam fy llaw yn gadarn. 'Alys, maen nhw'n rhoi sgan i bawb cyn yr ugeinfed wythnos o feichiogrwydd. Ceisio cadw at yr amserlen maen nhw. Paid â dechrau hel meddyliau...'

'Ond wnes i ddim hyd yn oed sylweddoli fy mod i'n disgwyl! Be os nad ydi'r babi wedi bod yn tyfu'n iawn? Be os wnes i rywbeth i'w niweidio fo, heb i mi sylweddoli? Be os na wnes i...' Oedais a gorfodi fy hun i gymryd anadl ddofn. O, roeddwn i angen Duncan y funud honno!

'Alys Ryder,' galwodd y derbynnydd, a chodais ar fy nhraed yn sigledig. Daliodd Mam ei gafael yn fy llaw, a gwenu arnaf yn ddewr.

Gofynnodd y technegydd am fy nodiadau, a bu'n rhaid i mi egluro nad oeddwn i wedi cael apwyntiad efo'r fydwraig eto, hyd yn oed.

'Paid â phoeni,' meddai hi, gan osod papur glas ar y gwely cyn i mi orwedd arno. 'Nawr, gawn ni gymryd golwg ar y babi.' Chwistrellodd hylif oer dros waelod fy mol a phwyso'r teclyn sganio yn galed ar fy mhelfis. Doedd o ddim yn deimlad braf o gwbl, yn enwedig gan fod fy mhledren ar fin byrstio. Gwasgais law Mam yn galed. Troais fy mhen i edrych ar y sgrin uwchben y gwely, a gwelais ei bod hithau hefyd yn syllu ar y petryal llwyd.

'Ymlacia,' meddai'r technegydd – mwy o orchymyn nac awgrym. Sylweddolais fy mod i'n dal fy ngwynt, a bod fy nghorff yn dynn a stiff gydag ofn. Ceisiais fy ngorau i lacio fy nghyhyrau ac i anadlu, ond pan arhosodd y sgrin yn llwyd undonog, caeais fy llygaid. Roedd prawf ddoe yn anghywir. Doedd 'na ddim babi. Colled oedd y gwaedu wedi'r cwbl.

'Alys, edrycha...' meddai Mam. Allan o gwmwl llwyd fy nghroth ymddangosodd siâp aneglur.

'Dyma dy fabi,' meddai'r technegydd, ac wrth iddi symud y teclyn uwchsain yn ôl ac ymlaen dros fy mol gallwn ei weld o neu hi'n gliriach. Fel petai'n protestio yn erbyn cael ei brocio, dechreuodd symud. Cododd ei fraich a gallwn daeru fy mod i wedi gweld pum bys unigol, bychan, perffaith, fel petai'n chwifio neu'n cynnig pawen lawen. Llamodd fy nghalon pan welais gylch bach, sach o hylif du o fewn ei gorff, yn curo ac yn curo.

Bob hyn a hyn cliciodd y technegydd fotwm a fflachiodd siâp neu linell felen ar y sgrin. Daliais i wasgu llaw Mam tra oedd ddynes yn parhau i glicio a mewnbynnu manylion i'w pheiriant, clic, clic, clic, yn gwirio esgyrn ac organau'r babi ac yn eu ticio nhw oddi ar restr. Dim ond tua deng munud y bu hi wrthi, ond teimlai fel amser maith, fel oes gyfan. Roedd gweld y sgrin wedi fy rhoi i dan gyfaredd, ond ro'n i'n rhannol ofnus, a chydig yn obeithiol.

'Ydi popeth yn iawn?' gofynnais yn grynedig. Clic, clic, clic.

'Ydi,' meddai hi, o'r diwedd. Rhoddais ochenaid o ryddhad. 'Roedd gen i bryderon am yr arennau am ychydig, ond mi wnaeth y babi droi ei gefn aton ni ac mi ges i olwg well, a does dim byd yn bod. Roedd o'n gorwedd mewn ffordd od, dyna'r cwbl. Mae popeth yn bresennol ac o'r maint cywir. Popeth i'w weld yn iawn.' Chwyddodd y llun ar y sgrin er mwyn i mi gael gweld y babi'n gliriach, a defnyddiodd y teclyn i bwyntio at nodweddion ei wyneb. 'Llygaid... trwyn... ceg... clustiau,' meddai. Doedden nhw ddim yn glir iawn i mi, ond nodiodd Mam ei phen a dweud, 'Drycha Alys, mae o'n agor ei geg!'

Trodd y technegydd ataf. 'Wyt ti am gael gwybod rhyw y babi?' Ysgydwais fy mhen yn benderfynol. Doedd Duncan ddim wedi cael y profiad hwn gyda fi, felly fo fyddai'n cael penderfynu a oedden ni am gael gwybod pa ryw oedd y babi cyn iddo gael ei eni. Doedd dim ots gen i o gwbl – roedd o (neu hi) yn fyw ac yn iach, a dyna oedd yr unig beth pwysig i mi.

Rai oriau'n ddiweddarach ro'n i yn ôl yn nhŷ Mam gyda thwll nodwydd wedi ei orchuddio â phlaster ar un fraich a ffolder 'Fy Mabi' o dan y llall. Doedd cael fy mhrocio a'm mesur ddim yn brofiad braf o gwbl, na gorfod pi-pi i mewn i ddysgl dun yn nhoiled y feddygfa. Eglurodd y fydwraig fod fy mhwysedd gwaed yn is na'r arfer, ac mai dyna oedd yn achosi i mi lewygu a chael pyliau o benysgafndod. Cefais gyfarwyddiadau i eistedd i lawr yn syth pan fyddwn yn teimlo fy hun yn gwegian. Ro'n i'n teimlo braidd yn benysgafn ar ôl cael y prawf gwaed, felly awgrymodd Mam y dylwn i orwedd ar fy ngwely am hanner awr a chael rhywbeth poeth i'w fwyta cyn mynd i weithio'r shifft hwyr yn y bwyty.

Cwympais ar fy ngwely yn gwasgu'r ffolder at fy mrest fel mae merched ifanc mewn ffilmiau serch yn cydio mewn llythyr gan gariad. Agorais y clawr glas a syllu unwaith eto ar y llun llwyd a du y tu mewn: fy mabi. Ein babi ni. 19 wythnos a 3 diwrnod yn feichiog oeddwn i, yn ôl y technegydd a'r fydwraig. Heb i mi sylweddoli fy mod i'n disgwyl, roeddwn i wedi cyrraedd hanner ffordd trwy fy meichiogrwydd, ac ymhen llai na phum mis byddai Duncan a finnau'n ei groesawu i'r byd. Byddai'n rhaid i ni ganfod rhywle arall i fyw – doedd y fflat fechan uwchben y bwyty ddim yn addas nac yn ddymunol fel cartref i fabi. Byddai angen crud arnom, a sedd car, a phram... Wrth feddwl am yr holl bethau oedd i'w trefnu a'u prynu, a hynny oll ar ben hyfforddi'r staff newydd, dechreuodd yr hen orbryder gnoi yn fy mherfedd unwaith eto. Yn benderfynol, gwthiais y rhestr dasgau i gefn fy mhen a chau fy llygaid. Byddai Duncan adref ymhen rhai wythnosau, a byddai ganddon ni ddigon o amser i sortio popeth gyda'n gilydd. Dywedodd Mam y byddai hi'n prynu unrhyw ddodrefn oedd eu hangen arnom yn anrheg, a siawns y bydden ni'n medru cael pram rad oddi ar farchnad Facebook. Doedd dim angen i ni boeni am hynny eto.

Gorweddais gyda fy llygaid ar gau, fy llaw yn pwyso ar fy mol, yn chwilio am guriad calon y babi uwchlaw fy un i. Allwn i ddim ei deimlo eto, ond yn fuan, meddai Mari'r fydwraig, byddwn i'n teimlo'r symudiadau wrth iddo ddechrau cicio a throi a throsi yn y groth. Byddai'n rhaid i mi brynu dillad newydd hefyd, achos byddai fy mol yn dechrau chwyddo, a dim ond jîns a throwsus gwaith oedd gen i'n ddillad.

Clywais bipian fy ffôn a chodais ar fy eistedd. Teimlais ruthr o gyffro o weld mai gan Duncan oedd y neges:

Haia cariad. Sori nad ydw i wedi cysylltu ers sbel. Ffôn wedi rhoi'r gorau i weithio – fel twpsyn wnes i ei ollwng mewn dŵr. Syth i ganol sach o reis (lwcus ein bod ni mewn cegin ar y pryd!) ond dwi wedi malu'r peth go iawn. Teithio ar hyn o bryd, methu cael gafael ar ffôn ar yr un rhwydwaith wnaiff dderbyn fy ngherdyn SIM, felly dim ffordd o gyfathrebu heblaw am fenthyg ffôn rhywun arall. Ta waeth, mae dau o'r cystadleuwyr wedi'n gadael yn gynnar (sgandal!) felly cawn ni orffen ffilmio'n gynharach na'r disgwyl, ac mi fydda i'n ôl yn Llundain i recordio'r rownd derfynol mewn tua phythefnos. Wyt ti'n meddwl y gallet ti ddod i lawr i fy ngweld i pan ddo' i'n ôl? Y cynhyrchydd wedi crybwyll gwneud rhyw fath o aduniad gyda'r holl gystadleuwyr a'u teuluoedd (a ninnau hefyd, wrth gwrs), ond dwi'n gwybod nad wyt ti'n awyddus i fod ar y teledu felly mi geisia i drefnu diwrnod neu ddau i ffwrdd o'r gwaith er mwyn i ni gael gweld ein gilydd. Tydw i ddim yn meddwl y byddai hynny'n afresymol, ar ôl i ni fod ar wahân am fisoedd! Mae pawb arall yn dweud bod cadw mewn cysylltiad yn rhwyddach nag erioed gyda'r holl apiau a theclynnau, ond dydi eu teuluoedd nhw ddim yn rhedeg busnes bob awr o'r dydd fel rwyt ti! Dwi'n teimlo nad ydyn ni wedi cael sgwrs go iawn ers amser maith. Mae'n amhosib dweud cymaint dwi'n dy golli di, faint dwi'n poeni amdanat ti, na faint dwi'n edrych ymlaen at dy weld di eto. A faint dwi'n edrych ymlaen at gael mynd i gerdded a loncian eto. Dwi wedi magu bol go iawn ers cychwyn ar y daith. Teithio, bwyta, teithio, bwyta... mae'n swnio'n ffordd gyfareddol o fyw, ond collodd ei sglein yn fuan iawn. Dwi'n ysu i gael bod yn ôl yng nghegin y Fleur-de-Lis efo ti a John. Dwi ddim wedi clywed ganddo fo ers achau chwaith. Weithiau mae hi'n teimlo fel perthynas unochrog – plis dyweda nad ydi o wedi dechrau yfed eto. Ta waeth, sut mae pethau acw?

Fy holl gariad,

Duncan
xxx

Erbyn i mi orffen darllen ei neges roedd yn amser i mi neidio i'r gawod a pharatoi i fynd i'r gwaith. Galwodd Mam arnaf i ddweud bod brechdan a phaned yn disgwyl amdanaf. Clymais fy ngwallt yn ôl mewn bynsen a gwisgais yn gyflym, gan roi llun fy sgan yn fy mag er mwyn ei ddangos i Lech, yn gyfrinachol wrth gwrs. Byddai'n rhaid i Duncan ddisgwyl ychydig yn hirach i gael gweld y llun ei hun, ac yn y cyfamser roeddwn i'n benderfynol o gyfyngu'r newyddion i lond llaw o bobl oedd wirioneddol angen gwybod, rhag ofn i mi ddifetha'r gyfrinach i Duncan.

Cefais sioc pan es i lawr y grisiau – roedd John yn eistedd wrth fwrdd y gegin. Roedd Mam, yn ei ffordd gwrtais ond penderfynol, yn ceisio mynnu ei fod o'n cymryd brechdan a phaned, ac roedd yntau'r un mor gwrtais a phenderfynol wrth wrthod.

'Haia John, su' mae?' gofynnais.

'Gweddol. Gwranda, dwi'n gwybod dy fod di ar dy ffordd i'r gwaith ond tybed ga' i air sydyn efo ti?'

'Wrth gwrs. Be am i ni sgwrsio wrth gerdded i'r bwyty? Os wyt ti'n teimlo'n ddigon da i wneud hynny?' Nodiodd John ei ben, ac mi ges i'r teimlad ei fod o'n ddiolchgar am gael dianc rhag Mam a'i hymgais i'w fwydo. Gwingodd wrth godi. Rhaid bod ei stumog neu ei goluddyn yn peri poendod iddo eto.

Codais hanner fy mrechdan a'i llowcio, er i mi gael cinio enfawr yng nghaffi'r ganolfan arddio gyda Mam. Cododd John ei gap yn gwrtais i gyfeiriad Mam, ac yna dechreuon ni gerdded i lawr y lôn i gyfeiriad pentref Santes-Fair-tanrallt.

'Ddes i yma i ddweud fy mod i wedi cael cadarnhad y bydd y llawdriniaeth yn digwydd ddydd Gwener yma,' meddai. 'Bydd Lydia yn aros gyda fi drwy gydol y peth, ac am o leiaf wythnos wedyn i ofalu amdana i. Dwi'n ddiolchgar iddi am ddod i gadw llygad arna i, ond mi fydda i'n teimlo'n well ar ôl iddi fynd...'

'Dwi'n meddwl 'mod i'n deall,' dywedais yn ofalus. Roedd o'n caru ei chwaer, ac roedd hi'n ei garu o yn ei ffordd ei hun, ond roedd yn amhosib ymlacio o gwmpas Lydia. O brofiad, gallwn ddychmygu fod byw gyda hi fel byw gyda bocs o dân gwyllt – mi fyddwn i ar bigau'r drain ac ofn dweud y 'peth anghywir' yn ei chlyw o hyd.

'Wyt ti wedi ailystyried siarad gyda Duncan?' gofynnais, ond ysgwyd ei ben wnaeth John.

'Dwi'n gwybod y byset ti'n hoffi i mi ddweud wrtho, ond dwi wirioneddol angen osgoi golygfeydd emosiynol nes bydd y llawdriniaeth drosodd. Dwi ddim ar fy ngwely angau eto.' Chwythodd aer allan o'i fochau. 'Ydw, dwi'n gwybod ei fod o'n eitha siabi i gelu rhywbeth mor bwysig rhag fy ffrind gorau, ond erbyn iddo ddod yn ôl adref mi fydda i wedi dod dros y llawdriniaeth... neu ddim... ac yn gwybod os ydi'r driniaeth yn llwyddiannus. Mi fydda i'n bendant yn fwy cadarn, yn fwy sefydlog yn feddyliol.'

'Dwi'n meddwl dy fod di'n gwneud cam â Duncan...' dechreuais, ond torrodd John ar fy nhraws.

'Alys, gyda phob parch, dwyt ti ddim yn gwybod be ddigwyddodd ar ôl i ti lithro ar lawr y gegin a tharo dy ben. Pan oeddet ti'n anymwybodol ac yn gwaedu ar lawr y gegin roedd Duncan yn cael sterics, yn poeni dy fod di wedi marw neu am gael niwed parhaol i'r ymennydd. Tom wnaeth y rhan fwyaf o'r cymorth cyntaf, a fi ffoniodd yr ambiwlans. Roedd Duncan yn dda i ddim. Doedd o ddim eisiau mynd i Lundain, er ei fod o wedi cyrraedd rownd derfynol y gyfres – dyna faint o lanast oedd o. A phan wnaeth Lydia ei fradychu o... mae'n hoff o ddweud iddo ddiflannu i waelod potel wisgi am wythnos, a dydi o wir ddim yn gorliwio pethau. Ty'd 'laen, Al. Mae Duncan yn gorymateb i bopeth, rhaid i ti gydnabod hynny.' Edrychodd John i fyny arna i a lledwenu. 'Be dwi'n trio'i ddweud ydi fy mod i'n medru ymdopi gyda fy ofnau a'm emosiynau fy hun, ond fedra i ddim delio gydag emosiynau neb arall ar hyn o bryd. Dyna'r peth gorau am Lydia – does ganddi ddim empathi. Os ydw i'n dechrau gyda'r hunan-dosturi a'r gofid, mae hi'n dweud fy mod i'n gorymateb.'

'Dwyt ti ddim yn gorymateb, John. Rwyt ti'n wynebu

llawdriniaeth. Mae gen ti bob hawl i deimlo'n bryderus.'

'A dyna pam fod yn well gen i siarad efo ti, Al. Rwyt ti reit yn y canol – dim sterics, ond ddim yn diystyru sut dwi'n teimlo chwaith. Mae'n bechod na fedri di a Lyds fod yn ffrindiau, ond gyda'r holl hanes rhyngoch chi, yr holl ddrwgdeimlad... ac mae gen ti ddigon ar dy blât ar hyn o bryd. Dwi'n teimlo'n euog am dy adael di i redeg y bwyty heb gymorth.'

'Mae gen i gymorth rŵan. Mae Lech wedi fy helpu i benodi dau aelod o staff dros dro.' Cododd John ei aeliau ar glywed enw Lech, ond ddywedodd o ddim byd. Yn hytrach, rhoddodd ei law ym mhoced ei gôt ac estyn amlen ag enw Duncan arni.

'Dyma pam ddes i draw mewn gwirionedd... os ydi pethau'n mynd o'i le tra dwi dan yr anaesthetig...' Oedodd am eiliad a llyncu'n galed. 'Wnei di roi hwn i Duncan? Dwi'n gwybod na wnaiff Lydia ei basio ymlaen.'

'Wrth gwrs y gwna i,' dywedais, gan gymryd yr amlen a'i rhoi'n ddiogel yn fy mag llaw. Ochneidiodd John a gwthio'i ddwylo'n ddwfn i bocedi ei siaced.

'Wel, mae'n well i mi adael i ti fynd...' meddai, heb symud modfedd. 'Alys, os wnes i erioed... dwi'n gobeithio gwnei di...' Ro'n i'n deall mai ceisio ffarwelio oedd o, rhag ofn. Ond ni lwyddodd i orffen ei frawddeg. Trodd ac edrych i gyfeiriad y Fleur-de-Lis. 'Fues i'n hapus yma,' meddai'n dawel. 'Yn hapusach na dwi'n haeddu bod.'

'Paid â siarad fel 'na, John,' dwrdiais, a theimlais lwmp yn chwyddo yn fy ngwddw innau. 'Mi fyddi di'n ôl cyn pen dim, siŵr iawn.' Doedd yr un ohonom yn medru siarad rhagor, ond agorais fy mreichiau a'i wasgu mewn cwtsh a barodd am funud go dda.

'Dwi'n gobeithio y gwela i di ar ôl y llawdriniaeth,' meddai'n gryg. Ar fympwy, estynnais y ffolder bach glas o fy mag a dangos llun y sgan iddo. Er fy mod i wedi penderfynu cadw fy nghyfrinach am ychydig hirach, ac er fy mod i'n hyderus y byddai John yn goroesi ei lawdriniaeth, roeddwn i am iddo wybod... jest rhag ofn.

Crychodd ei wyneb mewn gwên anferth.

'Ti a Duncan... rydych chi am... wel, llongyfarchiadau!' Cefais gwtsh arall ganddo, a tharodd fi ar fy nghefn yn frwdfrydig. 'Ydi Duncan yn gwybod eto?'

Ysgydwais fy mhen. 'Dwi'n methu cael gafael arno ar hyn o bryd. A dydw i ddim eisiau rhannu'r newyddion dros e-bost neu neges destun.' Sbeciodd John ar y teip mân ar dop y ddelwedd.

'Rwyt ti wedi mynd bron i bum mis, Alys! Ond ti ddim yn dangos eto.'

'Nac'dw. Dwi 'di pesgi rhyw chydig, ond 'sgen i ddim bymp eto. Babi bach, meddai'r fydwraig. Ond rŵan dwi'n deall pam ro'n i'n cyfogi ac wedi ymlâdd o hyd.'

'O leia bydd Duncan adref ymhen ychydig wythnosau a gei di orffwys wedyn – yn haeddiannol iawn.' Gwenodd yn sentimental. 'Bydd Duncan wrth ei fodd, Al. Dyma'r newyddion mae o wedi gobeithio'i glywed ers degawd.'

'Wnei di fod yn dad bedydd iddo fo neu hi?'

'Wrth gwrs y gwna i. Am faint bynnag o amser sydd gen i'n weddill. Byddai'n anrhydedd.' Gwenodd y ddau ohonom ar ein gilydd, ond roedd dagrau yn ein llygaid. Yn sydyn, trodd John ar ei sawdl a dechrau cerdded i gyfeiriad y briffordd.

'Pob lwc i ti ddydd Gwener!' galwais. Taflodd gipolwg dros ei ysgwydd a chodi ei gap i'r awyr mewn cydnabyddiaeth. Safais yno am ennyd yn ei wylio'n diflannu i'r pellter, yn gresynu na lwyddais i'w berswadio i ddweud wrth Duncan am ei lawdriniaeth. 'A ty'd yn ôl aton ni,' ychwanegais, o dan fy ngwynt.

21

Er mai dim ond pedair awr ar hugain oedd wedi mynd heibio ers i mi weithio yn y Fleur-de-Lis ddiwethaf, teimlai fel mis. Roedd cymaint o bethau wedi digwydd a chymaint wedi newid.

Trodd Lech i fy nghyfarch. 'Mae'r capten ar fwrdd y llong!' galwodd, gan esgus fy saliwtio, â gwên lydan ar ei wyneb.

'Capten sy'n ffodus iawn i dy gael di'n ddirprwy iddi,' atebais, gan bwnio'i fraich yn ysgafn. Roedd Lynne wrth ei ochr yn plicio llysiau, ond cefais sioc o weld Craig yng nghornel y gegin, wedi torchi ei lewys ac yn cymysgu rhywbeth mewn powlen.

'Prynhawn da,' meddai'n gwrtais. 'Gofynnodd y cartref gofal i mi gymryd fy ngwyliau dyledus yn lle cael fy nhalu'n ychwanegol amdanyn nhw, felly gorffennais fy nghyfnod rhybudd ddoe. Ddwedodd Lech dy fod di'n desbret am staff, felly meddyliais y byddwn i'n dod yn syth yma i ddechrau gweithio.'

'Diolch i ti, mae hynny'n help anferthol i ni,' atebais.

'Wel, dwi'n cael fy nhalu i fod ar wyliau a dwi'n cael fy nhalu i weithio yma'r un pryd... Sefyllfa *win win*!' Seiniodd larwm, a chydiodd Craig mewn menig popty a brysio i agor drws y ffwrn. Roedd o rownd y gornel, allan o fy ngolwg i, ond gallwn ei glywed yn gosod yr hambyrddau metel ar ben y cownter ac yn dweud yn uchel, '*Come to papa, you little beauties*!'' Edrychais i fyny ar Lech a gwenu'n slei bach. Eiliadau'n ddiweddarach daeth Craig rownd y gornel gyda phastai yn ei ddwylo, yn ei dal â'r un gofal ac urddas â phetai'n cludo coron y Frenhines. 'Dwi erioed wedi gwneud pithivier fy hun o'r blaen. Be ti'n feddwl o fy ngwaith crimpio, Lech? Dwi'n *chuffed to bits* efo'r patrwm!'

'Da iawn,' canmolodd Lech. 'Fysen i byth yn meddwl mai dyna'r tro cyntaf i ti roi cynnig arni. Mi fyddi di'n hen law erbyn i ti wneud y ddau ddeg naw arall!'

Dychwelodd Craig i gornel bellaf y gegin, y gornel roeddwn i fy hun yn ei ffafrio pan oeddwn yn pobi neu'n trin toes am ei bod fymryn yn oerach na gweddill y gegin. Dechreuodd ganu'n uchel, ar alaw 'One Hundred Bottles of Beer':

'One hundred pies in the oven, one hundred lovely pies!
Make them nice and round and chomp them down.
One hundred lovely pies!'

Dechreuodd Lynne giglan yn dawel bach. Byddai gan Duncan rywbeth i'w ddweud am ganu gwael Craig, ond am heddiw gadewais iddo ganu nerth esgyrn ei ben.

'Mae o'n wallgof,' sibrydodd Lech. 'Ond mae o i'w weld yn ddigon 'tebol.'

Aethon ni i dawelwch y swyddfa wedyn, a dangosodd Lech y rhestr stoc, y rota staffio newydd a'r rhestr dasgau roedd o wedi'i chreu ar gyfer Lynne a Bobby. 'Mae Lynne yn medru gwneud popeth heb broblem – paratoi cig yn gywir, mae hi'n gwneud toes ardderchog – ond mae hi'n ffwndro os ydi hi'n cael ei phentyrru â thasgau. Cyn belled â bod ganddi drefn benodol a rhestr glir i'w dilyn, dylai fod yn OK.' Ychwanegodd fod y ddwy weinyddes newydd yn gwneud yn iawn o dan oruchwyliaeth Hannah, ac er mai heddiw roedd Craig wedi dechrau yn ei swydd roedd o'n meddwl y byddai'n ychwanegiad defnyddiol i'r tîm.

Erbyn hyn roedd hi'n amser i mi newid i fy nillad gwaith. Deliodd Lech gydag archebion y cwrs cyntaf, gan fy rhyddhau i ddangos i Craig sut i goginio gweddill y prif gyrsiau a sut i'w gosod nhw ar y plât. Hyd yn oed gyda'r fwydlen gyfyngedig roedd hynny'n dipyn o waith, ond ro'n i'n benderfynol o gyflwyno popeth i Craig ar unwaith, achos byddai Lech yn ein gadael ni drannoeth. Fodd bynnag, amsugnodd Craig yr holl wybodaeth fel sbwng, a dechreuais deimlo'n llai gofidus am ymadawiad Lech.

Gwibiodd y gwasanaeth heibio, ond tuag awr cyn i ni orffen am y noson daeth Hannah at ddrws y gegin a gofyn am air sydyn gyda Lech. Ymhen rhyw bum munud daeth yn ei hôl a fy ngalw innau draw.

'Mae Mrs Egan Awelon yn rhoi amser caled i Lech,' sibrydodd, gan daflu edrychiad cynnil i gyfeiriad y bwrdd lle eisteddai'r hen ddynes. Safai Lech wrth ei hochr yn ceisio dweud rhywbeth wrthi, ond bob tro yr agorai ei geg roedd hi'n torri ar ei draws a tharo'r fwydlen gyda'i bys.

'Craig, cadwa olwg ar y cyw iâr, wnei di?' galwais, cyn mentro allan i'r stafell fwyta. 'Oes 'na broblem, Mrs Egan?' gofynnais, gan ddod i sefyll ochr yn ochr â Lech.

'Oes, mae problem!' poerodd y ddynes, yn gynddeiriog o flin. 'Ddywedodd y weinyddes dwp nad ydych chi'n gweini pâté – ond mae o yma ar y fwydlen!'

Bu'n rhaid i mi gymryd anadl ddofn cyn ei hateb. 'Mae Hannah'n iawn, Mrs Egan. Dydyn ni ddim yn gweini pâté fois gras. Ond rydyn ni yn gweini pâté Grandmère – cig moch, cyw iâr a brandi.'

'O. Wel, wnest ti egluro'n well na'r Polack gwirion 'ma, yn rwdlan am greulondeb i anifeiliaid,' meddai, gan rythu ar Lech a chau'r fwydlen gyda chlep. 'Ond dwi ddim yn hoffi cig moch. Ga' i'r cawl, felly. A'r tro nesaf, gwna'n siŵr mai ti sy'n dod i egluro, ac mi gaiff *hwn* aros yn y gegin i olchi'r llestri.' Edrychais ar Lech, ac edrychodd yntau'n ôl arna i. Gallwn weld ei fod o'n ysu i gael rhoi llond ceg i Mrs Egan am ei sarhau, ond roedd yn dal yn ôl allan o barch ata i ac enw da'r Fleur-de-Lis. Agorais fy ngheg i ddweud rhywbeth, ond cyn i mi fedru gwneud hynny stwffiodd Mrs Egan y fwydlen i fy nwylo a throi at ei ffrindiau fel petaen ni'n anweledig. Sibrydodd mor uchel, roedd hi'n amlwg ei bod yn bwriadu i ni glywed ei geiriau.

'Wn i ddim pam eu bod nhw'n cyflogi pobl sydd ddim hyd yn oed yn medru siarad Saesneg yn iawn. Pan oedd Duncan yma roedd y lle'n safonol iawn, ond ers iddi *hi* gymryd drosodd maen nhw'n cyflogi unrhyw Hicin, Siencin neu Siac sy'n dod yma yng nghefn lorri...'

'Mrs Egan,' dywedais. 'Ga' i'ch cyflwyno i Lech, is-gogydd Charles Donoghue yn Llundain am dair blynedd. Bu'n brif gogydd mewn bwyty pum seren yn Warsaw cyn dychwelyd i Lundain ar ôl cael ei ddewis gan Charles i redeg ei ysgol goginio.'

'Ac mewn awyren y dois i yma, nid yng nghefn lorri,' ychwanegodd Lech.

Ceisiais gadw fy llais yn llonydd ac yn ddigynnwrf. 'Rydyn ni'n hynod ffodus i gael Lech yma gyda ni heno, gan ei fod o'n gogydd o fri, ac yn un o fy ffrindiau anwylaf. Ond chewch chi ddim cyfle i flasu ei fwyd o. A dweud y gwir, chewch chi ddim cyfle i flasu bwyd y Fleur-de-Lis byth eto, Mrs Egan, achos wna i ddim caniatáu chi i ddod yma a gwneud sylwadau sarhaus a hiliol am fy staff. A chewch chi ddim bychanu Hannah chwaith. Tydi hi ddim yn dwp – mae hi'n weithgar ac yn glyfar, ac fel Lech a phawb arall sy'n gweithio yma, mae hi'n haeddu gwell na gorfod eich dioddef chi'n rhoi llond ceg iddi bob tro y byddwch chi'n cerdded drwy'r drws. Os na fedrwch chi ddangos parch at fy staff, does dim croeso i chi yma.'

Cipiodd Mrs Egan ei bag llaw oddi ar y llawr a chodi ar ei thraed. Ro'n i'n ymwybodol fod pawb yn yr ystafell fwyta yn edrych arnon ni.

'Ti'n gegog iawn am rywun a gafodd ei swydd drwy agor ei choesau!' sisialodd yr hen ddynes dan ei gwynt. Agorodd Lech a Hannah eu cegau fel petaen nhw am fy amddiffyn i, ond cyn iddyn nhw fedru dweud gair, achubais y blaen arnyn nhw.

'Hwyl fawr, Mrs Egan. Ewch â'ch gwenwyn i rywle arall, os gwelwch yn dda.' Troais at gyfeillion Mrs Egan ac ymddiheuro iddyn nhw am yr 'anghyfleuster'.

'Does dim eisiau i ti ymddiheuro, pwt,' sibrydodd un

ohonyn nhw wrth iddi godi ei chardigan a'i heglu hi am y drws ar ôl ei ffrind. Trodd yn ôl ataf a sibrwd, 'Roedd angen i rywun ddweud y drefn wrthi!'

Wrth i Mrs Egan agor y drws, cofiais am rywbeth arall roeddwn i angen ei ddweud wrthi, a galwais arni'n uchel. 'O, Mrs Egan, cyn i chi fynd ar TripAdvisor a Google i adael rhagor o adolygiadau sy'n pardduo enw'r bwyty, gair i gall. Wna i ymateb i bob un adolygiad, gan ailadrodd popeth ddywedoch chi. Ydi hynny'n glir?'

Heb air arall, cipiodd ei siaced oddi ar y bachyn ger y drws. O'r gegin daeth rhu: 'Gerrrout, you're barred!" yn yr acen *mockney* waethaf i mi ei chlywed erioed – Craig, wrth gwrs. Dim yr ymateb mwyaf proffesiynol, ond dechreuodd y cwsmeriaid eraill chwerthin, a helpodd i ysgafnhau rhywfaint ar awyrgylch y stafell fwyta.

Cerddais yn gyflym yn ôl i'r gegin. Dwi erioed wedi bod yn un am wrthdaro, ac ro'n i'n crynu fel deilen ac yn medru teimlo fy mod i wedi gwrido nes fy mod i'n biws. Ond unwaith i ni gamu i'r gegin cefais fy nhynnu i goflaid gan Lech, a daeth Hannah draw gan wenu. Er fy mod yn teimlo'n ofnadwy ro'n i'n argyhoeddedig fy mod i wedi gwneud y peth cywir drwy ofyn i Mrs Egan adael y bwyty, ac yn ffyddiog y byddai Duncan a John wedi gwneud yr un peth. Fi oedd 'capten y llong' wedi'r cwbl, a doeddwn i ddim am adael i neb sarhau staff y bwyty, na fy ffrindiau chwaith.

'Mae'r hen Alys yn ei hôl!' ebychodd Hannah. 'A diolch i ti. Dwi 'di cael abiws gwaeth na hynna gan gwsmeriaid mewn bwyty arall, a wnaeth y rheolwr ddim byd am y peth – wnaethon nhw ddim hyd yn oed gofyn i'r cwsmer adael. Mae'n cymryd gyts i wneud be wnest ti.'

'Wel, tydw i ddim am i neb ddod i'r gwaith yn teimlo'n ofnus na'n bryderus,' atebais. Cefais fy mwlio drwy gydol yr ysgol uwchradd a'r coleg arlwyo yn ogystal ag ar gychwyn fy ngyrfa, felly gwyddwn sut y gallai geiriau creulon dreiddio i enaid rhywun a'u llenwi â hunanamheuaeth ac ansicrwydd. Na, doeddwn i ddim yn hoff o wrthdaro, ond bellach, sylweddolais, ro'n i'n barod i godi fy llais pan oedd angen i mi wneud hynny.

'Iawn, pawb yn ôl at eu gwaith os gwelwch yn dda,' galwais, gan estyn am ffedog. 'Mae hanner dwsin o bobl yn disgwyl am eu bwyd. Lynne, alli di helpu Craig drwy glirio ei orsaf waith? Lech – tri phenfras ac un cyw iâr. Craig – un risotto pys llysieuol heb fintys... A Craig? Y dynwarediad Peggy Mitchell? Doniol iawn, ond paid â'i wneud o eto yng nghlyw'r ciniawyr, os gweli di'n dda.'

'*Oui*, Chef!' atebodd Craig yn syth, ond byddwn wedi bod yn barod i daeru fod y mymryn lleiaf o *mockney* yn dal i lercian yn ei ateb.

22

Roedd y gwasanaeth swper drosodd a ninnau'n cael 'parti' bach i ddiolch i Lech am ei gymorth, gan y byddai'n dychwelyd i Lundain y peth cyntaf fore trannoeth. Yn hytrach nag aros yn y bwyty, penderfynon ni fynd lawr y lôn i dafarn yr Arad, am fod ganddyn nhw un peth nad oedd yn y Fleur-de-Lis, sef gardd gwrw lle bydden ni'n medru eistedd yn yr awyr iach. Ar gyrraedd sylweddolais fod Lydia a John yn eistedd ym mhen pella'r ardd – roedd John yn gwthio salad llipa o amgylch ei blât a Lydia yn ei annog i roi cynnig ar fwyta fel petai'n siarad â phlentyn bach ffyslyd. Cododd John ei law arna i, ond ni ddaeth atom i ymuno â'r parti.

Daeth Lech yn ei ôl o'r bar gyda photel o Prosecco, a gwydraid cul o sudd oren yr un i Catrin (oedd wedi ymuno â ni ar ôl mynnu fod Jake yn aros adref gyda Martha) a minnau. 'Dyna dy Buck's Fizz, Alys,' meddai â winc slei, gan wthio gwydraid o sudd oren ar draws y bwrdd ata i. 'A sudd oren i Catrin.'

Gan deimlo'n swil, braidd, codais ar fy nhraed o flaen y criw a chodi fy ngwydr yn uchel. 'Lech, mae'n bechod mawr i ti roi'r gorau i grefydd, achos fel arall byddwn i'n dy enwebu i fod yn sant: Sant Lech, nawddsant cogyddion mewn angen. Can diolch i ti am bopeth wnest ti yn y Fleur-de-Lis.'

'I Lech!' adleisiodd pawb, gan godi eu gwydrau. Allan o gornel fy llygad gwelais fod John hefyd wedi codi ei leim a soda i'r awyr. Roedd Lydia yn syllu ar yr ardd flodau, er ei bod yn hollol amlwg ei bod hi'n clustfeinio ar bopeth.

Yn sydyn, sgrialodd car i stop o flaen mynedfa'r ardd gwrw, a chamodd dyn boliog, llydan allan ohono. Cymerodd gwpl o eiliadau i mi gofio pwy oedd o: Huw Awelon, unig fab Mrs Egan. Erbyn i mi gofio'i enw sylweddolais mai yma i fy ngweld i oedd o, ac o'r olwg ar ei wyneb, doedd o ddim wedi dod am sgwrs gyfeillgar.

'Ti!' rhuodd, gan anelu'n syth amdana i. Teimlais gyhyrau fy mol yn tynhau gan ofn, ac yn reddfol, wnes i ddim codi oddi ar y fainc fel na allai o fy ngwthio i'r llawr. 'Rhoi abiws i ddynes sy'n ddigon hen i fod yn nain i ti, codi cywilydd arni o flaen pawb ac yna ei hel hi allan – ydi hynny'n gwneud i ti deimlo'n bwysig, yr ast?' Erbyn hyn roedd o wedi croesi'r ardd. 'Coda!' bloeddiodd. 'Os ti am fwlio rhywun, piga ar rywun yr un maint â ti! Ty'd 'laen!' Gwelais ei ddwylo'n cau'n ddyrnau, a dwi'n meddwl y byddai o wedi fy nharo petai Lech a Craig ddim wedi camu ymlaen a chydio yn ei freichiau. Am eiliad cefais fy mharlysu, ond doedd ar Catrin 'mo'i ofn. Cyn i mi ddod at fy nghoed a chael cyfle i'w ateb roedd hi wedi neidio ar ei thraed a sefyll o flaen Huw, gan wthio bys yn ei wyneb.

'*Big, hard man* wyt ti? Yn codi ffeit efo *expectant mother*. Rhag dy blydi gywilydd di! *Clear off, tough guy*!'

I fod yn deg â Huw Awelon, er ei fod o wedi ei gythruddo, pan glywodd y geiriau '*expectant mother*' rhoddodd y gorau i frwydro yn erbyn Craig a Lech, troi ar ei sawdl a gadael, yn mwmian yn flin dan ei wynt. Ond wrth gwrs, nid Huw oedd yr unig un a glywodd y geiriau. Cododd Lydia ar ei thraed, ei llygaid yn melltio. Er nad oedd Craig na Lech yn gwybod am ein perthynas dymhestlog, synhwyrodd y ddau y bygythiad a chamu ymlaen unwaith eto i f'amddiffyn, gan ei rhwystro rhag fy nghyffwrdd i. Ni wnaeth Lydia ymdrech i'w gwthio o'r ffordd, ond poerodd ei gwenwyn dros eu breichiau estynedig.

'Y cachu ddwedaist ti am deimlo'n sori drosta i, y ffug barchusrwydd a bod yn blydi neis neis, a'r holl amser roeddet ti'n smyg ac yn feichiog, yn chwerthin ar fy mhen i, yn meddwl sut y gwnest ti lwyddo i fy nisodli! Y slebog fach dwyllodrus!'

'Do'n i ddim yn chwerthin ar dy ben di, dim o gwbl. Mae'n ddrwg gen i dy fod di wedi ffeindio allan fel hyn, ond creda fi, dim ond chydig ddyddiau'n ôl y gwnes i ganfod fy mod i'n feichiog.' Yn amlwg, doedd hynny'n ddim cysur iddi.

'Wel, dwi'n siŵr dy fod di'n ymfalchïo rŵan. Gest ti bopeth gen i yn y diwedd, yn do? Mi weithiodd dy gynllun yn berffaith: cadw dy goesau ar gau ac ymddwyn yn oeraidd nes bod Duncan ar ei liniau yn awchu amdanat ti, ac yna symud i mewn a chymryd popeth oedd yn arfer bod yn perthyn i mi...'

'Lydia, ti roddodd Duncan i mi. Wnest ti ei annog i fod yn anffyddlon er mwyn ei gadw'n euog ac yn ufudd, felly paid â dod yma'n crio a sgrechian a dweud mai fi ydi'r "ddynes arall", achos roedd dy briodas di drosodd ymhell cyn i mi ddechrau ei ganlyn o. Gollaist ti dy afael ar Duncan pan gafodd o ddigon ar dy gelwyddau a dy ffuantrwydd. Ti wthiodd ni at ein gilydd, wnest ti gyfaddef hynny. Ac ydyn, rydyn ni yn dechrau teulu gyda'n gilydd. Dydi'r amseru ddim yn ddelfrydol, ond er lles John, gad i ni ddelio â'r sefyllfa fel oedolion.'

'Mae'n hawdd bod yn fi fawr pan wyt ti'n ennill, yn tydi, Alys? Hawdd bod yn rhesymol ac yn glên ar ôl cael popeth roeddet ti'n dymuno amdano.'

'Lydia, mae'n wirioneddol ddrwg gen i dy fod wedi colli dy fabi. Creda fi, petai pethau wedi bod yn wahanol, petaet ti a Duncan wedi aros gyda'ch gilydd a dod yn rhieni, yna mi fyddwn i wedi aros yn Llundain a chadw draw o'r Fleur-de-Lis. Dwi'n gofyn am yr un tegwch gen ti rŵan. Gad i ni fod yn deulu, plis. Gad i ni anghofio'r holl ddrwgdeimlad a chanolbwyntio ar gefnogi John, er ei fwyn o...'

'Er dy fwyn di dy hun, Lydia,' ychwanegodd John yn dawel. 'Ti 'di cosbi hen ddigon ar Duncan bellach. Mae o wedi galaru am ei blentyn, wedi dioddef iselder ac wedi methu cysgu yn poeni sut y bydd o'n talu dy ddyledion di. Mae o wedi dioddef ac mae'n haeddu cyfle i fod yn hapus. Dydw i ddim yn siŵr pwy ddylwn i gredu, ond os gest ti fai ar gam gan Duncan, rwyt ti wedi hen ddial arno erbyn hyn. A tydi Alys ddim yn haeddu dy gasineb. Dwi'n gwybod nad wyt ti eisiau credu hyn, Lyds, ond wir yr, tydi Alys erioed wedi gwneud dim i dy frifo di.' Ysgydwodd Lydia ei phen a dechrau dweud rhywbeth, ond daliodd John ei fys i fyny fel arwydd iddi bwyllo a gwrando, a daliodd i siarad heb roi cyfle iddi dorri ar ei draws. 'Mae angen i ti wrando, Lyds. Nid hi 'di'r gelyn. Ti ydi dy elyn pennaf dy hun, yn mynnu o hyd mai ti ydi'r dioddefwr, yn chwarae gemau ac yn creu helynt. Tydi o ddim yn iach.' Rhoddodd law ysgafn ar ysgwydd ei chwaer a throdd hithau i edrych arno â llygaid llawn dagrau. 'Mae Duncan wedi mynd, a dwi'n gwybod bod hynny'n anodd i ti ei glywed. Ond mae'n amser i ti dderbyn hynny a rhoi'r gorau i geisio cael y llaw uchaf. Mae o'n brifo, mi wn i hynny, ond mae'n rhaid i ti roi'r gorau i frifo pobl eraill.' Amneidiodd i gyfeiriad y fynedfa. 'Ty'd yn ôl i'r fflat...'

Cerddodd John allan o'r ardd gwrw a dilynodd Lydia, heb droi i edrych arna i na gweddill y criw. Welais i ddim edifeirwch na chywilydd ar ei hwyneb, ond o leia wnaeth hi ddim ymosod arna i.

'Wyddost ti, dwi bron â theimlo'n sori drosti,' meddai Catrin, wrth i ni ei gwylio hi'n cerdded ar ôl John fel ci strae. 'Ond yna dwi'n cofio popeth wnaeth hi, a dwi ddim yn teimlo cweit mor drugarog.'

Roedd yn rhaid i mi gytuno. Mewn rhai ffyrdd cafodd Lydia fagwraeth freintiedig iawn, ond mewn ffyrdd eraill roedd hi'n dlotach o lawer na Catrin a finnau. Doedd ganddi ddim syniad sut beth oedd cariad diamod, diddiwedd rhieni, a phan gafodd gariad Duncan, roedd hi wedi ei niweidio ormod gan drachwant, difaterwch a hunanoldeb pobl eraill i werthfawrogi'r hyn oedd ganddi. Gobeithiais y byddai John yn medru ei thawelu, a'i pherswadio i gadw'n dawel am fy meichiogrwydd nes i Duncan gyrraedd adref. Doedd gen i ddim bwriad o siarad â hi eto, os nad oedd rhaid.

Troais at Lech ac ymddiheuro iddo fod ei barti wedi gorffen mor ddiseremoni.

Wrth i ni ymlwybro yn griw drwy ganol y pentref,

datganodd Craig, 'Dwi'n meddwl 'mod i'n mynd i fwynhau gweithio yma. Mae 'na fwy o ddrama 'di digwydd heddiw nac mewn pennod o *Pobol y Cwm*!'

Tra oedd Lech a finnau'n paratoi'r gegin at y bore, daeth Catrin drwy ddrws cefn y bwyty a'i gwynt yn ei dwrn.

'Mae Lydia 'di mynd,' meddai. 'Ar ôl gadael y dafarn paciodd ei phethau – pan o'n i ar y ffordd adref mi welais i hi'n llenwi bŵt y Range Rover a gyrru o'ma. Roedd hi a John yn bloeddio ar ei gilydd yn y stryd. Soniodd hi rywbeth am frad a dewis ochrau... doedd o ddim yn gwneud sens i mi. Ta waeth, mae hi wedi mynd rŵan... ro'n i'n meddwl y byset ti am gael gwybod.'

Rhaid bod Lech wedi clywed stori Catrin. 'Felly fydd neb yno i ofalu am John ar ôl ei lawdriniaeth?' gofynnodd.

'Mae'n edrych felly,' dywedais yn ddigalon.

'Fedra i ddim aros yn yr ysbyty drwy'r dydd efo Martha,' meddai Catrin. 'Neu fel arall fysen i'n cynnig aros efo fo.'

'Fedra innau ddim hollti fy hun yn ddau,' ychwanegais. 'Gallwn ofyn i Mam eistedd gyda fo, efallai...' Teimlais ymchwydd newydd o gasineb tuag at Lydia. Roedd ei brawd wedi dioddef ergyd ar ôl ergyd, ac roedd hi wedi cefnu arno ar noswyl ei lawdriniaeth. Byddai cael Mam yn gwmni iddo yn well na dim, ond roedd angen aelod o'i deulu neu gyfaill agos arno. Tybed, petawn i'n ffonio Duncan yr eiliad hon, a fyddai'n medru cyrraedd adref o fewn pedair awr ar hugain?

Y tu ôl i mi, clywais Lech yn ochneidio'n ysgafn.

'Fory mae ei lawdriniaeth? Dwi'n siŵr, os gwna i ffonio Charles i egluro'r sefyllfa, y ca' i ganiatâd i gymryd diwrnod neu ddau ychwanegol o wyliau. Byddai hynny'n caniatáu i ti aros yn yr ysbyty, Alys, ond bydd yn rhaid i mi fynd adref ddydd Sul, i fod yn barod i ddechrau'n ôl yn y gwaith ar y dydd Llun.'

'Ti'n seren, Lech. Doeddwn i ddim yn disgwyl i ti gynnig, ond petaet ti'n medru aros am hyd yn oed diwrnod ychwanegol, byddai'n sicrhau na fyddai'n rhaid i John fod ar ei ben ei hun, ac mi allwn fod yno pan fydd o'n deffro o'r anaesthetig.'

Felly, ar ôl cloi drysau'r bwyty, es i draw i fflat John. Ro'n i wedi ofni y byddai wedi estyn am y botel, a theimlais ymchwydd o ryddhad pan welais ei fod o'n gorwedd ar y soffa, yn darllen llyfr am feddylgarwch.

'Dwi mor sori i hyn ddigwydd,' dywedais. 'Dwi'n gwybod na fydd o ddim yr un fath â chael dy deulu neu Duncan wrth dy ochr, ond os wyt ti am i mi ddod i'r sbyty...'

Gwenodd John a rhoi'r llyfr i un ochr. 'Fyse'n gymorth mawr i dy gael di wrth fy ochr. Gwell o lawer na llyfr hunangymorth.'

'Mae'n ddrwg gen i am yr hyn ddigwyddodd heno.'

'Paid ag ymddiheuro. Roedd hi'n chwilio am esgus i fflownsio allan, a manteisiais ar y cyfle i ddweud fy nweud. Dwi 'di cadw'n dawel yn rhy hir. Dywedais wrthi fod ei hymddygiad yn warthus ac y dyle hi ad-dalu'r arian mae hi wedi ei ddwyn oddi ar y cwmni. Ond mae hi'n narsisaidd a welith hi byth fai arni hi ei hun.'

'Tydi hi ddim yn rhy hwyr i ti ffonio Duncan...' dechreuais, ond ysgwyd ei ben wnaeth John.

'Dwi ddim am fynd dros hyn eto, Alys,' dywedodd yn flinedig.

Cytunodd y ddau ohonom y byddwn i'n dod draw y peth cyntaf yn y bore i'w yrru i'r ysbyty. Rhybuddiodd John y byddai'n *nil by mouth* a mwy na thebyg mewn hwyliau uffernol.

'Dim gwahanol i'r arfer, felly,' meddwn yn ysgafn.

Yn hwyr y noson honno ceisiais ffonio Duncan, ond ches i ddim lwc. Efallai fod hynny'n fendith, meddyliais, oherwydd petaen ni wedi siarad dwi'n siŵr y byddwn i wedi datgelu'r cwbl iddo am salwch John, y beichiogrwydd, ymosodiad Lydia a'r posibilrwydd y byddai hi'n ceisio dial arnom eto. Roedd cymaint wedi digwydd ers iddo adael. Gormod. Gorweddais yn effro am awr neu fwy yn ystyried sut oeddwn i am dorri'r holl newyddion iddo, ond doedd gen i ddim syniad ble byddwn i'n dechrau. 'Mae Lydia *on the warpath* eto ac mae gan John ganser, ond y newyddion da ydi y byddi di'n dad ymhen llai na phum mis'? Neu 'Dwi'n disgwyl... ydi, mae'n newyddion gwych, ond gyda llaw, mae John yn cael triniaeth radiotherapi a llawdriniaeth, ac mae Lydia am fy ngwaed i unwaith eto'? Doedd dim yn swnio'n iawn, rywsut.

Ro'n i wedi gwneud smonach o bethau. Dim ots sut y byddwn i'n geirio pethau, byddai'r holl ddatgeliadau yn ergydion go galed, a'r byddai'r ffaith i ni gadw pethau rhagddo mor hir yn ei frifo'n arw. Yn rhy hwyr, gwelais mai didwylledd oedd y dewis gorau – yr unig ddewis.

Yn methu'n lân a chysgu, codais a sleifio'n dawel bach i stydi Mam. Defnyddiais ei chyfrifiadur i anfon e-bost i Duncan:

Haia cariad,

Ti'n iawn? Sori dod hi'n hwyr ond bwi'm yn mebru cysgu. Pryd wyt ti'n debygol o fod yn ôl yn Llundain? Mae yna bipyn o dethau wedi bigwydd yma yn ddiweddar – rhai'n dda a rhai'n ddrwg – a hoffwn i gael cyfle i brafod popeth wyned yn wyned. Neu hyb yn oeb os wyt ti'n mebru cael llonydd i wneud sgwrs bros y we. Mae'n rhy gymhleth i egluro bros edost.

Alys
Xxxxx

23

Lwyddais i ddim i gysgu hyd yn oed ar ôl i mi anfon yr e-bost at Duncan. Am bedwar o'r gloch ges i neges destun gan John.

Al, dwi'n methu cysgu. Gwybod oeddet ti am ddod draw am 7, ond os ti'n derbyn y neges hon cyn hynny fysen i'n gwerthfawrogi dy gwmni. TTFN, John.

Gwisgais a phacio bag llaw. Gan adael nodyn i Mam, gyrrais i lawr i'r pentref a pharcio tu allan i fflat John. Gallwn weld ei fod yn eistedd ar silff ffenest ei stafell fyw, yn syllu allan tua'r gorwel. Oedais ar stepen y drws er mwyn edrych i'r un cyfeiriad â fo – roedd y cymylau uwchben Moel Hiraddug yn derfysg o binc a melyn. Caeais fy llygaid i wrando ar gôr yr adar, a llanwodd fy llygaid â dagrau. Trueni na chaen ni fyw yn y foment honno am byth, yn llonydd a thawel a diogel.

'Al, ti'n dod fyny 'ta be?' galwodd John, a theimlais ryw symudiad yn fy mherfedd – oedd y babi yn symud, neu a oedd fy stumog yn corddi oherwydd yr hyn oedd o flaen John ychydig oriau'n ddiweddarach? Doedd gen i ddim syniad, ond chwalwyd y foment heddychlon.

Roedd paned o goffi yn disgwyl amdana i.

'Decaf,' eglurodd John. 'Codais yn y nos i gael diod, a methu mynd yn ôl i gysgu. Dwi'n *nil by mouth* o hyn allan.' Aeth yn ôl i'w lecyn yn y ffenest, ond yna edrychodd dros ei ysgwydd arna i. 'Ti'n dechrau llenwi, Al.' Edrychodd i lawr ar ei fol ei hun. 'Yn wahanol i mi. Dwi 'di colli stôn a hanner ers i mi gael y diagnosis. Mae pobl yn fy stopio yn y stryd i ddweud pa mor iach dwi'n edrych. Ges i un hulpan wirion yn gofyn pa ddiet dwi'n ei ddilyn, Paleo neu GI. Pam fod pobl mor fusneslyd?' Ochneidiodd. 'Yli, dwi am gael cawod. Rho'r teledu ymlaen os oes gen ti awydd.'

Arhosodd John yn y gawod am ugain munud, ac eisteddais innau'n gwrando ar sŵn y dŵr yn taro'r teils, yn ceisio meddwl yn ofer am rywbeth cysurlon i'w ddweud wrtho. Daeth yn ôl i'r stafell fyw wedi ei wisgo'n ddestlus, er bod ei siwmper yn hongian oddi ar ei ysgwyddau fel poncho. Eisteddodd wrth fy ochr a rhoi gwên fach dynn i mi, i ddweud ei fod o'n iawn ac nad oedd angen i mi gynnal sgwrs. Eisteddon ni'n gwylio'r teledu am rai oriau mewn tawelwch oedd bron yn gyfforddus, nes iddo edrych ar y cloc uwchben y lle tân.

'Bydd yn rhaid i ni fynd i'r sbyty ymhen hanner awr,' meddai'n dawel. Nodiais fy mhen. Daliodd John i syllu ar fysedd y cloc, ar yr eiliadau'n tipian heibio. 'Ti'n gwybod be, Al? Dwi'n cachu brics, a does gen i ddim ofn cyfadde hynny. Dim am fod gen i ofn marw. Ar un adeg dyna oedd yn codi ofn arna i, ond dwi 'di symud heibio hynny rŵan... dwi'n meddwl.' Caeodd ei lygaid. 'Mae arna i ofn, achos hyd yn oed os ddo' i drwy'r llawdriniaeth, mi wn i be sy'n aros amdana i wedyn. Dwi 'di bod ar fwrdd y llawfeddyg unwaith o'r blaen, a dwi'n cofio sut deimlad ydi bod mewn poen, yn ddiymadferth, yn ddibynnol ar bobl eraill. Weles i Mam yn mynd drwy'r un peth. Pan dwi'n meddwl am y frwydr sy o 'mlaen i, rhaid i mi gyfadde fod marwolaeth yn ymddangos yn opsiwn... Wel, na, dwi ddim eisiau marw. Ond mae'r peth wedi croesi fy meddwl i, falle am fod hynny'n haws na gorfod meddwl am yr hyn fydd yn digwydd i mi petawn i'n goroesi.' Symudais ar hyd y soffa er mwyn rhoi fy mreichiau amdano. Wnaeth o ddim ymlacio i'r goflaid, ond wnaeth o ddim tynnu'n rhydd chwaith. 'Fues i bron â marw unwaith o'r blaen, a dwi'm yn siŵr oes gen i ddigon o nerth i frwydro eto. Dwi jest am i bethau fynd yn ôl i sut roedden nhw'n arfer bod. Dwi eisiau codi a mynd yn ôl i'r gwaith. Dwi eisiau hanner awr heb i fy nghorff f'atgoffa i fod 'na rywbeth mawr yn bod arna i. Dwi ddim awydd bag colostomi na bod yn sownd mewn gwely hefo cathetr a thiwbiau ym mhob twll a chornel, na chael rhagor o radiotherapi. Dwi'n *pissed off* efo pawb a phopeth, Al.'

'Mae'n naturiol i deimlo fel'na,' dywedais, yn dal i'w gwtsio'n dynn. 'Mae gen ti berffaith hawl i fod yn *pissed off*. Paid byth ag ymddiheuro am hynny.'

'Diolch,' atebodd, 'ond dwi'n dy rybuddio di rŵan, dwi ddim yn ymdopi'n dda â phoen. Dwi'n rêl bastard sarrug ar ôl dod oddi ar y morffin. Mi fydda i'n arthio arnat ti ac yn dy alw di'n bob enw dan haul...'

'John, gwna di beth bynnag sydd ei angen arnat ti i ymdopi. Wnei di ddim brifo fy nheimladau i, achos hyd yn oed pan wyt ti'n holliach rwyt ti'n fastard sarrug... ond fysen i ddim yn dy newid di am y byd.'

Gyrhaeddon ni Ysbyty Glan Clwyd am hanner awr wedi wyth, ac am unwaith doedd dim rhaid i ni dreulio chwarter awr yn edrych am rywle i barcio. Treulion ni fore hir yn symud o un stafell aros i'r llall, yn disgwyl i John gael ei bwyso a'i fesur, arwyddo gwaith papur a disgwyl i siarad â'r llawfeddyg. O'r diwedd, gyrhaeddon ni'r adran lawdriniaethau, lle'r oedd gwely i John a gŵn iddo'i gwisgo. Newidiodd iddi yn y tŷ bach a gorwedd ar y gwely i ddisgwyl, a disgwyl a disgwyl. Piciai nyrs draw bob hyn a hyn i ymddiheuro am yr oedi, gan egluro bod yr anesthetydd yn gofalu am glaf mewn argyfwng. Aeth oriau heibio a dechreuodd John aflonyddu. Er nad oedd arno awydd bwyd roedd ganddo syched ofnadwy, ac wrth gwrs, roedd y tensiwn yn ei wneud o'n nerfus. Cododd a cherdded o amgylch ei giwbicl sawl gwaith fel anifail mewn caets, yn rhegi o dan ei wynt ac ochneidio'n uchel. Llwyddodd i wenu'n gwrtais ar y nyrs bob tro y deuai i'n diweddaru ni, ond gallwn weld ei fod yn barod i ffrwydro. Petai pethau wedi dilyn yr amserlen wreiddiol byddai hanner ffordd drwy'r llawdriniaeth erbyn hyn.

O'r diwedd, daeth y metron draw a dweud wrtho'n ddi-lol am 'neidio'n ôl i'r gwely' gan y byddai'r tîm yn dod i'w nôl o'n fuan iawn. Mewn amrantiad, aeth John o fod yn gi ffyrnig i edrych fel balŵn oedd yn gollwng aer. Bron y gallwn ei weld o'n crebachu wrth orwedd yn ôl ar ei obennydd. Llyfodd ei wefusau crin a cheisio chwibanu – cymerodd funud a mwy i mi sylweddoli mai 'My Way' gan Sinatra oedd y gân, gan fod ei wefusau'n crynu cymaint.

'Ydi'r llythyr 'na i Duncan gen ti?' gofynnodd yn sydyn, gan edrych i'r chwith fel petai'n disgwyl i rywun gamu drwy'r bwlch yn y llenni.

'Ydi, ac unwaith y byddi di wedi deffro o'r llawdriniaeth gei di o'n ôl, a gei di siarad gyda fo dy hun. Fydd o adre ymhen chydig wythnosau... A phetai gen ti awydd siarad gyda fo rŵan, mae fy ffôn i gen i...'

Ysgwyd ei ben yn styfnig wnaeth John. 'Ar ôl i mi orfod ffarwelio â Fred a Mam, penderfynais na fyddwn i'n gwneud hynny byth, byth eto. Be 'di'r pwynt? Os dwi'n marw fydd o'n ddim cysur i mi, a wneith o ddim helpu Duncan chwaith. Dwi am iddo fy nghofio fel ro'n i – yn rhegi, yn bygwth ei staff ac yn lluchio platiau. Stwffia fi efo blawd llif a rho fi i sefyll yng nghornel y gegin gyda chyllell yn fy llaw, i godi ofn ar y cenau bach diog...' Roedd yn rhaid i mi chwerthin. Gwenodd John hefyd, gwên dila na chuddiai ei ofn.

'Dim *goodbye* ydi hyn, Al, ond fel rydych chi Gymry'n dweud, hwyl fawr. *Big fun*. Os fydda i'n deffro mi fydda i off fy mhen ar forffin am sbel, sydd wastad yn gwneud pethau'n ddiddorol. Ac os ydw i'n gwaedu i farwolaeth neu fod fy nghalon yn rhoi'r gorau i guro, yna fydda i gyda Mam a Fred unwaith eto, a bydd hynny'n hwyl hefyd.' Daliodd i syllu ar y bwlch rhwng y llenni. Nid disgwyl i rywun gyrraedd oedd o, ond ceisio'i orau i osgoi edrych arna i.

'Dyweda wrtha i am Fred. Sut un oedd o?'

Ond ysgwyd ei ben wnaeth John. 'Na. Fi sydd bia Fred. Talais bris mawr er mwyn i ni gael bod efo'n gilydd, felly dwi ddim am ei rannu â neb arall. Dau lanc dosbarth gweithiol yn byw yn Glasgow yn datgan eu bod nhw'n gwpl hoyw... mae'n anodd i ti ddeall faint o effaith gafodd hynny ar ein bywydau. Wnes i aberthu popeth i fod yn gariad iddo. Ond y prif reswm dwi ddim yn siarad amdano ydi achos na fyddai geiriau'n gwneud cyfiawnder â fo. Well gen i ei gadw yma.' Tapiodd John ei dalcen. 'Mae o'n dal yn fyw, yn fy mhen i. Os oes rhaid i mi ddechrau cyfeirio ato yn y gorffennol...' Roedd golwg bell yn ei lygaid a gwyddwn ei fod o'n ail-fyw dyddiau hapus prin ei ieuenctid gyda Fred. Codais gan esgus bod angen y tŷ bach arna i, ond unwaith i mi ganfod yr ystafell fechan ar waelod y ward es i ddim i'r ciwbicl, dim ond sefyll dros y sinc a wylo heb wneud sŵn.

Hyd yn oed petawn i ddim yn llanast hormonaidd, fysen i wedi crio'r funud honno. Torrai fy nghalon wrth i mi feddwl am yr holl bethau y bu'n rhaid i John eu dioddef dros y blynyddoedd. Os oedd o yn ei ugeiniau pan gollodd o ei gariad, golygai hynny ei fod wedi treulio hanner ei fywyd yn sengl ac yn galaru. Roedd o wedi dioddef trasiedi ar ôl trasiedi, ac wedi gorfod wynebu'r cyfan heb deulu'n gefn iddo, a rŵan roedd o'n wynebu'r afiechyd a laddodd ei fam. Doedd bywyd dim yn deg. Dim o gwbl.

'Miss Mitchell?' galwodd llais benywaidd drwy'r drws. 'Mae'ch tad yn mynd i'r theatr mewn munud.' Sychais fy llygaid yn frysiog a dychwelyd i'r ciwbicl lle'r oedd John yn edrych ar ei ffôn.

'Neges gan fy nhad,' meddai'n sych, '"Dymuniadau gorau heddiw." Dim byd gan Lydia.'

'Dwyt ti ddim angen yr ast hunanol 'na yn dy fywyd, John,' dywedais, gan eistedd ar erchwyn ei wely a gafael yn ei law. 'Rwyt ti'n rhan o'n teulu ni. A wnaiff Duncan na finnau byth, byth dy adael di.' Cododd ei ben i edrych arnaf am y tro cyntaf ers i ni gyrraedd yr ysbyty, ac roedd ei lygaid yn sgleinio â dagrau. Ymhen chwinciad, roedd fy rhai innau hefyd.

'Fyddi di yma pan dwi'n deffro?' gofynnodd yn gryg.

Nodiais fy mhen. 'Wrth gwrs,' atebais, gyda chryn drafferth.

'Ac os dwi ddim... os dwi... wnei di ddweud wrth Duncan... dyweda wrtho 'mod i'n ei garu o.' Nodiais fy mhen eto.

Yn sydyn, ro'n i'n ymwybodol bod criw o bobl yn sefyll y tu allan i'r ciwbicl, yn disgwyl i fynd â John i'r theatr. Codais a rhoi cusan dyner ar ei foch. Gwasgodd fy mysedd, a theimlais y cryndod yn ei law.

'Drycha ar ôl dy hun a'r fechan, Al,' meddai. Teimlais law'r metron ar fy ysgwydd, yn fy annog i gamu'n ôl a gadael i'r nyrsys ymgasglu o gwmpas gwely John. Cefais fy nhywys i ystafell ar ben pellaf y coridor, lle'r oedd soffa a thegell i wneud paned.

'Croeso i ti aros yn fan hyn,' meddai'r metron yn garedig. 'Mi fydd o'n iawn. Gei di weld.'

Ond doedd o ddim yn iawn. Diolch i sgwrs gyda'r llawfeddyg roedd gen i syniad bras o ba mor hir y dylai'r llawdriniaeth gymryd, ac aeth yr amser hwnnw heibio heb olwg o John. Teimlais yn euog am droi fy meddwl at bethau ymarferol a mynd i nôl rhywbeth i'w fwyta o'r ffreutur, ond doeddwn i ddim wedi bwyta ers amser swper neithiwr, ac roedd hi ymhell wedi amser cinio. Crwydrais goridorau'r ysbyty am ddeng munud er mwyn ymestyn fy nghoesau, cyn dychwelyd i'r ystafell fach. Doedd dim i'w wneud heblaw ateb negeseuon Mam a Catrin gan ddweud nad oedd unrhyw newyddion, ac eistedd yn syllu ar y waliau. Ro'n i'n effro ers pedwar y bore, a rhaid fy mod i wedi syrthio i gysgu am awr fach. Deffrais gyda herc, heb fath o syniad lle oeddwn i, a chefais fraw wrth sylweddoli ei bod hi bron yn amser swper. Dechreuais deimlo'r un aflonyddwch ag a brofodd John yn gynharach, wrth i'r ofn chwyddo yn fy mron. Ddylai o fod allan o'r theatr erbyn hyn. Beth oedd yn digwydd?

Gorfodais fy hun i roi'r gorau i gerdded mewn cylchoedd o amgylch yr ystafell fach, a cheisiais wneud yr ymarferion anadlu-a-chyfri-i-ddeg oedd wastad yn gymorth i ddod dros bwl o ofid. Teimlais guriad fy nghalon yn arafu gyda phob anadl, ac roeddwn i'n dawel a digynnwrf pan ddaeth y llawfeddyg i'r stafell.

'Mae o'n dod ato'i hun,' meddai hi. 'Bu'r llawdriniaeth yn llwyddiant ac mi lwyddon ni i dynnu'r holl dyfiant, ond bu sawl her.' Eglurodd hi'n eithaf manwl y cymhlethdodau a'i hwynebodd wrth dynnu'r tiwmor, a phan soniodd ei fod wedi colli cryn dipyn o waed, dechreuais deimlo'n benysgafn. 'Mi fydd o'n wan iawn i gychwyn, ond wnawn ni gadw golwg agos arno a sicrhau ei fod yn derbyn y gofal gorau posib.' Gofynnais a fyddai modd i mi fynd i'w weld o. Cytunodd, ond rhybuddiodd ei fod o wedi derbyn tawelydd a lladdwr poen cryf, ac na fyddai'n medru siarad yn iawn.

Felly, cadwais fy addewid i fod yno i John pan ddihunai. Eisteddais wrth ei ochr, ein bysedd ymhleth, yn gwylio'i fron yn codi ac yn gostwng. Ar ôl ychydig, teimlais ei fysedd yn gwasgu fy rhai innau'n ysgafn, a gwelais ei amrannau yn symud, er nad agorodd ei lygaid. Gwnaeth sŵn griddfan heb agor ei geg yn iawn, a galwais nyrs draw rhag ofn ei fod o mewn poen.

'Peidiwch â cheisio siarad, Mr Mitchell,' meddai hi. 'Mae'ch merch yma efo chi, ac rydech chi wedi dod drwy'r llawdriniaeth, ond mae angen i chi orffwys.' Awgrymodd y nyrs y dylwn fynd adref a gadael i John gysgu, felly dyna'n union beth wnes i.

Roedd Mam allan yn helpu i gynnal sesiwn y Clwb Ieuenctid lleol, felly roedd ei thŷ'n wag. Ges i gawod a newid fy nillad i gael gwared ar arogl yr ysbyty a lynai wrth fy nghorff a 'ngwallt, ond ar ôl i mi dreulio'r prynhawn cyfan yn eistedd ar ben fy hun, teimlai tawelwch y tŷ bron yn ormesol.

Cerddais i'r Fleur-de-Lis, gan oedi ar y ffordd i wrando ar grawcian y brain wrth iddyn nhw glwydo yng nghanghennau'r coed. Roedd yr awyr yn colli ei disgleirdeb ac roedd min o oerni yn yr awel wnaeth fy adfywio ar ôl diwrnod mewn adeilad heb fymryn o awyr iach.

Safais yn nrws cefn y bwyty am ychydig funudau i fwynhau prysurdeb y gegin.

'Alys!' meddai Lech, pan welodd fi. 'Sut mae John?'

'Yn fyw. Yn wan iawn, ond maen nhw'n ffyddiog ei fod o dros y gwaethaf.'

'Wyt ti wedi bod efo fo tan rŵan? Wyt ti wedi bwyta?' gofynnodd Lech, gan estyn am badell ffrio. 'Paid â dweud nad oes gen ti awydd bwyd – rwyt ti'r un lliw â photel laeth. Lynne, ydi'r brocoli yn barod? Craig, tafla eog i'r badell!' Rhoddodd Lech gyllell a fforc ar y cownter a thynnu stôl uchel tuag ataf. Gyda ffanffer, gosododd lond plât o basta carbonara ac eog wedi ei goginio'n berffaith o 'mlaen i. '*Mange tout*,' meddai, ac aeth yn ôl i redeg y gegin. Roedd y bwyd mor flasus bu'n rhaid i mi ufuddhau a chlirio fy mhlât, hyd yn oed y brocoli (roedd llysiau gwyrdd yn dueddol o godi cyfog arnaf ers i mi ddechrau dioddef o salwch boreol). Es i â fy mhlât at y peiriant golchi llestri, ond cipiodd Lynne o oddi wrtha i.

'Dos fyny'r grisiau i gael hoe, Alys!' galwodd Lech, a gan ei fod yn swnio fel gorchymyn, dyna wnes i. Tynnais fy sgidiau a fy siaced cyn dringo o dan y cwrlid, gan fwriadu cael hanner awr fach o hoe cyn dychwelyd i lawr y grisiau i helpu'r staff i glirio, ond roedd synau cyfarwydd a chysurus y gegin islaw fel hwiangerdd, a suddais i gwsg dwfn.

Pan ddeffrais roedd hi'n dywyll fel y fagddu. Yn raddol, sylwais ar sgwaryn bach o olau gwyn yn dawnsio o gwmpas gwaelod y gwely. Codais ar fy eistedd.

'Lech?' galwais, gan droi'r lamp uwch fy mhen ymlaen. Roedd Lech yn sefyll yng ngwaelod y gwely, yn defnyddio tortsh ei ffôn i archwilio'r stafell. Roedd pâr o drowsus a sgidiau yn ei law arall.

'Ddrwg gen i dy styrbio di. Ro'n i'n chwilio am fy mhyjamas i mi gael newid allan o fy nillad gwaith.'

'Faint o'r gloch ydi hi?' gofynnais yn swrth.

'Hanner awr wedi unarddeg. Rwyt ti wedi bod yn cysgu am gwpl o oriau.' Cipiais fy ffôn oddi ar y cwpwrdd ger y gwely, a rhoddais ochenaid o ryddhad pan welais nad oeddwn i wedi methu unrhyw alwadau ffôn na negeseuon o'r ysbyty.

'Rŵan dy fod di'n effro,' gofynnodd Lech yn wylaidd, 'fyset

ti'n meindio petawn i'n cael cawod? Mi gysga i ar y soffa, ond dwi angen ymolchi gyntaf...'

'Wrth gwrs,' atebais, a diflannodd i'r gawod fechan yng nghornel y stafell wely.

Codais a mynd i'r lolfa er mwyn rhoi ychydig o breifatrwydd iddo, ond wrth i mi wneud hynny clywais sŵn y drws ffrynt yn agor a chau.

'Lech!' gwichiais. 'Mae 'na rywun yn ceisio dod i'r bwyty! Wnest ti gofio cloi'r drysau ar dy ôl?'

'Do,' galwodd o'r gawod. 'Yn bendant.'

'Wel, mae 'na rywun wrth y drws...' Edrychais allan drwy ffenest y stafell wely ond allwn i ddim gweld unrhyw beth yn nüwch y nos, dim hyd yn oed siâp car anghyfarwydd yn y maes parcio. Clywais sŵn traed yn cerdded ar hyd y teils caled. 'Lech!' sisialais yn ofnus. 'Mae 'na rywun yn y gegin!'

Llamodd Lech allan o'r gawod a safodd yn nrws y stafell wely gyda thywel wedi ei lapio'n dynn am ei ganol. Roedd y traed yn dringo'r grisiau, yn dod yn nes ac yn nes. Cododd Lech botel oddi ar y bwrdd ymbincio rhag ofn y byddai arno angen arf, a sleifiodd i dop y grisiau, yn barod i drywanu'r tramgwyddwr petai rhaid.

'Pwy sy 'na?' galwais yn grynedig.

'Fi,' atebodd llais dwfn. Agorodd y drws a cherddodd Duncan i'r fflat.

24

Am eiliad, meddyliais fod Duncan wedi synhwyro fod John ei angen, a'i fod wedi brysio adref i fod gyda'i ffrind. Camais ymlaen â breichiau agored i roi cwtsh iddo, ond ar ôl gweld yr olwg ar ei wyneb, rhewais yn fy unfan. Roedd yr olwg oeraidd yn ei lygaid gleision yn awgrymu nad oedd yn synnu gweld Lech – mae'n rhaid bod Duncan yn ymwybodol fod Lech yma felly. Ac er bod y sefyllfa yn un hollol ddiniwed, gallwn weld sut yr ymddangosai pethau'r eiliad honno – y ddau ohonon ni'n droednoeth, dillad y gwely'n bentwr blêr a Lech yn wlyb o'r gawod, yn gwisgo dim byd ond tywel fel petai'n parêdio'i gorff cyhyrog.

'Duncan...' dechreuais, ond torrodd ar fy nhraws.

'Roedd Lydia'n dweud y gwir, felly.'

'Duncan, nid be ti'n...'

Gydag un symudiad nerthol, taflodd Duncan y silff lyfrau i'r llawr. Neidiais mewn braw, a chamu'n ôl oddi wrtho. Trodd oddi wrtha i, ac wrth iddo ruo yn ei dymer cododd ei law fel petai am ddyrnu'r wal.

'Sut fedri di? Ar ôl popeth, popeth ddwedaist ti am ffyddlondeb, dwi'n dod adre i ffeindio *fo*...' Trodd a phwyntio bys at Lech fel petai am ei drywanu. Am eiliad rhythodd y ddau i fyw llygaid ei gilydd. Yna, trodd Duncan ar ei sawdl a mynd yn ôl i lawr y grisiau, gan gau'r drws yn glep ar ei ôl. Clywais sŵn byddarol wrth iddo luchio sosbenni a phowlenni at wal y gegin.

'Duncan!' galwais mewn braw, ond bu'n rhaid i mi oedi a chwilio am bâr o sgidiau cyn mynd ar ei ôl oherwydd gallwn glywed sŵn llestri'n malu. Gwisgodd Lech hefyd mor gyflym ag y gallai.

Erbyn i mi redeg i lawr y grisiau roedd Duncan wedi gwagio'r rhesel lestri ger y peiriant golchi llestri yn ei dymer. Ro'n i wedi arfer ei weld yn taflu platiau ar lawr yn achlysurol pan oedd pwysau gwaith yn ormod iddo, ond doeddwn i erioed wedi'i weld o mor gynddeiriog â hyn o'r blaen.

Galwais ei enw eto, ond roedd o fel petai'n fyddar. Dim ond pan ddywedodd Lech wrtho, 'Dwi'n gwybod sut mae hyn yn edrych ond rhaid i ti gredu nad oes dim byd wedi digwydd...' y rhoddodd Duncan y gorau i falu'r gegin a throi at Lech gan chwyrnu.

'Cau dy ffycin geg, y cachgi! Ti'n dod yma ac yn cysgu efo hi yn FY NGWELY I...'

'Wyt ti'n mynd i wrando ar dy gyn-wraig ynfyd, neu roi cyfle i ni egluro'r sefyllfa?' gofynnodd Lech yn ddigynnwrf, ond cythruddodd ei dôn resymol Duncan yn fwy fyth. Cerddodd at y dyn arall a stopio fodfeddi'n unig oddi wrth Lech, gan syllu arno fel petai'n barod i'w rwygo'n ddarnau. Roedd y ddau ohonyn nhw gymaint yn fwy ac yn drymach na fi, ac er mwyn y babi, doeddwn i ddim am roi fy hun yng nghanol unrhyw gwffio.

'Duncan! Gad i mi egluro,' erfyniais, gan geisio tynnu ei sylw fel ei fod yn edrych arna i yn hytrach nag ar Lech. 'Duncan, jest rho gyfle i mi egluro...' O'r diwedd trodd ei ben i'm cyfeiriad a theimlais ias oer yn llithro trwy fy nghorff. Roedd caledwch yn ei lygaid na welais i erioed mohono o'r blaen.

'Ddywedodd Lydia dy fod di a Lech yn *shacked up* efo'ch gilydd, a dyna sut mae pethau'n edrych. Mae'r ddau ohonoch chi i weld yn gyfeillgar iawn.' Teimlais ei rwystredigaeth yn codi fel gwres oddi ar ei gorff. Dechreuais siarad yn gyflym, gan synhwyro mai ychydig iawn o amser oedd gen i nes iddo gynddeiriogi eto.

'Dwi'n gwybod nad ydi hyn yn edrych yn wych, ond mae'r sefyllfa yn un gwbl ddiniwed. Daeth Lech yma i fy helpu achos mae John wedi bod yn sâl ers sbel, a do'n i ddim yn medru ymdopi ar ben fy hun. Doedd yr un ohonon ni am i ti boeni am y busnes a tithau mor bell i ffwrdd. Ddylen ni fod wedi dweud wrthat ti am y sefyllfa, a dwi'n difaru peidio gwneud hynny rŵan achos dwi'n gwybod cymaint ti'n casáu twyll a chyfrinachau, ar ôl be wnaeth Lydia. Mi wn i faint wnaeth hi dy frifo di, a dwi ddim eisiau bod fel hi. Dwi ddim eisiau i ni fod fel...' Ches i ddim ymateb gan Duncan. Roedd yn dal i wgu arna i. 'Mi wnes i addo peidio â sôn fod John yn sâl, ond dwi'n dweud wrthat ti rŵan – dwi ddim wedi bod yn anffyddlon. Yn nhŷ Mam dwi wedi bod yn aros tan heno, pan wnes i ddisgyn i gysgu yma mewn damwain. Dwi ddim wedi bod yn anffyddlon i ti, ar fy ngwir. Ti dwi'n ei garu, a neb arall. Wnes i ddisgwyl blynyddoedd amdanat ti, yn do? Achos ro'n i am i'n perthynas fod yn un solet. Os wyt ti'n meddwl y bysen i'n twyllo y tro cyntaf i ti 'ngadael i...'

Wnaeth wyneb Duncan ddim meddalu o gwbl ar ôl fy eglurhad. Teimlais rwystredigaeth yn mudferwi yn fy mherfedd wrth i mi sylweddoli fod Lydia wedi ennill wedi'r cwbl. Er iddi frifo a thwyllo Duncan dro ar ôl tro, roedd o'n fwy parod i wrando arni hi nag arna i. Roedd y cariad a'r ymddiriedaeth rhyngddon ni wedi ei chwalu fel petai'n ddim mwy nag edefyn gwe. Daeth Duncan yma, yn barod i gredu'r gwaethaf.

'Duncan, os nad wyt ti'n fy nhrystio i, os wyt ti wir yn meddwl 'mod i wedi bod yn anffyddlon, jest dweda hynny, ac mi wna i bacio 'mhethau a mynd yn ôl i dŷ Mam.'

Ni ddywedodd Duncan yr un gair, ac roedd ei dawelwch yn gwneud i mi deimlo'n gynyddol anobeithiol.

'Mae Alys yn dweud y gwir,' ychwanegodd Lech yn dawel. Trodd Duncan arno'n ffyrnig, ond cododd Lech ei ddwylo, gan ddangos cledrau agored. 'Ar fy llw, mae popeth mae hi'n ddweud yn wir. Wnaeth Alys ddim gofyn am fy nghymorth i. Ffoniais hi i ofyn cymwynas, a darganfod ei bod hi mewn llanast. Roedd John yn sâl ac roedd hi'n rhedeg y lle 'ma ar ei phen ei hun ac yn cael trafferth recriwtio, a doedd hi ddim am i ti boeni...' Roedd nodyn beirniadol yn llais Lech erbyn hyn.

'Roedd hi'n gwneud ei hun yn sâl trwy weithio bob awr o'r dydd a'r nos. Ddes i yma i helpu yn y gegin nes iddi recriwtio Craig a Lynne, ac arhosais chydig yn hirach er mwyn iddi gael mynd i'r ysbyty efo John. Ar fy llw, does dim byd...'

Torrodd Duncan ar ei draws. 'Ble mae John?'

'Yn Ysbyty Glan Clwyd,' dywedais, fy ngheg yn sych grimp.

'Be sy'n bod arno?'

'Mae o newydd gael llawdriniaeth. Canser.'

Trodd Duncan ei gefn arnaf, ac am eiliad meddyliais ei fod o am ddyrnu'r wal eto. Disgwyliais iddo ddechrau arthio arna i am gadw'r gyfrinach, ond gwelais nad oedd y newyddion yn gymaint o syndod â hynny. Estynnais yr amlen gefais i gan John o fy mhoced a'i chynnig i Duncan.

'Mae o wedi bod yn cael triniaeth radiotherapi ar ei goluddyn. Heddiw gafodd o lawdriniaeth i dynnu'r tiwmor.' Tywyllodd wyneb Duncan, fel cwmwl yn taflu cysgod dros y ddaear. 'Dwi'n sori dy fod di'n ffeindio allan fel hyn. Wnes i erfyn arno sawl gwaith i ddweud wrthat ti, ond roedd o'n poeni y byset ti'n dod adref yn gynnar gan dorri dy gytundeb ffilmio, a doedd o ddim am i ti wneud hynny.' Cynigiais y llythyr i Duncan eto, ond roedd o fel petai'n methu gweld yr amlen o dan ei drwyn. Trodd i edrych at sgwâr du'r ffenest, a gwelais ei gorn gwddw yn codi ac yn gostwng wrth iddo lyncu'n galed.

'Ddywedodd o mai dyna fyddai o'n wneud petai o'n mynd yn wael fel ei fam.' Roedd ei lais yn gryg wrth iddo ddyfynnu ei ffrind. 'Ddwedodd o, "Dunc, ti'n frawd i mi. Ond os dwi byth yn ffeindio allan fod canser arna i, dwi am sleifio ffwrdd i rywle heb ddweud wrth neb, achos fedra i ddim diodde pobl yn ffysian, a dwi'n gwybod mai dyna wnei di." Doedd o ddim yn jocian, felly.' Trodd ei ben ac edrych arna i. 'Ym mha ward mae o?'

'Ward 7.' Daliodd ei law allan am allwedd ei gar. 'Ond mae'r ysbyty ar gau tan y bore...' eglurais.

'Wna i aros tu allan yn y car,' atebodd Duncan yn gadarn. 'Mae'n rhaid i mi ei weld o.' Amneidiais i gyfeiriad y swyddfa, a brasgamodd Duncan ar draws y gegin, estyn yr allwedd oddi ar y bachyn a diflannu drwy'r drws cefn.

'Ond beth amdanon ni...' dechreuais alw, ond allan o gornel fy llygad gwelais Lech yn ysgwyd ei ben. Lai na munud yn ddiweddarach clywais injan y car yn tanio, a goleuadau'r lampau yn sgubo'r buarth wrth iddo fagio'r car a gyrru allan o'r maes parcio. Diflannodd Duncan yr un mor gyflym ag y daeth, gan fy ngadael yn ansicr a oedden ni'n dal gyda'n gilydd ai peidio.

Safais yn syllu ar y gagendor a adawodd ar ei ôl, ac awel y nos yn rhuthro drwy'r drws i rewi croen noeth fy fferau a fy ysgwyddau. Hyd yn oed ar ôl i Lech gau'r drws daliais i sefyll yno yn grynedig.

'Dyna ni, felly. Mae hi ar ben arnon ni,' dywedais yn ddagreuol.

'Rho amser iddo,' cynghorodd Lech. 'Mae o newydd gael clamp o sioc. Rho chydig o amser iddo ganolbwyntio ar John a dechrau prosesu'r hyn sydd wedi digwydd. Mi ddaw o yn ei ôl, gei di weld.' Cododd rai o'r llestri roedd Duncan wedi eu taflu i'r llawr. 'Ydi o'n gwybod dy fod di'n feichiog?'

Ysgydwais fy mhen. Efallai y dylwn fod wedi dweud wrth Duncan am y babi cyn iddo fynd i'r ysbyty, ond roedd gen i ofn y byddai'n teimlo dyletswydd i faddau i mi ac aros yn deulu 'er mwyn y plentyn'. O weld priodas fy rhieni'n datgymalu, ac o weld priodas Duncan a Lydia yn dod i ben, gwyddwn mai aros gyda'n gilydd er mwyn y babi oedd un o'r pethau gwaethaf y gallen ni ei wneud. Byddai'n anoddach magu'r plentyn ar wahân, ond gwell hynny nag aros mewn perthynas lawn amheuaeth, drwgdybiaeth a drwgdeimlad.

Estynnais frwsh llawr i sgubo'r llanast oedd ar lawr y gegin, ond allwn i ddim canolbwyntio ar y dasg. Pam wnes i gadw'n dawel am salwch John? O ganlyniad i'r penderfyniad hwnnw cefais fy ngorfodi i gadw rhagor o bethau rhag Duncan – presenoldeb Lech, dychweliad Lydia, fy nhrafferthion wrth redeg y bwyty – ac roedd yr holl bethau y bu'n rhaid i mi eu celu wedi chwyddo a thyfu a phentyrru, un ar ben y llall. Petawn i wedi bod yn onest efo Duncan o'r cychwyn cyntaf, fyddai celwyddau Lydia ddim wedi cael yr un effaith. Byddai Duncan wedi gweld yn syth mai creu helynt oedd hi.

Dechreuais wylo nes bod fy nghorff cyfan yn ysgwyd. Rhoddodd Lech ei freichiau amdanaf a 'nhynnu at ei frest, a gadael i mi grio.

'Dos yn ôl fyny'r grisiau,' dywedodd pan o'n i'n rhy flinedig i grio rhagor. 'Dos i'r gwely. Wna i gysgu ar y soffa ger y dderbynfa heno. Fyddai o ddim yn edrych yn dda petai Duncan yn dod yn ôl ac yn ein canfod ni'n dal i rannu'r fflat.'

Dringais y grisiau gyda chalon drom. Ro'n i'n ysu i gael cyfle i siarad â Duncan eto ac egluro popeth iddo, ond gwyddwn fod Lech yn iawn, a bod angen amser a llonydd arno i ddod dros y sioc.

Wrth i mi droi a throsi yn fy ngwely roedd fy meddwl yn corddi. Rhaid bod Lydia wedi cysylltu â Duncan cyn iddi fynd yn ôl i'r Alban, er mwyn sibrwd ei gwenwyn yn ei glust. Er bod Duncan wedi newid ei rif ffôn roedd y rhif newydd gan John – eiliad fyddai wedi'i gymryd iddi gael gafael yn ei ffôn ac edrych yn y cysylltiadau. Tybed oedd hi'n gwybod am y babi pan gysylltodd hi â Duncan?

Y babi. Pam na ddywedais i wrth Duncan am y babi? Ro'n i wedi poeni cymaint am gyflwyno'r newyddion iddo yn y ffordd orau bosib, am ddisgwyl nes fy mod i'n sicr fod y newyddion yn dda, anghofiais fod ganddo hawl i wybod hyd yn oed petai'r newyddion wedi bod yn ddrwg. Roedd yn anodd meddwl sut allai'r sefyllfa fod yn waeth.

25

Llusgais fy nghorff blinedig i'r gawod ar ôl deffro'n gynnar, a gwisgo dillad y diwrnod cynt cyn ymlwybro i lawr i'r gegin lle'r oedd Lech wrthi'n sgubo gweddill y darnau llestri oddi ar y llawr. Ro'n i'n weddol sicr na ddeuai Duncan yn ei ôl am sbel, gan na fyddai'n cael mynd i mewn i ward John tan yn hwyrach yn y bore, o leiaf.

'Dwi'n meddwl 'mod i wedi ei golli o, Lech,' dywedais. Doedd gen i 'mo'r egni i grio mwy, roedd fy mhen yn curo, fy llwnc yn sych fel twyni Talacre a'r croen o amgylch fy llygaid yn gignoeth. 'Ddaw o ddim yn ôl.'

'Hei, paid â mynd o flaen gofid,' meddai Lech yn dawel. 'Mi ddaw pan fydd o'n barod i siarad. A hyd yn oed petai'r gwaetha'n digwydd, mae dy fam yn gefn i ti, dy frawd, Catrin a John... a finnau. Wnei di ddim magu'r plentyn ar dy ben dy hun.'

Gwyddwn ei fod o'n iawn. Petai ein perthynas ar ben byddai gen i gartref gyda Mam, a chyfeillgarwch a chefnogaeth; ac er bod Duncan yn fympwyol ac yn anghenus ac yn genfigennus, doedd o ddim yn berson creulon. Byddai'n dad da i'n plentyn hyd yn oed os nad oedd o'n gymar i mi, er bod posibilrwydd y byddai'n gofyn am brawf DNA i gadarnhau tadolaeth y babi.

Wyth o'r gloch, naw o'r gloch, deg o'r gloch, a dim golwg o Duncan. Daeth Mam draw a gweld y darnau llestri yng ngwaelod y bin. 'O, Alys,' oedd ei hunig eiriau, ond roedd tôn ei llais yn dweud y cwbl. Roedd hi'n barod i ffonio Duncan a dweud wrtho fy mod i wedi cysgu yn ei thŷ hi, ond gofynnais iddi beidio ag ymyrryd.

Ceisiais gadw'n brysur yn y gegin, ond awgrymodd Lech yn garedig y dylwn i fynd i'r swyddfa i weithio yn hytrach na pharatoi at ginio. Dylai fod wedi dal y trên adref ben bore, ond cafodd sgwrs hir efo Charles a chytunodd y ddau na fyddai'n mynd adref nes i'r cyfan gael ei ddatrys. Byddai ei heglu hi'n ôl i Lundain yn edrych fel cyfaddefiad o euogrwydd, a doedd o ddim wedi gwneud dim o'i le.

Dangosodd Lech gopi i mi o neges a yrrodd Charles at Duncan, yn egluro bod Lech yma i gynrychioli'r elusen, a'i fod yn adnabod Lech a finnau'n ddigon da i dderbyn ein hesboniad fod y sefyllfa'n un ddiniwed yn ddi-gwestiwn.

Efallai y byddai neges Charles yn ddigon i berswadio Duncan nad oeddwn yn anffyddlon, ond hyd yn oed petai'n derbyn hynny, gwyddwn fy mod wedi niweidio ein perthynas drwy gelu cymaint rhagddo. Petawn i wedi chwalu gallu Duncan i ymddiried yndda i, yna roedd seiliau ein perthynas yn frau fel plisgyn wy.

Sleifiodd Duncan yn ei ôl drwy'r drws cefn pan oedd y gwasanaeth cinio ar ei anterth. Lech welodd o'n dod i mewn, a heb air, amneidiodd ei ben i gyfeiriad Duncan a chymryd y badell ffrio o fy llaw. Sychais fy nwylo ar fy siaced wen a llyncu'n galed. Cerddais at Duncan a sylwi fod ganddo gysgodion dan ei lygaid. Doedd o, fel finnau, ddim wedi cysgu rhyw lawer neithiwr. Teimlais ysfa gref i roi fy mreichiau amdano a phwyso fy mhen ar ei ysgwydd a gwrando ar guriad ei galon drwy ei frest soled, gadarn oedd mor gyfarwydd i mi, ond roedd ei wyneb yn dal i fod yn galed. Cydiais yng ngwaelod fy ffedog a gwasgu'r hem yn dynn rhwng fy mysedd.

'Gawn ni fynd am dro?' gofynnodd, gan edrych o gwmpas y gegin ar weddill y staff oedd, i fod yn deg iddyn nhw, yn gwneud eu gorau glas i anwybyddu ei bresenoldeb. 'I ni gael bach o breifatrwydd...'

Yn fud, nodiais fy mhen a mynd i'r stafell newid i nôl fy esgidiau ac i dynnu fy nillad gwaith. Edrychais i lawr ar fy mol noeth, oedd yn dechrau chwyddo. Ymhen dim byddai pawb yn y pentref yn gwybod fy mod i'n feichiog. Teimlais y pili pala cyfarwydd, a doeddwn i ddim yn siŵr ai ofn oedd yn gyfrifol, neu'r bychan yn fy atgoffa o'i bresenoldeb.

Awgrymodd Duncan ein bod ni'n mynd am ddiod i'r Arad, ond gan gofio beth ddigwyddodd y tro diwethaf i mi fynd yno, dywedais y byddai'n well gen i fynd i gerdded. Mi ddilynon ni lwybrau cyhoeddus ar draws y caeau a'r bryniau, gan ymlwybro i fyny'r llethrau i gyfeiriad Ffynnon Beuno ac Ogofâu Cae Gwyn. Am y tro cyntaf, teimlais bwysau'r babi yn fy nghroth ac roedd dringo'n anoddach o dipyn nag arfer. Bu'n rhaid i mi oedi i ddal fy ngwynt am funud, a dyna pryd yr awgrymodd Duncan y dylen ni eistedd. Hyd yn hyn, prin yr oedd y ddau ohonom wedi torri gair, ond gan ein bod yn cerdded ni theimlai'r tawelwch yn lletchwith nac annaturiol. Ond rŵan, yn eistedd ochr yn ochr, teimlais y gagendor yn agor unwaith eto. Dechreuais gnoi fy ewinedd wrth geisio meddwl sut i ddechrau un o sgyrsiau anoddaf fy mywyd.

'Lwyddaist ti i weld John?'

Nodiodd Duncan ei ben.

'Sut mae o heddiw?'

'Yn weddol,' atebodd Duncan. Roedd o ar ei gwrcwd, yn tynnu blodau dant y llew o'r glaswellt hir a'u hollti rhwng ei fysedd. 'Roedd o'n effro, ond yn dal i fod mewn tipyn o boen, a doedd o ddim yn hapus iawn i 'ngweld i.'

'Mae'n ddrwg gen i na soniais i...'

''Sdim rhaid i ti ymddiheuro. Eglurodd John bopeth. Rhoddodd lond ceg i mi am orymateb. Mae o'n meddwl bod Lech yn foi iawn, a ges i neges gan Charles yn dweud yr un peth. Ond mae'n deimlad afiach i sylweddoli nad ydi dy ffrind gorau yn ystyried dy fod yn ddigon aeddfed i ddelio â'i newyddion drwg heb fynd i banics a gwneud rhywbeth gwirion.' Ochneidiodd a thaflu llond llaw o flodau i'r gwynt. 'Ond falle mai fo sy'n iawn. Ges i neges gan Lydia, ac yn hytrach na siarad efo ti fel person call, wnes i neidio ar y ffleit cyntaf adref, ac eistedd tu allan i'r ysbyty drwy'r nos yn hytrach nag aros yn y bwyty i wrando arnat ti...'

'Wel, roeddet ti angen amser i ddod dros y sioc. Dwi ddim yn dy feio di am adael. Ond wir, wnes i ddim cysgu efo Lech. Dwi'n gwybod sut yr oedd pethau'n edrych neithiwr, ond yma i helpu i gadw'r gegin i fynd mae o, ac mae'n anffodus i ti ddod ar ein traws fel y gwnest ti. Fues i'n cysgu yn y fflat ar ôl treulio pymtheg awr yn gofalu am John, ac roedd Lech yn cael cawod ar ôl iddo orffen y gwasanaeth swper. Gei di ofyn i Mam a Catrin ac mi ddywedan nhw'r un peth...' Troais fy mhen er mwyn edrych i fyw llygaid Duncan. 'Ond byddai'n well gen i petaet ti'n cymryd fy ngair i.'

'Os wyt ti'n dweud na fuest ti'n anffyddlon, dwi'n dy gredu di.' Dechreuodd rwygo petalau blodyn menyn rhwng ei fysedd. 'Mae'n ddrwg gen i am dy gyhuddo di ar gam ar ôl y parti, a phan o'n i wedi meddwi. Ac mae'n ddrwg gen i am golli 'nhymer neithiwr.'

'Dwi'n gallu deall pam wnest ti ymateb felly. Ddylwn i ddim bod wedi celu'r gwir.'

'Tydi hyn ddim yn esgus, ond mae 'mhen i'n llanast go iawn ers i mi gael y neges gan Lydia...'

'Be ddywedodd hi?'

Estynnodd Duncan ei ffôn o'i boced a darllen ei neges yn uchel.

Jest i adael i ti wybod, Dunc – dwi'n ôl yng Nghymru i weld Johnny. A tra wyt ti wrthi'n ceisio dod yn celebrity chef, mae Alys wedi gweld y goleuni a ffeindio go getter gorjys ac maen nhw'n shacked up yn y Fleur-de-Lis yn chwarae happy families! Bechod ei fod o mor smitten gyda hi achos mae gen i ffansi toy boy fy hun. Ti'n ei nabod o – Lech, un o sêr disglair Charles. Mae'n atgoffa fi ohonot ti – carismatig a secsi – ond wrth gwrs mae o dipyn yn iau na ti. Gafodd hi upgrade, yn amlwg. Mae'r eironi yn fy mhlesio, achos gest ti wared arna i am fodel iau, a rŵan mae hi wedi gwneud yr un peth i ti. Perffaith. Rhaid i mi gyfaddef, o feddwl bod Alys mor ddiniwed, mae ganddi chwaeth dda mewn dynion! Mae'n gwneud synnwyr rîli, achos ddwedodd hi ei bod hi'n meddwl dechrau teulu'n fuan a chest ti fawr o hwyl ar hynny, naddo? Am ffodus dy fod di'n ddigon sbeitlyd i fy nghloi i allan o fy nhŷ fy hun – bydd angen rhywle i ti fyw ar ôl i Alys dy gicio di allan o'r bwyty.

'Yr ast!' ebychais. 'Roedd hi'n gwybod yn iawn pam roedd Lech yn y bwyty. Fyse John wedi egluro hynny iddi. Trio dy wylltio di oedd hi.'

'Ac mi wnaeth hi lwyddo, yn do? Dwi 'di gwneud ffŵl go iawn ohona i fy hun. Mae hi'n dal i fy nhrin i fel pyped, yn gwneud i mi deimlo'n ansicr ac yn ddrwgdybus ac yn *paranoid...*'

Yr unig gysur ges i oedd bod Lydia wedi anfon y neges cyn iddi glywed fy mod i'n feichiog. Efallai mai dyna pam y gadawodd hi mor sydyn ar ôl y ffrae yng ngardd yr Arad – roedd ganddi gywilydd. Hynny neu ofn ymateb Duncan pan sylweddolai beth roedd Lydia wedi ceisio'i wneud.

'Duncan... doeddet ti ddim wir yn credu y bysen i'n anffyddlon?'

'I gychwyn, na, do'n i ddim. Ond yna, ges i dy e-bost ynglŷn â thrafod "pethau cymhleth" a meddyliais i, uffern, doedd Lydia ddim yn malu cachu. Ac yna, welais i adolygiad Mrs Egan ar TripAdvisor yn cwyno am y chef newydd o Wlad Pwyl, ac roedd o fel jig-so erchyll a phopeth yn ffitio'n dwt i'w le...'

'A wnest ti ddim meddwl ffonio a thrafod?'

'Naddo. Ti 'di bod ar raglen deledu o'r blaen, rwyt ti'n gwybod fod camerâu ym mhobman. Petai'r newyddion wedi bod yn ddrwg byddai wedi bod yn amhosib i mi gario 'mlaen efo'r ffilmio. Ro'n i jest eisiau dod adref a gweld y sefyllfa drostaf fy hun, a chael bach o *headspace*. Ond ar y ffleit adref dechreuais arteithio fy hun gyda gwahanol bosibiliadau – bod Lech yn rhoi cymorth emosiynol i ti ar ôl i ti golli'r babi a dy fod di wedi sylweddoli ei fod o'n well dyn na fi, neu'ch bod chi wedi sylweddoli eich bod chi'n dal i garu'ch gilydd... Do'n i ddim yn meddwl am eiliad y byset ti'n cael affêr y tu ôl i 'nghefn i a chuddio'r peth, ond erbyn i mi lanio ym Manceinion ro'n i wedi argyhoeddi fy hun y byset ti'n pacio dy fagiau ac yn mynd yn ôl i Lundain efo fo.'

'Wna i byth 'mo hynny.'

'A wna innau byth wrando ar Lydia eto. A'r tro nesaf y bydda i'n poeni am rywbeth, wna i siarad efo ti cyn mynd i banics...'

'A wna innau gyfathrebu'n agored ac yn onest gyda tithau bob tro... sy'n fy arwain i at...'

Dyna pryd ro'n i am sôn wrtho am y babi, ond cefais fy nghofleidio'n sydyn ac yn nerthol ganddo, a glanion ni mewn pentwr blêr yn y glaswellt hir. Teimlais ochenaid o ryddhad yn dianc o fy nghorff. Claddodd ei ben yn fy ngwddw a'm dal i mewn coflaid dynn nes y gallwn deimlo'r babi yn lwmp solet rhyngddon ni.

'O Alys,' griddfanodd, 'Dwi'n difaru mynd dramor gymaint. Ro'n i'n teimlo fel pysgodyn aur mewn powlen, dan y chwyddwydr bob eiliad o bob dydd, yn gorfod dewis pob gair yn ofalus, wedi fy amgylchynu gan bobl drwy'r dydd ond yn teimlo mor unig, yn dy golli di bob eiliad. Dwi'n llanast. Dwi eisiau cropian i ryw dwll yng nghrombil y ddaear efo ti wrth fy ochr a chysgu drwy'r hydref a'r gaeaf yn y gobaith y bydd pethau'n well ar ôl i ni ddeffro.'

Mwythais ei wallt yn gariadus a rholiodd ar ei ochr fel ein bod ni'n wynebu'n gilydd. Cyffyrddais flaen ei drwyn a'i farf yn chwareus gydag un bys, ond yna cofiais mai dyna oedd arferiad Lydia a thynnais fy llaw yn ôl. 'Ydyn, mae pethau wedi bod yn rybish dros y misoedd diwethaf, ond mae'n rhaid i ni fod yn gryf achos mae gen i ofn y bydd pethau'n anoddach eto. Mae gan John frwydr hir o'i flaen, mae'r bwyty'n dal i fod mewn dyled a dim ots pa mor flinedig a ffed yp ydyn ni, mae'n rhaid i ni ddal ati...'

'...efo'n gilydd,' meddai, gan fy nghusanu'n dyner. Rhoddais fys dros ei wefusau i'w atal.

'Ond y prif reswm na chei di aeafgysgu, Duncan, ydi achos ymhen rhyw bedwar mis arall mi fyddi di'n dad.'

Herciodd ar ei eistedd mewn braw ac edrych i lawr arna i, ei lygaid yn llydan.

'Ond y golled...'

'Nid colled oedd hi. Ddywedodd y fydwraig nad oedd ychydig o waed yn ddim byd i boeni am...'

'Rwyt ti wedi gweld bydwraig?' Estynnais i boced fy siaced a thynnu llun y sgan ohoni.

'Dim ond ers wythnos dwi'n ymwybodol 'mod i'n disgwyl. Mi ges i fy apwyntiad cyntaf a'r sgan ugain wythnos yn syth, ac mae popeth yn iawn, gyda'r ddau ohonon ni.' Syllodd Duncan ar y llun bach du a gwyn a dyrnodd yr awyr gydag ebychiad o gyffro, cyn disgyn yn ôl ar ei gefn ar y glaswellt. Gorchuddiodd ei wyneb â'i ddwylo, a gwelais ei fod yn chwerthin ac wylo ar yr un pryd.

'Ugain wythnos? Wir? Rydyn ni am fod yn rhieni? Dwi am fod yn dad?' Nodiais fy mhen. Rholiodd ar ei ochr a phwyso'i ben yn ysgafn ar fy mol. 'Dwi am fod yn dad i ti,' sibrydodd, a theimlais donnau ei lais yn dirgrynu trwy fy nghorff. Tybed a oedd y babi'n medru'n clywed ni eto?

'Dyna'r "peth cymhleth" ro'n i am ei drafod,' eglurais. 'Nid yma am ei fod o'n fy ffansïo i oedd Lech, ond am fy mod i'n dioddef o salwch boreol ac yn methu dygymod ar fy mhen fy hun yn y gegin. Fues i'n sâl fel ci am wythnosau, heb wybod pam. Doedd gen i ddim clem fy mod i'n dal yn feichiog.'

'Does dim rhaid i ti weithio os wyt ti'n sâl. Dwi yma i ofalu am y ddau ohonoch chi, a dwi byth yn mynd i'ch gadael chi eto.'

Cododd Duncan ar ei eistedd unwaith eto a 'nghofleidio'n dynn. Doedd Lydia ddim wedi llwyddo yn ei chynllwyn olaf. Roedd Duncan adref, ac roedd popeth yn dda. Gyda'n gilydd, mi fydden ni'n medru gofalu am John ac ad-dalu holl ddyledion Lydia. Mi fydden ni'n iawn, gyda'n gilydd.

RHAN 3

26

Mis Mai – bron i ddwy flynedd yn ddiweddarach

Ar ddechau'r llynedd byddwn wedi dweud fy mod i bron â bod yn anllythrennog mewn mwy nag un ffordd. Bellach, a hithau'n 2021, mae gen i sgiliau llythrennedd digidol godidog, er fy mod i'n dal i fethu darllen na sgwennu'n gywir hyd yn oed petai rhywun yn talu i mi.

Agorais wefan Zoom, diffodd y mudydd a chlicio ar y botwm 'ymuno'. Llanwyd sgrin y cyfrifiadur gan wyneb Lech. Gwisgai ei siaced wen – yn amlwg roedd o wedi dod yn syth o'r gegin ar gyfer ein cyfarfod.

'Alys!'

'Lech, sut wyt ti?'

'Champion, a tithau? Sut mae Duncan? A John?'

'Mae Duncan wrthi'n llwytho'r car ac mae John yn cysgu.'

'Tydi hi'n braf cael dychwelyd i rywbeth tebyg i normalrwydd? Dwi'n methu disgwyl nes i ni gael cyfarfod wyneb yn wyneb unwaith eto. Mae 'di bod yn rhy hir o lawer. Dwi jest â marw eisiau cwrdd â'r bychan.'

'Mae'n teimlo fel oes ers i mi fod yn Llundain ddiwetha. Parti Charles.'

'Time flies when you're having fun.'

'Hwyl? Ha, ha, ha.'

'Rhaid i ti chwerthin. Un ai hynny, neu grio! Gwranda, dwi'n gwybod bod gen ti dipyn ar dy blât yn barod, ond mae gen i gyw newydd i ti. Geneth sydd newydd symud i Lundain o bentref bach yn yr Alban, ac yn hiraethu am adref. Mae hi'n iawn o ran sgiliau a gwybodaeth, ond dwi'n meddwl y byddai'n dda iddi gael rhywun heblaw'r tiwtoriaid i sgwrsio â nhw. Mae hi'n swil ofnadwy, a wnei di ddim codi ofn arni hi.'

Roeddwn i'n un o fentoriaid yr ysgol goginio, menter ddiweddaraf Lech i gefnogi lles pobl ifanc wrth iddyn nhw ddechrau gyrfa yn y diwydiant arlwyo a lletygarwch. Roedd pob un o'r bobl ifanc a ddeuai drwy ddrysau'r ysgol goginio yn cael eu paru â mentor yn seiliedig ar eu hanghenion. Pedwar hyfforddai oedd gen i dan fy adain – wel, pump erbyn hyn: bachgen gyda dyslecsia a dyscalciwla difrifol, dau berson ifanc dihyder a mewnblyg, a merch oedd yn dioddef o orbryder eithafol. Diolch i hud a lledrith fideo-gynadledda, gallwn gynnal sesiwn wyneb yn wyneb â phawb yn unigol yn wythnosol.

'Ti'n gwybod dy hun fod 'na ddisgwyliad i gogyddion llwyddiannus weithio bob awr o'r dydd er mwyn gwneud enw iddo'i hun neu iddi ei hun,' meddai. 'Rwyt ti a Duncan yn esiampl wych o sut i lwyddo yn y maes, ennill cydnabyddiaeth a rhedeg busnes llwyddiannus heb aberthu'ch bywydau cyfan i'r yrfa.' Roedd o'n beth caredig iawn i'w ddweud, yn enwedig o gofio nad oedd y flwyddyn ddiwethaf wedi bod yn un arbennig o lwyddiannus na llewyrchus i ni, nac i unrhyw fusnes arall. Roedd y tâl am gynnal y sesiynau mentora yn ychwanegiad allweddol i'n hincwm tra bu'r bwyty ar gau yn ystod y cyfnodau clo, ac yn rhywbeth i mi ei wneud i gadw'n brysur yn ystod y dydd.

Sefydlodd Duncan wasanaeth pryd ar glud i'r pentrefi a'r trefi cyfagos yn ystod y pandemig Covid 19, a threuliodd ei ddyddiau yn coginio llond sosbenni enfawr o fwyd a'i ddosbarthu i'n cwsmeriaid. Ar y pryd roedd o'n cellwair ei fod o'n bwydo holl bensiynwyr Santes-Fair-tanrallt, a tydw i ddim yn meddwl fod hynny'n bell o fod yn wir. Er i Lynne a Craig orfod mynd ar ffyrlo am sbel, mewn gwirionedd roedd y Fleur-de-Lis wedi ymdopi'n well na nifer o'n cymdogion, diolch i allu Duncan a finnau i arallgyfeirio.

Ychydig iawn o bethau eraill oedd gan Lech i'w trafod, felly byr oedd ein cyfarfod wythnosol. Ro'n i'n falch o hynny, y tro hwn, gan fod ganddon ni daith hir iawn o'n blaenau. Hon fyddai ein taith hir gyntaf fel teulu, felly roedden ni wedi pacio popeth heblaw am sinc y gegin – dillad sbâr, ugeiniau o glytiau, plancedi, teganau, poteli llaeth a digon o fyrbrydau i fwydo byddin.

'Barod i fynd?' galwodd Duncan wrth i mi ddiffodd y cyfrifiadur a chloi drws y swyddfa ar fy ôl. Es i fyny'r grisiau i'n hystafell wely, at y crud lle'r oedd John Bach yn cysgu'n sownd. Oedais am eiliad er mwyn edrych i lawr ar ei wyneb crwn, ei amrannau hir, ei fochau pinc a'i fron fach oedd yn codi a gostwng mewn trwmgwsg. Roedd cryfder angerddol y cariad deimlwn i tuag ato yn dal i fy syfrdanu bob dydd. Ro'n i'n ei garu'n fwy na'i dad hyd yn oed, rhywbeth na feddyliais fyddai'n bosib.

Yn ofalus ac yn araf iawn, iawn, llwyddais i newid clwt John Bach heb ei ddeffro. Codais fy mab yn fy mreichiau a mynd yn dawel bach i lawr y grisiau. Roedd Duncan wrthi'n rhoi cyfarwyddiadau munud olaf i Craig a Lynne. Dim ond am dridiau yr oedden ni'n mynd i'r Alban, ond roedd yn rhaid paratoi cymaint ag y bydden ni wedi gorfod ei wneud ar gyfer mis i ffwrdd.

Cerddais allan at hen gar tolciog Duncan a gosod John Bach yn ofalus yn ei gadair car. Ar ôl sicrhau fod y strapiau'n dynn ac yn ddiogel amdano, piciais yn ôl i'r bwyty i ffarwelio â phawb a nôl fy mag llaw.

'Joiwch eich hunain!' galwodd Lynne yn llon. Byddai hi, Hannah a Craig yn ddwylo diogel wrth y llyw tra byddai Duncan a finnau ar ein gwyliau bach.

'Reit, ydi popeth ganddon ni?' gofynnodd Duncan wrth i ni

gau ein gwregysau diogelwch. 'Babi? *Check*. Siwtces? *Check*. Blodau? *Check*. Llyw lloeren? *Check*...'

'A beth am...'

'Wrth gwrs. Dyna'r peth cyntaf wnes i roi yn y car,' atebodd, gan danio'r injan.

Gwingodd John Bach yn ei gwsg, ond wnaeth o ddim deffro, a rhoddais ochenaid fach o ryddhad. Roedd taith o bum neu chwe awr o'n blaenau, a dim ond hyn a hyn o oriau y gallwn i chwarae pi-po gyda fy mab cyn y byddai'n diflasu. Efallai y bydden ni'n difaru mentro ar daith mor hir, ac yntau ddim cweit yn flwydd a hanner ac yn methu gwneud fawr ddim heblaw gwrando ar hwiangerddi ac edrych ar y to. Y bwriad oedd stopio bob awr i ymestyn ein coesau a chael chydig o awyr iach, ond ro'n i'n dal i feddwl fod gyrru'r holl ffordd i'r Alban mewn un diwrnod yn uchelgeisiol braidd. Eto, ro'n i'n deall pam fod Duncan mor benderfynol o wneud y daith mewn cyn lleied o amser â phosibl. Byddai aros dros nos mewn gwely a brecwast yn golygu y bydden ni'n gwastraffu amser, a threulio llai o amser gyda'i fam. Doedd o ddim wedi ei gweld hi yn y cnawd ers bron i ddwy flynedd, a dyma'r tro cyntaf iddi gyfarfod ei hŵyr bach yn y cnawd. Nawr bod cyfyngiadau teithio Covid wedi eu llacio roedd Duncan yn awchu am gael gweld ei deulu eto, ac roedd ganddon ni ddefod bwysig i'w chynnal yn ogystal.

A hithau'n tynnu at amser swper, daethom i aros mewn cilfach ar ochr y ffordd, a diffoddodd Duncan injan y car. Codais John Bach o'i sêt car a theimlo'i ben ôl i sicrhau nad oedd ei glwt yn llawn. Na, roedd o'n dal i fod yn weddol sych, oedd yn rhyfeddol o ystyried faint o laeth yfodd o ar ôl i ni groesi'r ffin i'r Alban. Roedd ganddo archwaeth ei dad am fwyd, roedd hynny'n amlwg yn barod!

'Helo 'ngwas i,' dywedais, gan gusanu ei drwyn bach smwt. Goleuodd ei wyneb cyfan â gwên ddireidus. Cymerodd Duncan ef o fy mreichiau a'i droi o gwmpas fel petai'n chwyrligwgan, a dechreuodd John Bach giglan ar gampau ei dad – chwerthiniad gyddfol o lawenydd pur. Clapiodd ei ddwylo bach yn erbyn bochau Duncan a chwerthin yn uwch eto.

'Ddim yn bell i fynd rŵan, JB,' meddai Duncan. 'Ti 'di bod mor amyneddgar, fy seren fach i.' Tra oedd Duncan yn jigio o amgylch y gilfach gyda'i fab yn chwerthin yn fodlon, es i nôl y bygi o gefn y car, a'r bag llawn offer, a sawl pâr o fenig. Yn olaf, o waelod y gist, tynnais focs hirsgwar wedi ei orchuddio â lledr. Sobrodd Duncan o'i weld. Yn fud ond yn hynod ofalus, gosododd John yn y bygi a chau'r gwregys amdano. Yna, trodd ata i er mwyn cymryd y bocs.

'Dos di gynta, wnei di?' gofynnodd. 'Ti'n sy'n gwybod y ffordd.' Gyda pheth trafferth, gwthiais y bygi drwy'r glaswellt hir ac i lawr y llethr at ddŵr y *loch*. Cam ar fy ôl i oedd Duncan, yn cludo'r bocs du fel petai wedi ei wneud o wydr. Daethom at y goeden enfawr, ac oedais. Am eiliad roedd fel petai fy llygaid yn chwarae triciau arna i, a bu bron i mi daeru i mi weld John o 'mlaen i, yn gosod blodau er cof am ei fam o dan y canghennau. Ie, hon oedd y goeden iawn. Troais at Duncan.

'Dyma ni.' Gosododd Duncan y bocs yn ofalus wrth ei draed, ac estyn darn o bapur o'i boced. Cliriodd ei wddw a dechrau darllen cerdd yn uchel: 'Consolation' gan Robert Louis Stevenson.

'Though he, that ever kind and true,
Kept stoutly step by step with you,
Your whole long, gusty lifetime through,
Be gone awhile before...'

Syfrdanol a brawychus o sydyn oedd ei ddirywiad. Rhagwelodd John y byddai'n rhannu ffawd ei fam, ac roedd yn gywir yn hynny o beth. Ein hunig gysur oedd na chafodd o frwydr boenus o hir.

Bu'n rhaid i John hunanynysu drwy gydol pandemig y Coronafeirws. Pan oedd o'n arbennig o wael o ganlyniad i'w driniaeth, symudodd Duncan i fyw ato yn y fflat uwchben y fferyllfa am bron i dri mis. Wna i ddim smalio bod byw ar wahân i Duncan wedi bod yn hawdd i'r un ohonon ni, yn enwedig pan roddodd John Bach y gorau i gysgu am fwy nag awr ar y tro, ond yng ngeiriau Duncan, roedd ganddo'i fywyd cyfan i'w dreulio gyda'i fab, a doedd dim gwarant y byddai'r un peth yn wir am John.

Drwy'r haf byddwn yn mynd i siopa ac yn gadael y bagiau bwyd ar stepen drws y fflat, a phan fyddai'n teimlo'n ddigon da i wneud hynny, byddai John yn dod at y drws i gael sgwrs ac i edmygu'r bachgen bach oedd wedi etifeddu ei enw. Roedd o'n ewythr anrhydeddus balch iawn. Llaciodd cyfyngiadau'r cyfnod clo dros yr haf, a dechreuon ni gynllunio i ailagor y Fleur-de-Lis a dal i gynnig gwasanaeth pryd ar glud. Roedd John yn rhan o'r trafodaethau hynny, a dechreuodd sôn am ddychwelyd i'r gwaith. Ond erbyn y Nadolig cawsom y newyddion erchyll mai honno fyddai ei ŵyl, a'i galan, olaf.

Treuliodd ei fis olaf yn yr uned ganser, a'r peth anoddaf oedd y ffaith na chawsom ymweld â fo oherwydd y cyfyngiadau. Bu farw ar ddiwrnod oer ond heulog ym mis Ionawr 2021, am hanner awr wedi dau y prynhawn, gyda nyrs ar erchwyn ei wely yn gafael yn ei law. Dywedodd hi iddo dreulio'i oriau olaf yn edrych drwy'r ffenest ar yr awyr las. Roedd hynny'n brifo Duncan i'r byw – y ffaith na chafodd o, ei ffrind gorau, weld John ar ei wely angau a chael cyfle i ffarwelio. Bu'n rhaid iddo fodloni ar sgwrs dros iPad. Yn bersonol, er na ddywedais hynny wrth Duncan, dwi'n meddwl mai dyna'r diwedd y byddai John wedi dymuno'i gael. Dim ffws na ffwdan, dim ffarwél boenus. Doedden ni ddim yn gwybod, y tro olaf i ni siarad â John, mai honno fyddai ein sgwrs olaf, a dwi'n credu hyd heddiw mai dyna oedd cynllun bwriadol John.

Ysgrifennodd Duncan e-bost at dad John, gan yrru copi o'r neges i Lydia, yn ei hysbysu o farwolaeth ei fab. Ddaethon nhw ddim i'r angladd. Ar ôl y ffrae olaf rhwng y brawd a'r chwaer bu tawelwch llethol o'r Alban. Dderbyniodd John 'run alwad ffôn gan ei deulu, dim llythyr, dim cerdyn Nadolig na phen blwydd, na hyd yn oed gydnabyddiaeth o'i farwolaeth. Staff y Fleur-de-Lis gerddodd y tu ôl i'w arch, a'n cyfrifoldeb ni oedd cynnal y ddefod olaf, y gymwynas olaf y gallai Duncan ei gwneud i'w hen ffrind.

Gwisgodd Duncan faneg ac agor caead y bocs. Y tu mewn roedd bag plastig yn llawn llwch John. Rhwygodd Duncan dwll yn y bag gydag un o gyllyll John o'r gegin, ac yna cododd y bocs, cerdded at lannau'r *loch* a dechrau gwasgaru'r llwch i'r pedwar gwynt. Gwyliais yr awel yn cipio gweddillion John a'i gario at y dŵr.

'Cwsg yn dawel, John,' sibrydais, 'gyda dy fam a Fred.'

'Hwyl fawr, John,' meddai Duncan yn gryg. Meddyliodd John Bach mai ato fo y cyfeiriwyd y geiriau, a dechreuodd chwifio'i freichiau'n wyllt fel petai'n ffarwelio â'i dad.

'Dwyt ti ddim yn mynd i unlle, mistar,' meddai Duncan, gan godi ei fab yn ei freichiau. Pwysodd John Bach ei ben ar ysgwydd ei dad, a mwythodd Duncan ei wallt yn gariadus. 'A dydw i ddim yn mynd i unlle am amser hir, hir iawn, gobeithio.' Safodd yn llonydd am ennyd, yn syllu allan dros lesni'r llyn, ei lygaid yn sgleinio'n wlyb.

Fy ngobaith oedd y byddai'r ddefod goffa syml roedden ni newydd ei chwblhau yn gymorth i Duncan alaru. Er i lwch John fod yn ein meddiant ers sawl mis, roedd Duncan yn dal i wrando am lais ei ffrind, yn dal i ddeffro yn y bore yn meddwl am yr holl gynlluniau roedd o am eu rhannu â'i Sous Chef ffyddlon. Efallai, rŵan, y byddai o'n medru dechrau dod i delerau â'i golled. Teimlai'r misoedd, yn wir, y flwyddyn ddiwethaf, fel hunllef undonog a diddiwedd. Gobeithiwn o waelod fy nghalon fod y gwaethaf drosodd; bod y noson dywyll yn dod i ben a'r wawr yn dechrau goleuo'r gorwel.

Cyn i ni gerdded yn ôl at y car, tynnais amlen o fy mhoced. Yr amlen a roddwyd i mi gan John cyn iddo gael ei lawdriniaeth, gyda'r geiriau 'OS DWI'N MARW' ar y blaen. Doedd dim rhaid i Duncan ofyn gan bwy oedd y llythyr – roedd o'n adnabod llawysgrifen ei ffrind.

'Mi ro' i John Bach yn y car,' dywedais, gan ei adael o dan y goeden i ddarllen y llythyr. Agorodd yr amlen a darllen y cynnwys, ond ddywedodd o ddim byd wrtha i pan ddringodd i sedd teithiwr y car. Teipiais god post tŷ ei fam i'r llyw lloeren, a dechrau gyrru i'r gogledd unwaith eto. Edrychodd Duncan dros ei ysgwydd unwaith wrth i ni adael ein ffrind anwylaf.

Ar ôl deng munud o dawelwch roedd Duncan yn teimlo'n ddigon cryf i dynnu'r llythyr o'i boced a'i ddarllen yn uchel i mi.

Haia Duncan,

Os wyt ti'n darllen hwn, mae'n golygu fy mod i wedi marw. Gobeithio, erbyn i ti agor yr amlen, y bydda i gyda Mam a Fred unwaith eto. Dwi'n gobeithio na wna i dy weld di, nag Alys, am amser hir, hir iawn... a Lydia... wel, dwi'n meddwl mai Harvey Nicholls ydi ei syniad hi o'r nefoedd, ac alla i ddim meddwl am ddim byd gwaeth na siopa tragwyddol, felly pan ddaw ei hamser hi dwi'n gobeithio na wna i ei gweld hi ryw lawer, ha ha ha. Iawn, John, stopia ddefnyddio hiwmor amhriodol i guddio sut wyt ti'n teimlo. Amser i fod yn ddifrifol.

Dwi'n dy garu di, Duncan. Rwyt ti'n fwy o deulu i mi na fy nheulu fy hun. (Nid bod hynny'n gamp – y cwbl oedd yn rhaid i ti wneud oedd cydnabod fy modolaeth yn gyhoeddus ac rwyt ti wedi gwneud yn well na nhw!) Dydw i ddim yn meddwl dy fod di'n sylweddoli cymaint o gefn oeddet ti i mi yn y blynyddoedd ar ôl i mi golli Fred. Wnes i ddim sôn amdano ryw lawer, a wnes i erioed ddweud wrthat ti gymaint oeddwn i'n gwerthfawrogi dy gyfeillgarwch, ond bob diwrnod dwi'n diolch i Dduw fy mod i wedi cael cwrdd â dau berson ar hyd fy nhaith: Fred, am iddo ddysgu i mi ystyr cariad, a ti, am ddangos i mi beth yw cyfeillgarwch. Dwi ddim yn hoffi meddwl sut gyflwr fyddai wedi bod arna i petaet ti heb agor drws y bwyty i mi'r noson honno, a chynnig gwely i Albanwr alltud. Mae gen ti galon dda. Dwi'n ffodus iawn i dy gael di'n ffrind i mi. Ac Alys, wrth gwrs. Mae'r ddau ohonoch chi'n bobl arbennig iawn, ac yn gogyddion gweddol hefyd.

Roeddwn i'n disgwyl y byddwn i'n teimlo'n drist wrth ysgrifennu'r llythyr hwn, ond dydw i ddim. Ti ac Alys ydi'r unig bobl yn y byd wnaiff fy ngholli i, a dydw i ddim yn poeni am eich gadael chi mwyach, achos rydych chi gyda'ch gilydd o'r diwedd a byddwch chi gyda'ch gilydd am byth – dwi'n siŵr o hynny. Wrth edrych arnoch chi, dwi'n cael fy atgoffa o Fred a finnau. Cariadon am oes.

Rŵan fod Alys wrth dy ochr dwi'n teimlo y medra i gamu'n ôl. Dwyt ti ddim f'angen i yn y gegin, ac er dwi'n gwybod y gwnei di hiraethu amdana i, does dim rhaid i mi boeni sut y gwnei di ymdopi hebdda i. Be dwi'n ceisio'i ddweud ydi, dwi'n gobeithio y gwna i dy weld di eto, ond os mai dyma fy amser i fynd, dwi'n barod i fynd. Hwyl fawr, ffrind.

John

'Pymtheng mlynedd fuon ni'n gweithio ochr yn ochr. Fydd y Fleur-de-Lis ddim yr un fath hebddo fo.'

'Na fydd,' cytunais. Beth arall allwn i ei ddweud?

Ddwyawr yn ddiweddarach, a hithau'n dechrau nosi, cyrhaeddodd y tri ohonom ben ein taith. Rhedodd Mrs Stuart allan i'r buarth i'n cyfarch ni, a chofleidiodd Duncan hi'n hir ac yn dyner.

'Helô, 'nghariadon i! *Fàilte*. Croeso. Mae hi wedi bod yn rhy hir o lawer...'

Troais John yn fy mreichiau fel ei fod yn wynebu ei nain. 'John, dyma Nana Stuart.' Ond troi ei ben i ffwrdd a chuddio'i wyneb ym mhont fy ysgwydd wnaeth John yn swil.

Chwarddodd Mrs Stuart. 'Wel, fyddwn ni ddim yn ddieithriaid am hir iawn.'

Doedd hi ddim yn bosib i ni fynd i mewn i'r tŷ oherwydd y rheolau ynglŷn â chyswllt cymdeithasol, ond roedd Mrs Stuart wedi cael benthyg carafán gan gymydog i ni aros ynddi, a chafodd John gyfle i ddod i adnabod ei nain. Y peth wnaeth fy nharo i fwyaf oedd cyn lleied o ddiddordeb oedd ganddi hi yng ngyrfa a llwyddiant Duncan yn y gegin ac yn gyhoeddus – wnaeth hi ddim sôn am *Around the World in 80 Dishes* er bod ailddarllediad ar y teledu yn y gegin tra oedden ni'n cael paned ar y patio, na chyfeirio at y ffaith mai Duncan oedd yn cyflwyno'r gyfres. Ddywedodd Duncan ddim gair chwaith, dim ond ciledrych arna i a gwenu'n slei bach.

'Wyt ti'n hapus?' gofynnodd ei fam iddo, gan mai dyna oedd wastad yn bwysig iddi hi. Oedden ni'n hapus yn rhieni, er gwaethaf y diffyg cwsg? Oedden ni'n fodlon gyda sefyllfa'r busnes? Oedden ni'n hapus yn byw yng Nghymru? Oedden, oedden, oedden.

Yn yr Alban dechreuais deimlo'n obeithiol am y dyfodol am y tro cyntaf ers amser maith. Doedden ni ddim wedi llwyddo i ad-dalu dyledion Lydia eto, ond roedd Duncan yng nghanol y broses o werthu'r cartref priodasol, o'r diwedd. Er bod ein sefyllfa ariannol yn dal i fod ychydig yn ansefydlog, roedden ni'n tri yn fodlon iawn ein byd. Pan fyddwn yn deffro yn y bore a chlywed Duncan yn chwyrnu wrth fy ochr, a gweld John Bach yn ei grud wrth ymyl y gwely, teimlwn fel petai'n ddiwrnod cyntaf gwyliau'r haf. Teimlad braf oedd dihuno yn y bore a gwybod y byddwn i'n cael treulio'r diwrnod cyfan yn gwneud y pethau a roddai'r pleser mwyaf i mi, sef coginio gyda Duncan a bod yn fam i John.

Er mai byr oedd ein harhosiad yn yr Alban, gwnaeth fyd o les i'r ddau ohonom. Dwi'n credu fod gwasgaru llwch John wedi bod yn gymorth i ni – bu Duncan yn isel ers colli ei ffrind, ond yn nhŷ ei fam gwelais yr hen Duncan yn dychwelyd, ei natur heulog yn torri drwy'r cymylau unwaith eto. Efallai am ei fod yn ôl yng nghartref ei blentyndod, roedd yn fwy bachgennaidd, yn ddireidus ac yn llawn hwyl.

Ar ein noson olaf yn yr Alban, gofynnodd Duncan i'w fam warchod John Bach, a mynnodd fynd â fi am dro i ben mynydd nid nepell o'r tyddyn. Lwyddon ni ddim i gyrraedd yr holl ffordd i'r copa, ond ar oedi i gael saib sydyn, aeth Duncan i lawr ar un ben-glin.

'Alys, fysen i ddim wedi goroesi'r flwyddyn ddiwethaf hebddat ti wrth fy ochr. Dwi'n deffro bob bore ac yn diolch ein bod wedi ffeindio'n gilydd, a dwi'n gobeithio dy fod di'n teimlo'r un fath.' Roeddwn i'n gegrwth, nid yn unig oherwydd y geiriau, ond am fod Duncan newydd ddweud popeth mewn Cymraeg rhugl, perffaith. Dyna pam roedd o wedi bod yn mynd o amgylch y lle â'i glustffonau yn ei glustiau'n barhaus, felly – bu'n dysgu Cymraeg! Estynodd focs bach lledr o boced ei gôt, a throdd yn ôl i'r Saesneg i egluro, 'Dwi wedi bod eisiau gofyn i ti ers misoedd, ond roedd yn rhaid i mi ddisgwyl tan heddiw achos modrwy fy nain ydi hon. Mae hi wedi bod yn y teulu ers canrif, ac yn amlwg doedd Mam ddim am ei phostio hi i mi.' Agorodd y bocs a llamodd fy nghalon pan welais yr emrallt a'r diemwntau mewn gosodiad Art Deco – hon oedd y fodrwy harddaf i mi ei gweld yn fy mywyd. Edrychodd i fyw fy llygaid. 'Alys Ryder, a wnei di fy mhriodi i?'

'Wrth gwrs,' atebais.

'Dim ond "ydw", "oes" ac "ie" dwi wedi'u dysgu hyd yn hyn, ond dwi'n cymryd bod "wrth gwrs" yn golygu'r un peth,' meddai, gan osod y fodrwy ar fy mys a 'nghusanu'n dyner.

Mam oedd y person cyntaf i mi ei ffonio ar ôl cyrraedd gwaelod y mynydd, ac yna, wrth i ni yrru'n ôl i dyddyn Mrs Stuart, ffoniais Dad a Lucy, ac yna Lee a Dana. Gwyddwn mai John fyddai'r person cyntaf y byddai Duncan wedi ei ffonio.

'Croeso i'r teulu,' meddai fy narpar fam yng nghyfraith yn gynnes, gan osod *tonnag* brithwe yn lliwiau'r teulu Stuart o amgylch fy ysgwyddau. Alys Stuart. Mrs Alys Stuart. Roeddwn wrth fy modd gyda'r enw.

Yn ôl adref yng Nghymru roedd llythyr swyddogol yr olwg yn disgwyl amdanon ni ym mlwch post y Fleur-de-Lis. Es i â John i fyny'r grisiau i newid ei glwt a'i roi i lawr i gysgu, a gadael i Duncan ddarllen y llythyr mewn heddwch. Pan ddychwelais i lawr i'r bwyty roedd o'n eistedd yn y swyddfa gyda'r amlen gaëdig yn dal i fod yn ei ddwylo.

Amneidiais at y petryal brown. 'Dwyt ti ddim am ei agor?'

'Llythyr gan gyfreithiwr John fydd o,' meddai'n dawel. Duncan oedd ysgutor stad John. 'Dwi'n gwybod bod y landlord eisiau ailosod ei fflat, a dwi'n siŵr mai gorchymyn i wagio'r adeilad fydd o. Dwi'm yn siŵr ydw i'n barod i sortio trwy ei bethau personol eto. Fedrwn ni ddim cadw popeth, mi wn i hynny, ond dwi ddim yn barod eto i waredu pethau fel ei lyfrau na'i ddillad...'

Daeth cri flin o'r llofft. Yn amlwg, doedd John ddim am gael nap wedi'r cwbl. Ac yntau mor ifanc, roedd o eisoes wedi datblygu'r un diffyg amynedd â'i dad bedydd. Cododd Duncan ar ei draed, ond rhoddais fy llaw ar ei ysgwydd i'w atal.

'A' i i'w fwydo fo. Darllena di'r llythyr.'

Gorweddais ar ein gwely dwbl i fwydo John, a distawodd yn syth. Pwysais yn ôl ar ben y gwely, cau fy llygaid a mwynhau cân yr adar yn y gwrych y tu ôl i'r bwyty. Ymhen rhyw ddeng munud ymunodd Duncan â ni ar y gwely, a swp o bapurau yn ei law.

'Llythyr arall gan John,' dywedodd, a dangosodd yr ysgrifen traed brain cyfarwydd i mi. 'Cynigiodd ei dad arian iddo, fel y gallai fyw heb boeni am bres, a thalu am driniaeth breifat petai angen. Pres cydwybod, yn ôl John.' Dangosodd Duncan un o'r taflenni i mi. Roedd yr ysgrifen mewn ffont gothig yr olwg a nofiai o flaen fy llygaid.

'Pam wyt ti'n rhoi hwn i mi? Fedra i 'mo'i darllen, na fedraf?'

'Ewyllys John ydi o. Roedd ganddo ugain mil o gynilion, ac mae o wedi gadael y cyfan i John Bach i'w gael pan fydd o'n troi'n ddeunaw.'

'Anhygoel!'

'Ond mae o wedi gadael pob ceiniog gafodd o gan ei dad i ni'n dau, er mwyn ein digolledu am yr arian wrthododd Lydia ei ad-dalu. Ei ffordd o geisio gwneud iawn am y difrod wnaeth hi...'

Cofiais glywed John yn ffraeo â'i dad ac yn dweud wrtho'n swrth nad oedd o eisiau'r arian. Cofiais hefyd ateb ei dad: 'Paid â'i wario fo, 'ta.'

'Fydd o'n ddigon i dalu'r holl ddyledion?' gofynnais yn lled-obeithiol.

'Bydd, a mwy. Mae llythyr yma gan ei gyfreithiwr yn dweud bod John wedi gadael mymryn yn llai na thri chan mil.' Rhoddais ebychiad o sioc. 'Mae ein problemau ariannol drosodd, Alys. Rydyn ni ar fin bod yn rhydd o ddyled, ac mi allwn ni fforddio prynu tŷ...'

Llanwodd fy llygaid â dagrau annisgwyl, ac roedd rhai Duncan yr un mor llaith.

'Taswn i ond wedi cael cyfle i ddiolch iddo...' meddai Duncan.

'Fyse fo wedi deud "*haud yer wheest*, Duncan!". Dwi'n siŵr y gwnaeth o adael popeth i ni yn ei ewyllys fel na fyse'n rhaid iddo ddelio â'n diolchgarwch, a chael ei drin fel achubwr y Fleur-de-Lis.'

Sychodd Duncan deigryn oddi ar ei foch a gwenu. 'Ti'n llygad dy le, Alys.'

'Ac er mai ein helpu ni oedd ei brif gymhelliad, dwi'n siŵr bod dychmygu cynddeiriogrwydd Lydia a Harold ar glywed y newyddion wedi ei wneud o'n hapus iawn.'

'Yn bendant,' cytunodd Duncan. 'Yn y llythyr 'ma mae o'n dweud mai dyna'r unig reswm iddo dderbyn arian ei dad yn y lle cyntaf. Fel arall, byddai Lydia wedi etifeddu'r tri chan mil gan ei rhieni, gan mai hi yw'r unig etifedd cyfreithiol, felly "dargyfeirio" y pres i'n cyfeiriad ni wnaeth John.' Edrychodd i lawr ar y papur yn ei law unwaith eto. 'Mae o hefyd yn dweud ei fod wedi sgwennu llythyrau at ei dad a'i chwaer yn rhoi cerydd iddyn nhw am bopeth wnaethon nhw – fysen i'n talu crocbris i gael bod yn bry ar y wal pan ddarllenon nhw'r llythyrau!'

Gwenais. 'Wel, o leia rydyn ni'n gwybod rŵan pam na ddaethon nhw i'r angladd! John gefnodd arnyn nhw. John benderfynodd losgi ei bontydd unwaith ac am byth, a dwi'n meddwl y byddai hynny wedi bod yn rhywfaint o gysur iddo. Gafodd o orffen pethau ar ei delerau o.'

Eisteddodd y ddau ohonon ni'n dawel am sbel, y ddau ohonom yn meddwl am John ac yn edrych ar John Bach yn bwydo. Ar ôl gwagio'i botel setlodd y bychan i gysgu, gan gladdu ei wyneb bach yn fy nghesail a chydio yn llaw ei dad. Allai'r un ohonom symud heb ei styrbio, felly doedd dim amdani ond swatio'n glyd un bob ochr iddo, a dechrau ystyried yr holl bosibiliadau oedd o'n blaenau nawr ein bod ni'n rhydd o ddyled. Gallem brynu cartref newydd, ehangu a gwella'r Fleur-de-Lis...

Edrychais ar Duncan a gweld ei fod o'n gwenu.

'Ti'n meddwl mai dyma dacteg newydd John i'n hatal ni rhag creu brawd neu chwaer fach iddo?' gofynnodd yn chwareus.

'Wel, gan dy fod wedi codi'r pwnc...' atebais gyda gwên.